日本消化器病学会
消化性潰瘍診療ガイドライン 2020（改訂第 3 版）

Evidence-based Clinical Practice Guidelines for Peptic Ulcer 2020（3rd Edition）

日本消化器病学会消化性潰瘍診療ガイドライン作成・評価委員会は，消化性潰瘍診療ガイドラインの内容については責任を負うが，実際の臨床行為の結果については各担当医が負うべきである．

消化性潰瘍診療ガイドラインの内容は，一般論として臨床現場の意思決定を支援するものであり，医療訴訟等の資料となるものではない．

　　　　　　　　　　　　　　　　　　　　日本消化器病学会 2020 年 4 月 1 日

消化性潰瘍診療ガイドライン 2020

改訂第3版

編集

日本消化器病学会

協力学会
日本消化管学会
日本消化器内視鏡学会

刊行にあたって

　日本消化器病学会は，2005年に跡見裕理事長（当時）の発議によって，Evidence-Based Medicine（EBM）の手法にそったガイドラインの作成を行うことを決定し，3年余をかけて消化器6疾患（胃食道逆流症（GERD），消化性潰瘍，肝硬変，クローン病，胆石症，慢性膵炎）のガイドライン（第一次ガイドライン）を上梓した．ガイドライン委員会を積み重ね，文献検索範囲，文献採用基準，エビデンスレベル，推奨グレードなどEBM手法の統一性についての合意と，クリニカルクエスチョン（CQ）の設定など，基本的な枠組み設定のもと作成が行われた．ガイドライン作成における利益相反（Conflict of Interest：COI）を重要視し，EBM専門家から提案された基準に基づいてガイドライン委員のCOIを公開している．菅野健太郎理事長（当時）のリーダーシップのもとに学会をあげての事業として継続されたガイドライン作成は，先進的な取り組みであり，わが国の消化器診療の方向性を学会主導で示したものとして大きな価値があったと評価される．

　第一次ガイドラインに次いで，2014年に機能性ディスペプシア（FD），過敏性腸症候群（IBS），大腸ポリープ，NAFLD/NASHの4疾患についても，診療ガイドライン（第二次ガイドライン）を刊行した．この2014年には，第一次ガイドラインも作成後5年が経過するため，先行6疾患のガイドラインの改訂作業も併せて行われた．改訂版では第二次ガイドライン作成と同様，国際的主流となっているGRADE（The Grading of Recommendations Assessment, Development and Evaluation）システムを取り入れている．

　そして，2019〜2021年には本学会の10ガイドラインが刊行後5年を超えることになるため，下瀬川徹理事長（当時）のもと，医学・医療の進歩を取り入れてこれら全てを改訂することとした．2017年8月の第1回ガイドライン委員会においては，10ガイドラインの改訂を決定するとともに，近年，治療法に進歩の認められる「慢性便秘症」も加え，合計11のガイドラインを本学会として発刊することとした．また，各ガイドラインのCQの数は20〜30程度とすること，CQのうち「すでに結論が明らかなもの」はbackground knowledgeとすること，「エビデンスが存在せず，今後の研究課題であるもの」はfuture research question（FRQ）とすることも確認された．

　2018年7月の同年第1回ガイドライン委員会において，11のガイドラインのうち，肝疾患を扱う肝硬変，NAFLD/NASHの2つについては日本肝臓学会との合同ガイドラインとして改訂することが承認された．前版ではいずれも日本肝臓学会は協力学会として発刊されたが，両学会合同であることが，よりエビデンスと信頼を強めるということで両学会にて合意されたものである．また，COI開示については，利益相反委員会が定める方針に基づき厳密に行うことも確認された．同年10月の委員会追補ではbackground knowledgeはbackground question（BQ）に名称変更し，BQ・CQ・FRQと3つのQuestion形式にすることが決められた．

　刊行間近の2019〜2020年には，日本医学会のガイドライン委員会COIに関する規定が改定されたのに伴い，本学会においても規定改定を行い，さらに厳密なCOI管理を行うこととした．また，これまでのガイドライン委員会が各ガイドライン作成委員長の集まりであったことを改め，ガイドライン統括委員会も組織された．これも，社会から信頼されるガイドラインを公表するために必須の変革であったと考える．

最新のエビデンスを網羅した今回の改訂版は，前版に比べて内容的により充実し，記載の精度も高まっている．必ずや，わが国，そして世界の消化器病の臨床において大きな役割を果たすものと考えている．

　最後に，ガイドライン委員会担当理事として多大なご尽力をいただいた榎本信幸理事，佐々木裕利益相反担当理事，研究推進室長である三輪洋人副理事長，ならびに多くの時間と労力を惜しまず改訂作業を遂行された作成委員会ならびに評価委員会の諸先生，刊行にあたり丁寧なご支援をいただいた南江堂出版部の皆様に心より御礼を申し上げたい．

2020年4月

日本消化器病学会理事長
小池　和彦

統括委員会一覧

委員長	渡辺　純夫	順天堂大学消化器内科
委員	島田　光生	徳島大学消化器・移植外科
	福田　眞作	弘前大学消化器血液内科学
	田妻　進	JA尾道総合病院
	宮島　哲也	梶谷綜合法律事務所

ガイドライン作成協力

作成方法論	吉田　雅博	国際医療福祉大学市川病院人工透析・一般外科
文献検索	山口直比古	日本医学図書館協会（聖隷佐倉市民病院図書室）

消化性潰瘍診療ガイドライン委員会一覧

協力学会：日本消化管学会，日本消化器内視鏡学会

作成委員会

委員長	佐藤	貴一	国際医療福祉大学病院消化器内科
副委員長	鎌田	智有	川崎医科大学健康管理学
委員	伊藤	俊之	滋賀医科大学医学・看護学教育センター
	伊藤	公訓	広島大学総合内科・総合診療科
	岩本	淳一	東京医科大学茨城医療センター消化器内科
	沖本	忠義	大分大学医学部消化器内科学
	菅野	武	東北大学病院消化器内科
	杉本	光繁	東京医科大学病院消化器内視鏡学
	千葉	俊美	岩手医科大学口腔医学講座関連医学分野
	野村	幸世	東京大学大学院医学系研究科消化管外科
	三枝	充代	自治医科大学消化器内科

評価委員

委員長	平石	秀幸	新潟聖籠病院
副委員長	芳野	純治	藤田医科大学
委員	髙木	敦司	亀田森の里病院内科

SR協力者

小川	竜	大分大学医学部消化器内科学
小坂聡太郎		大分大学医学部消化器内科学
川原	義成	大分大学医学部消化器内科学
金	笑奕	東北大学病院消化器内科
角	直樹	川崎医科大学健康管理学
中川健一郎		東北大学病院消化器内科
福田	健介	大分大学医学部消化器内科学
保田	智之	国家公務員共済組合連合会広島記念病院内科
水野	仁美	とよだ青葉クリニック
村田	雅樹	滋賀医科大学消化器内科/国立病院機構京都医療センター消化器内科
Yaghoobi Mohammad		Division of Gastroenterology, Health Sciences Centre, McMaster University, Canada
Yuhong Yuan		Division of Gastroenterology, Health Sciences Centre, McMaster University, Canada

消化性潰瘍診療ガイドライン作成の手順

1. 改訂の背景

　日本消化器病学会は，GERD，消化性潰瘍，胆石症，慢性膵炎，IBD，肝硬変，の6疾患に関する診療ガイドライン改訂版を2015～2016年に刊行した．2014年刊行の，機能性ディスペプシア（FD），過敏性腸症候群（IBS），大腸ポリープ，NAFLD/NASHの診療ガイドラインは，改訂版刊行が予定された．また，新規の慢性便秘症診療ガイドラインが加わる予定になった．先に作成された6疾患の診療ガイドラインは作成より5年を経過することになるため，2020年刊行を予定して改訂を行うこととなった．

　初版の消化性潰瘍診療ガイドラインは厚生労働省の研究補助金（厚生科学研究費）「EBMに基づく胃潰瘍診療ガイドライン」をもとにして，十二指腸潰瘍，外科的治療などを追加して作成され，2009年10月に刊行された．改訂第2版は，2015年5月に刊行された．刊行後の新たなエビデンスを取り入れ，学会ホームページに2016年11月，2017年6月にAnnual Review版を掲載した．

2. 改訂の手順

1) 診療ガイドライン委員会の設立

　作成委員会は，委員の新旧交代を進め，11人中6人の委員が交代した．評価委員会も，平石秀幸 新委員長のもと，2名の新委員で構成された．第1回作成委員会は2018年9月28日に開催され，改訂の基本方針が確認され，改訂の作業が開始された．なお，日本消化管学会と日本消化器内視鏡学会の協力をいただいた．

2) 作成基準

　Minds診療ガイドライン作成マニュアルによる「推奨の強さ」，「エビデンス総体の強さ」により行った．

3) 作成方法

- 今版のガイドラインではCQ（clinical question）数は20～30個程度とされた．また，すでに結論が明らかなものはBQ（background question），今後の研究課題についてはFRQ（future research question）とされた．それぞれ，28，61，1である．
- CQ/FRQの文献は日本医学図書館協会にて系統的検索を行い，BQの文献は各作成委員によりハンドサーチを行った．
- はじめに作成委員会にてCQを作成し，評価委員会が問題点などを評価し作成委員会に報告し，修正，追加などを行い，CQを完成させた．次に，それぞれのCQについて論文検索を行い，作成委員会にて検索された論文をMinds診療ガイドライン作成マニュアル2017による方法論をもとに評価し，CQごとに「ステートメント」，「推奨の強さ」，「エビデンスレベル」，「解説」，「文献」を作成し，評価委員会に報告した．評価委員会にて評価したあと，作成委員会に報告し，必要な修正を行って完成させた．推奨の強さの決定は，作成委員会にて挙手による投票で行った．出席率80%以上で実施し，70%以上の同意が集約された場合に，推奨の強さを決定した．賛成が70%未満の場合は，再検討したうえで3回まで投票を行った．また，文献の掲載はCQごとに行った．作成委員会におけるガイドライン（案）

- の作成は委員の合議により行った．
- 文献検察は，英文論文には MEDLINE，Cochrane Library を用い，日本語論文には医学中央雑誌を用いた．すべての CQ，FRQ で英文は 1983 年から 2018 年 10 月まで，和文は 1983 年から 2018 年 12 月までの期間を検索した．
- 網羅的に検索された論文を吟味し採用論文を決定した．
- SR チームが，介入研究，観察研究別に，システマティックレビュー（メタアナリシス）を行い，エビデンス総体の強さを A（強）〜D（非常に弱）で決定した．
- 「推奨の強さ」は，エビデンスレベルだけでなく，益と害のバランス，患者の価値観や好み，費用対効果などを検討して判定した．また，「推奨の強さ」は「強い推奨」と「弱い推奨（提案）」の 2 者のみで，ステートメントは「…を行うよう推奨（提案）する」，あるいは「…を行わないよう推奨（提案）する」とした．
- 構成は前版ガイドラインを踏襲し，「出血性胃潰瘍・出血性十二指腸潰瘍」，「H. pylori 除菌治療」，「非除菌治療」，「薬物性潰瘍」，「非 H. pylori・非 NSAIDs 潰瘍」，「外科的治療」，「穿孔・狭窄に対する内科的（保存的）治療」としたが，新たに「疫学」と「残胃潰瘍」が加わった．CQ/FRQ では，「出血性潰瘍の予防」，「虚血性十二指腸潰瘍の治療法」が新たに加わった．
- CQ 数は順に 4，4，2，15，1，1，0，0，1 の計 28 項目で，主として治療，予防に関する CQ から成り，診断に関する CQ はない．
- 英文は 2018 年 11 月以降，和文は 2019 年 1 月以降の検索期間外で，ハンドサーチで得られた重要なエビデンスは，「検索期間外文献」と記載した．また，保険適用のない治療については「推奨」にその点を記載した．
- フローチャートは，治療に残胃潰瘍と特発性潰瘍が加わった．NSAIDs 潰瘍予防と LDA 潰瘍予防のフローチャートを新たに作成した．
- パブリックコメントは日本消化器病学会のホームページ上にて 2020 年 2 月 14 日から 2 月 28 日の間に募集し，それを加味して消化性潰瘍診療ガイドラインを最終的に完成させた．

3. 使用法

　本ガイドラインは消化性潰瘍の治療，疫学，病態などについての 2018 年までのエビデンスをもとに作成され，一般的な診療の内容を提示することにより，臨床の場を支援するものである．しかし，患者の状態はそれぞれ異なることから，本ガイドラインを一律に盲目的に運用することは求めていない．それぞれの患者に適した治療を選択することが望ましい．また，医学は日々進歩しており，本ガイドラインはそれに対応することが今後必要となると思われる．

　最後に，作成，刊行に多大なご助力を頂いた，南江堂　臨床編集部　達紙優司氏，定郁里氏に深謝申し上げます．

2020 年 4 月

日本消化器病学会消化性潰瘍診療ガイドライン作成委員長
佐藤　貴一

本ガイドライン作成方法

1. エビデンス収集

　前版(消化性潰瘍診療ガイドライン 2015(改訂第 2 版))で行われた系統的検索によって得られた論文に加え,今回新たに以下の作業を行ってエビデンスを収集した.

　ガイドラインの構成を臨床疑問(clinical question:CQ),および背景疑問(background question:BQ),CQ として取り上げるにはデータが不足しているものの今後の重要課題と考えられる future research question(FRQ)に分類し,このうち CQ および FRQ ついてはキーワードを抽出して学術論文を収集した.データベースは,英文論文は MEDLINE,Cochrane Library を用いて,日本語論文は医学中央雑誌を用いた.CQ および FRQ については,英文は 1983 年〜2018 年 10 月末,和文は 1983 年〜2018 年 12 月末を文献検索の対象期間とした.また,検索期間以降 2020 年 2 月までの重要かつ新しいエビデンスについてはハンドサーチにより適宜追加し,検索期間外論文として掲載した.各キーワードおよび検索式は日本消化器病学会ホームページに掲載する予定である.なお,BQ についてはすべてハンドサーチにより文献検索を行った.

　収集した論文のうち,ヒトに対して行われた臨床研究を採用し,動物実験に関する論文は原則として除外した.患者データに基づかない専門家個人の意見は参考にしたが,エビデンスとしては用いなかった.

2. エビデンス総体の評価方法

1) 各論文の評価:構造化抄録の作成

　各論文に対して,研究デザイン[1](表 1)を含め,論文情報を要約した構造化抄録を作成した.さらに RCT や観察研究に対して,Cochrane Handbook[2] や Minds 診療ガイドライン作成の手引き[1] のチェックリストを参考にしてバイアスのリスクを判定した(表 2).総体としてのエビデンス評価は,GRADE(The Grading of Recommendations Assessment, Development and Evaluation)アプローチ[3〜22] の考え方を参考にして評価し,CQ 各項目に対する総体としてのエビデンスの質を決定し表記した(表 3).

表 1 研究デザイン

各文献へは下記 9 種類の「研究デザイン」を付記した.
(1) メタ(システマティックレビュー /RCT のメタアナリシス)
(2) ランダム(ランダム化比較試験)
(3) 非ランダム(非ランダム化比較試験)
(4) コホート(分析疫学的研究(コホート研究))
(5) ケースコントロール(分析疫学的研究(症例対照研究))
(6) 横断(分析疫学的研究(横断研究))
(7) ケースシリーズ(記述研究(症例報告やケース・シリーズ))
(8) ガイドライン(診療ガイドライン)
(9) (記載なし)(患者データに基づかない,専門委員会や専門家個人の意見は,参考にしたが,エビデンスとしては用いないこととした)

表2 バイアスリスク評価項目

選択バイアス	（1）ランダム系列生成 ・患者の割付がランダム化されているかについて，詳細に記載されているか
	（2）コンシールメント ・患者を組み入れる担当者に，組み入れる患者の隠蔽化がなされているか
実行バイアス	（3）盲検化 ・被験者は盲検化されているか，ケア供給者は盲検化されているか
検出バイアス	（4）盲検化 ・アウトカム評価者は盲検化されているか
症例減少バイアス	（5）ITT解析 ・ITT解析の原則を掲げて，追跡からの脱落者に対してその原則を遵守しているか
	（6）アウトカム報告バイアス ・それぞれの主アウトカムに対するデータが完全に報告されているか（解析における採用および除外データを含めて）
	（7）その他のバイアス ・選択アウトカム報告・研究計画書に記載されているにもかかわらず，報告されていないアウトカムがないか ・早期試験中止・利益があったとして，試験を早期中止していないか ・その他のバイアス

表3 エビデンスの質

A：質の高いエビデンス（High）
真の効果がその効果推定値に近似していると確信できる．

B：中程度の質のエビデンス（Moderate）
効果の推定値が中程度信頼できる．
真の効果は，効果の効果推定値におおよそ近いが，それが実質的に異なる可能性もある．

C：質の低いエビデンス（Low）
効果推定値に対する信頼は限定的である．
真の効果は，効果の推定値と，実質的に異なるかもしれない．

D：非常に質の低いエビデンス（Very Low）
効果推定値がほとんど信頼できない．
真の効果は，効果の推定値と実質的におおよそ異なりそうである．

2）アウトカムごと，研究デザインごとの蓄積された複数論文の総合評価
（1）初期評価：各研究デザイン群の評価
・メタ群，ランダム群＝「初期評価A」
・非ランダム群，コホート群，ケースコントロール群，横断群＝「初期評価C」
・ケースシリーズ群＝「初期評価D」
（2）エビデンスの確実性（強さ）を下げる要因の有無の評価
・研究の質にバイアスリスクがある
・結果に非一貫性がある
・エビデンスの非直接性がある
・データが不精確である
・出版バイアスの可能性が高い
（3）エビデンスの確実性（強さ）を上げる要因の有無の評価
・大きな効果があり，交絡因子がない

・用量-反応勾配がある
　・可能性のある交絡因子が，真の効果をより弱めている
（4）総合評価：最終的なエビデンスの質「A，B，C，D」を評価判定した．
3）エビデンスの質の定義方法
　エビデンスの確実性（強さ）は海外と日本で別の記載とせずに1つとした．またエビデンスは複数文献を統合・作成したエビデンス総体（body of evidence）とし，表3のA～Dで表記した．
4）メタアナリシス
　システマティックレビューを行い，必要に応じてメタアナリシスを引用し，本文中に記載した．

3．推奨の強さの決定

　以上の作業によって得られた結果をもとに，治療の推奨文章の案を作成提示した．次に推奨の強さを決めるために作成委員によるコンセンサス形成を図った．

　推奨の強さは，①エビデンスの確実性（強さ），②患者の希望，③益と害，④コスト評価，の4項目を評価項目とした．コンセンサス形成方法はDelphi変法，nominal group technique（NGT）法に準じて投票を用い，70％以上の賛成をもって決定とした．1回目で結論が集約できないときは，各結果を公表し，日本の医療状況を加味して協議のうえ，投票を繰り返した．作成委員会はこの集計結果を総合して評価し，表4に示す推奨の強さを決定し，本文中の囲み内に明瞭に表記した．

　推奨の強さは「強：強い推奨」，「弱：弱い推奨」の2通りであるが，「強く推奨する」や「弱く推奨する」という文言は馴染まないため，下記のとおり表記した．投票結果を「合意率」として推奨の強さの次に括弧書きで記載した．

表4　推奨の強さ

推奨度	
強（強い推奨）	"実施する"ことを推奨する "実施しない"ことを推奨する
弱（弱い推奨）	"実施する"ことを提案する "実施しない"ことを提案する

4．本ガイドラインの対象
　1）利用対象：一般臨床医
　2）診療対象：成人の患者を対象とした．小児は対象外とした．

5．改訂について
　本ガイドラインは改訂第3版であり，今後も日本消化器病学会ガイドライン委員会を中心として継続的な改訂を予定している．

6．作成費用について
　本ガイドラインの作成はすべて日本消化器病学会が費用を負担しており，他企業からの資金

提供はない.

7. 利益相反について
1) 日本消化器病学会ガイドライン委員会では，統括委員・各ガイドライン作成・評価委員と企業との経済的な関係につき，各委員から利益相反状況の申告を得た（詳細は「利益相反に関して」に記す）．
2) 本ガイドラインでは，利益相反への対応として，関連する協力学会の参加によって意見の偏りを防ぎ，さらに委員による投票によって公平性を担保するように努めた．また，出版前のパブリックコメントを学会員から受け付けることで幅広い意見を収集した．

8. ガイドライン普及と活用促進のための工夫
1) フローチャートを提示して，利用者の利便性を高めた．
2) 書籍として出版するとともに，インターネット掲載を行う予定である．
 ・日本消化器病学会ホームページ
 ・日本医療機能評価機構 EBM 医療情報事業（Minds）ホームページ
3) 市民向けガイドライン情報提供として，わかりやすい解説を作成し，日本消化器病学会ホームページにて公開予定である．

■引用文献
1) 福井次矢，山口直人（監修）．Minds 診療ガイドライン作成の手引き 2014，医学書院，東京，2014
2) Higgins JPT, Thomas J, Chandler J, et al (eds). Cochrane Handbook for Systematic Reviews of Interventions version 6.0 (updated July 2019). <https://training.cochrane.org/handbook/current>［最終アクセス 2020 年 3 月 30 日］
3) 相原守夫．診療ガイドラインのための GRADE システム，第 3 版，中外医学社，東京，2018
4) The GRADE working group. Grading quality of evidence and strength of recommendations. BMJ 2004; **328**: 1490-1494 (printed, abridged version)
5) Guyatt GH, Oxman AD, Vist G, et al; GRADE Working Group. Rating quality of evidence and strength of recommendations GRADE: an emerging consensus on rating quality of evidence and strength of recommendations. BMJ 2008; **336**: 924-926
6) Guyatt GH, Oxman AD, Kunz R, et al; GRADE Working Group. Rating quality of evidence and strength of recommendations: What is "quality of evidence" and why is it important to clinicians? BMJ 2008; **336**: 995-998
7) Schünemann HJ, Oxman AD, Brozek J, et al; GRADE Working Group. Grading quality of evidence and strength of recommendations for diagnostic tests and strategies. BMJ 2008; **336**: 1106-1110
8) Guyatt GH, Oxman AD, Kunz R, et al; GRADE working group. Rating quality of evidence and strength of recommendations: incorporating considerations of resources use into grading recommendations. BMJ 2008; **336**: 1170-1173
9) Guyatt GH, Oxman AD, Kunz R, et al; GRADE Working Group. Rating quality of evidence and strength of recommendations: going from evidence to recommendations. BMJ 2008; **336**: 1049-1051
10) Jaeschke R, Guyatt GH, Dellinger P, et al; GRADE working group. Use of GRADE grid to reach decisions on clinical practice guidelines when consensus is elusive. BMJ 2008; **337**: a744
11) Guyatt G, Oxman AD, Akl E, et al. GRADE guidelines 1. Introduction-GRADE evidence profiles and summary of findings tables. J Clin Epidemiol 2011; **64**: 383-394
12) Guyatt GH, Oxman AD, Kunz R, et al. GRADE guidelines 2. Framing the question and deciding on important outcomes. J Clin Epidemiol 2011; **64**: 295-400
13) Balshem H, Helfand M, Schunemann HJ, et al. GRADE guidelines 3: rating the quality of evidence. J Clin Epidemiol 2011; **64**: 401-406
14) Guyatt GH, Oxman AD, Vist G, et al. GRADE guidelines 4: rating the quality of evidence - study limitation (risk of bias). J Clin Epidemiol 2011; **64**: 407-415
15) Guyatt GH, Oxman AD, Montori V, et al. GRADE guidelines 5: rating the quality of evidence - publication

bias. J Clin Epidemiol 2011; **64**: 1277-1282
16) Guyatt G, Oxman AD, Kunz R, et al. GRADE guidelines 6. Rating the quality of evidence - imprecision. J Clin Epidemiol 2011; **64**: 1283-1293
17) Guyatt GH, Oxman AD, Kunz R, et al; The GRADE Working Group. GRADE guidelines: 7. Rating the quality of evidence - inconsistency. J Clin Epidemiol 2011; **64**: 1294-1302
18) Guyatt GH, Oxman AD, Kunz R, et al; The GRADE Working Group. GRADE guidelines: 8. Rating the quality of evidence - indirectness. J Clin Epidemiol 2011; **64**: 1303-1310
19) Guyatt GH, Oxman AD, Sultan S, et al; The GRADE Working Group. GRADE guidelines: 9. Rating up the quality of evidence. J Clin Epidemiol 2011; **64**: 1311-1316
20) Brunetti M, Shemilt I, et al; The GRADE Working. GRADE guidelines: 10. Considering resource use and rating the quality of economic evidence. J Clin Epidemiol 2013; **66**: 140-150
21) Guyatt G, Oxman AD, Sultan S, et al. GRADE guidelines: 11. Making an overall rating of confidence in effect estimates for a single outcome and for all outcomes. J Clin Epidemiol 2013; **66**: 151-157
22) Guyatt GH, Oxman AD, Santesso N, et al. GRADE guidelines 12. Preparing Summary of Findings tables-binary outcomes. J Clin Epidemiol 2013; **66**: 158-172

本ガイドラインの構成

第1章　疫学

第2章　出血性胃潰瘍・出血性十二指腸潰瘍
　(1) 内視鏡的止血治療
　(2) 非内視鏡的止血治療
　(3) 出血性潰瘍の予防

第3章　H. pylori 除菌治療
　(1) 初期治療
　(2) 一次除菌
　(3) 二次除菌
　(4) 三次除菌
　(5) 再発防止
　(6) 除菌後潰瘍

第4章　非除菌治療
　(1) 初期治療
　(2) 維持療法

第5章　薬物性潰瘍
　(1) NSAIDs 潰瘍（低用量アスピリンを含む）
　(2) 非選択的 NSAIDs 潰瘍
　(3) 選択的 NSAIDs（COX-2 選択的阻害薬）潰瘍
　(4) 低用量アスピリン（LDA）潰瘍
　(5) その他の薬物

第6章　非 H. pylori・非 NSAIDs 潰瘍

第7章　残胃潰瘍

第8章　外科的治療
　(1) 手術適応
　(2) 手術術式
　(3) 術後維持療法

第9章　穿孔・狭窄に対する内科的（保存的）治療
　(1) 穿孔
　(2) 狭窄

フローチャート

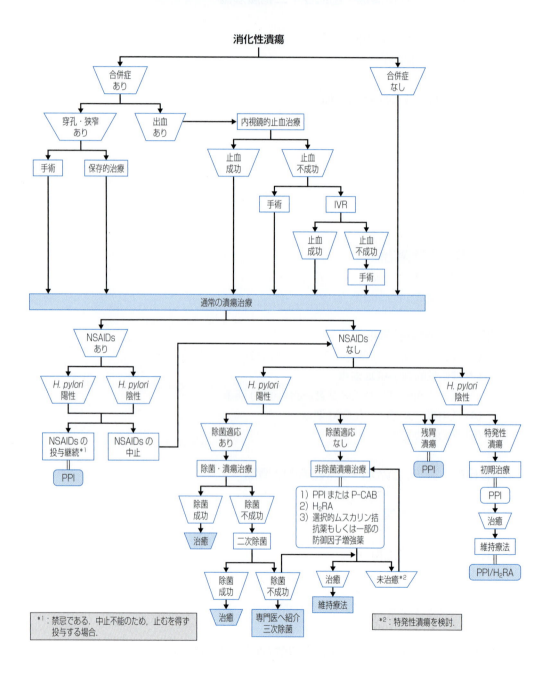

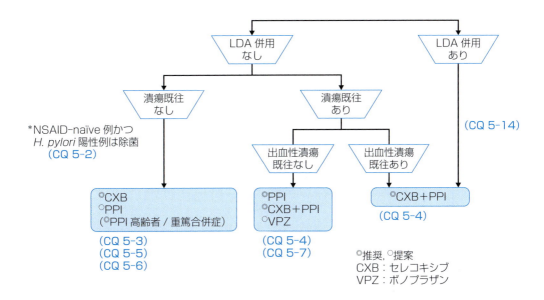

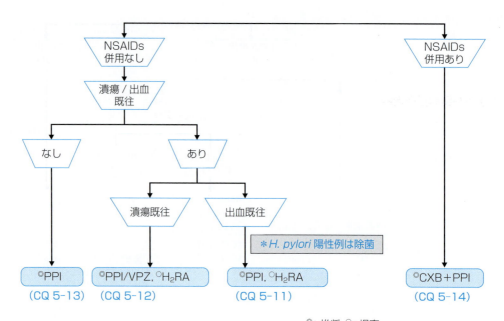

クエスチョン一覧

第1章 疫学
- BQ 1-1　日本人の消化性潰瘍の有病率は減少しているか？ …………………………… 2

第2章 出血性胃潰瘍・出血性十二指腸潰瘍
(1) 内視鏡的止血治療
- BQ 2-1　出血性潰瘍に対する内視鏡的止血治療は有用か？ ……………………………… 6
- BQ 2-2　出血性潰瘍に対する内視鏡的止血治療法はどのような潰瘍を対象とするか？ ……………… 8
- BQ 2-3　出血性胃潰瘍に対する内視鏡的止血治療法の成績はどうか？ ………………… 10
- BQ 2-4　止血確認のための内視鏡検査（セカンド・ルック）は必要か？ ……………… 12

(2) 非内視鏡的止血治療
- BQ 2-5　どのような場合に輸血が必要か？ ……………………………………………… 14
- BQ 2-6　再出血予防に *H. pylori* 除菌療法は有用か？ ………………………………… 15
- CQ 2-1　抗凝固薬・抗血小板薬服用中の出血性潰瘍に対して休薬は必要か？ ………… 16
- CQ 2-2　interventional radiology (IVR) は有用か？ …………………………………… 19
- CQ 2-3　内視鏡的止血治療後に酸分泌抑制薬を用いる必要はあるか？ ………………… 21

(3) 出血性潰瘍の予防
- CQ 2-4　抗血栓薬使用者の出血性潰瘍の予防にどのような薬剤を推奨するか？ ……… 23

第3章 *H. pylori* 除菌治療
(1) 初期治療
【胃潰瘍】
- BQ 3-1　*H. pylori* 除菌は胃潰瘍の治癒を促進するか？ ……………………………… 28
- BQ 3-2　*H. pylori* 除菌前の PPI 投与は胃潰瘍の除菌率に影響を与えるか？ ………… 30
- BQ 3-3　開放性（活動期）胃潰瘍に対して *H. pylori* 除菌治療後の潰瘍治療の追加は必要か？ ……………………………………………………………………………… 32

【十二指腸潰瘍】
- BQ 3-4　*H. pylori* 除菌は十二指腸潰瘍の治癒を促進するか？ ……………………… 33
- BQ 3-5　*H. pylori* 除菌前の PPI 投与は十二指腸潰瘍の除菌率に影響を与えるか？ …… 35
- BQ 3-6　開放性（活動期）十二指腸潰瘍に対して *H. pylori* 除菌治療後の潰瘍治療の追加は必要か？ ………………………………………………………………………… 36

(2) 一次除菌
- CQ 3-1　一次除菌治療はどのようなレジメンを推奨するか？ ………………………… 38

(3) 二次除菌
- CQ 3-2　二次除菌治療はどのようなレジメンを推奨するか？ ………………………… 46

(4) 三次除菌
- CQ 3-3　三次除菌治療はどのようなレジメンを推奨するか？ ………………………… 49

(5) 再発防止
- BQ 3-7　*H. pylori* 除菌療法は潰瘍再発を抑制するか？ ……………………………51
- BQ 3-8　除菌成功例に潰瘍再発予防治療は必要か？ ……………………………………55
- BQ 3-9　除菌後の *H. pylori* の再陽性化率はどれほどか？ ……………………………56
- BQ 3-10　除菌後の GERD 発症は増加するか？ ………………………………………57
- BQ 3-11　除菌後症例の上部消化管検査は必要か？ ……………………………………59

(6) 除菌後潰瘍
- BQ 3-12　除菌成功後における未治癒潰瘍の対策は何か？ ……………………………60
- CQ 3-4　除菌成功後における再発潰瘍に PPI の長期投与は必要か？ ………………61

第4章　非除菌治療

(1) 初期治療

【胃潰瘍】
- BQ 4-1　胃潰瘍に対する非除菌治療（初期治療）において，酸分泌抑制薬と防御因子増強薬の併用療法は有用か？ …………………………………………………………64
- CQ 4-1　胃潰瘍に対する非除菌治療（初期治療）にどのような薬剤を推奨するか？ ………66

【十二指腸潰瘍】
- BQ 4-2　十二指腸潰瘍に対する非除菌治療（初期治療）において，酸分泌抑制薬と防御因子増強薬の併用療法は有用か？ ………………………………………………73
- CQ 4-2　十二指腸潰瘍に対する非除菌治療（初期治療）にどのような薬剤を推奨するか？ ……………………………………………………………………………………74

(2) 維持療法

【胃潰瘍】
- BQ 4-3　胃潰瘍の非除菌治療において維持療法は必要か？ …………………………79
- BQ 4-4　胃潰瘍に対する非除菌治療（維持療法）にどのような薬剤を推奨するか？ ………81
- BQ 4-5　胃潰瘍に対する非除菌治療（維持療法）において，酸分泌抑制薬と防御因子増強薬の併用療法は有用か？ ……………………………………………………83
- BQ 4-6　胃潰瘍に対する非除菌治療（維持療法）の期間はどのくらい必要か？ ……………84
- BQ 4-7　胃潰瘍に対する非除菌治療において，維持療法中に内視鏡検査は必要か？ ……86

【十二指腸潰瘍】
- BQ 4-8　十二指腸潰瘍の非除菌治療において維持療法は必要か？ …………………87
- BQ 4-9　十二指腸潰瘍に対する非除菌治療（維持療法）にはどのような薬剤を推奨するか？ ……………………………………………………………………………………89
- BQ 4-10　十二指腸潰瘍に対する非除菌治療（維持療法）において，酸分泌抑制薬と防御因子増強薬の併用療法は有用か？ ………………………………………………91
- BQ 4-11　十二指腸潰瘍に対する非除菌治療（維持療法）の期間はどのくらい必要か？ ……92
- BQ 4-12　十二指腸潰瘍に対する非除菌治療において，維持療法中に内視鏡検査は必要か？ ……………………………………………………………………………………93

第 5 章　薬物性潰瘍

(1) NSAIDs 潰瘍（低用量アスピリンを含む）

【疫学・病態】

- BQ 5-1　NSAIDs 服用者では，消化性潰瘍，上部消化管出血のリスクは高まるか？ ……96
- BQ 5-2　NSAIDs 潰瘍および消化管出血の発生頻度はどれほどか？ ……………………97
- BQ 5-3　NSAIDs 潰瘍の発生時期はいつか？ ………………………………………………99
- BQ 5-4　NSAIDs による上部消化管傷害における症状は何か？ ………………………100
- BQ 5-5　NSAIDs 潰瘍は *H. pylori* 関連の潰瘍と発生部位，個数，深さが異なるか？ …102
- BQ 5-6　NSAIDs 潰瘍とびらんの違いは何か？ …………………………………………104
- BQ 5-7　NSAIDs 潰瘍のリスク因子は何か？ ……………………………………………105
- BQ 5-8　NSAIDs の種類により潰瘍（出血）発生率に差があるか？ …………………106
- BQ 5-9　NSAIDs の投与量により潰瘍（出血）発生率に差があるか？ ………………108
- BQ 5-10　NSAIDs の経口投与と坐薬で潰瘍（出血）発生率に差があるか？ …………109
- BQ 5-11　NSAIDs の単剤投与と多剤投与で潰瘍（出血）発生率に差があるか？ ………110

(2) 非選択的 NSAIDs 潰瘍

【治療】

- BQ 5-12　*H. pylori* 除菌治療で NSAIDs 潰瘍の治癒率は高まるか？ ……………………111
- CQ 5-1　NSAIDs 潰瘍の治療はどのように行うべきか？ ………………………………112

【予防】

- CQ 5-2　NSAIDs 投与患者で *H. pylori* 陽性の場合，潰瘍予防として除菌治療を推奨するか？ ……………………………………………………………………………………114
- CQ 5-3　潰瘍既往歴がない患者における NSAIDs 潰瘍発生予防治療は有用か？ ………116
- CQ 5-4　潰瘍既往歴，出血性潰瘍既往歴がある患者が NSAIDs を服用する場合，再発予防はどうするか？ …………………………………………………………………118
- CQ 5-5　高用量 NSAIDs，抗血栓薬，糖質ステロイド，ビスホスホネートの併用者，高齢者および重篤な合併症を有する患者において，NSAIDs 潰瘍予防はどのように行うべきか？ ………………………………………………………………………121

(3) 選択的 NSAIDs（COX-2 選択的阻害薬）潰瘍

- BQ 5-13　NSAIDs は心血管イベントを増加させるか？ …………………………………123
- CQ 5-6　NSAIDs 潰瘍発生予防に COX-2 選択的阻害薬は有用か？ ……………………126
- CQ 5-7　COX-2 選択的阻害薬服用時に潰瘍発生予防治療は必要か？ …………………130

(4) 低用量アスピリン（LDA）潰瘍

【治療】

- CQ 5-8　低用量アスピリン（LDA）潰瘍の治療はどのように行うべきか？ …………132

【予防】

- BQ 5-14　低用量アスピリン（LDA）服用者では，消化性潰瘍発生率，有病率は高いか？ ……………………………………………………………………………………134
- BQ 5-15　低用量アスピリン（LDA）服用者では，上部消化管出血リスク，頻度は高いか？ ……………………………………………………………………………………135

BQ 5-16	低用量アスピリン (LDA) 服用者における NSAIDs 投与は潰瘍発生のリスクを上げるか？	137
CQ 5-9	低用量アスピリン (LDA) 服用者ではどのような併用薬を用いれば，消化性潰瘍発生率，有病率が低くなるか？	138
CQ 5-10	低用量アスピリン (LDA) 服用者ではどのような併用薬を用いれば，上部消化管出血発生率，有病率が低くなるか？	141
CQ 5-11	上部消化管出血既往歴がある患者が低用量アスピリン (LDA) を服用する場合，どのような併用薬を用いれば，再出血が少なくなるか？	144
CQ 5-12	潰瘍既往歴がある患者が低用量アスピリン (LDA) を服用する場合，どのように潰瘍再発を予防するか？	146
CQ 5-13	潰瘍既往歴がない患者が低用量アスピリン (LDA) を服用する場合，潰瘍発生予防策は必要か？	149
CQ 5-14	低用量アスピリン (LDA) 服用者における COX-2 選択的阻害薬は通常の NSAIDs より潰瘍リスクを下げるか？	150
CQ 5-15	低用量アスピリン (LDA) 服用者における NSAIDs 併用時の PPI を推奨するか？	152

(5) その他の薬物

BQ 5-17	NSAIDs 以外に潰瘍発生リスクを高める薬物は何か？	153
BQ 5-18	糖質ステロイド投与は消化性潰瘍発生 (再発) のリスク因子か？	155

第 6 章　非 *H. pylori*・非 NSAIDs 潰瘍

BQ 6-1	非 *H. pylori*・非 NSAIDs 潰瘍の頻度はどうか？	158
BQ 6-2	非 *H. pylori*・非 NSAIDs 潰瘍の原因や病態は何か？	161
CQ 6-1	非 *H. pylori*・非 NSAIDs 潰瘍の治療はどのように行うべきか？	163
FRQ 6-1	虚血性十二指腸潰瘍の治療法は何か？	165

第 7 章　残胃潰瘍

CQ 7-1	残胃潰瘍の治療法は何か？	170

第 8 章　外科的治療

(1) 手術適応

BQ 8-1	消化性潰瘍穿孔の手術適応は何か？	174
BQ 8-2	消化性潰瘍出血の手術適応は何か？	176

(2) 手術術式

BQ 8-3	消化性潰瘍穿孔に対する最適な手術術式は何か？	178
BQ 8-4	消化性潰瘍出血に対する最適な手術術式は何か？	180
BQ 8-5	消化性潰瘍による狭窄に対する手術術式は何か？	182

(3) 術後維持療法

CQ 8-1	消化性潰瘍の術後に除菌療法を推奨するか？	184

第9章　穿孔・狭窄に対する内科的（保存的）治療
(1) 穿孔
- BQ 9-1　穿孔に対する内科的治療の適応は何か？ ……………………………186
- BQ 9-2　穿孔に対する内科的治療はどのように行うべきか？ …………………188
- BQ 9-3　穿孔に対する内科的治療から外科的治療に移行するタイミングはいつか？ …190

(2) 狭窄
- BQ 9-4　狭窄に対する内科的治療の適応は何か？ ……………………………191
- BQ 9-5　狭窄に対してどのような治療を選択すべきか？ ………………………192

巻末付図 ……………………………………………………………………………193

略語一覧

ADML	acute duodenal mucosal lesion	急性十二指腸粘膜病変
AMI	acute myocardial infarction	急性心筋梗塞
AMPC		アモキシシリン
APC	argon plasma coagulation	アルゴンプラズマ凝固
AUROC	Area under Receiver Operating Characteristic	ROC 曲線下面積
CA	celiac artery	腹腔動脈
CAM		クラリスロマイシン
CI	confidence interval	信頼区間
COX	cyclooxygenase	シクロオキシゲナーゼ
CXB		セレコキシブ
DAPT	dual antiplatelet therapy	二剤併用療法
DOAC	direct oral anticoagulants	直接経口抗凝固薬
EAS		EPZ + AMPC + STFX
EMS		EPZ + MNZ + STFX
EPZ		エソメプラゾール
GBS	Glasgow Blatchford Score	
GERD	gastroesophageal reflux disease	胃食道逆流症
H_2RA	histamine H_2-receptor antagonist	H_2 受容体拮抗薬
Hb	hemoglobin	ヘモグロビン
HSE	hypertonic saline-epinephrine	高張 Na エピネフリン
INR	International Normalized Ratio	国際標準化比
IPU	idiopathic peptic ulcer	特発性潰瘍
ITT	intention-to-treat	
IVR	interventional radiology	
LAMS	lumen apposing metal stent	
LDA	low-dose aspirin	低用量アスピリン
LPZ		ランソプラゾール
MACE	major adverse cardiovascular events	主要有害心血管イベント
MNZ		メトロニダゾール
NHPH	non-*H. pylori Helicobacter* species	
NSAIDs	non-steroidal anti-inflammatory drugs	非ステロイド抗炎症薬
P-CAB	potassium-competitive acid blocker	カリウムイオン競合型酸分泌抑制薬
PAC		PPI + AMPC + CAM
PAM		PPI + AMPC + MNZ
PG	prostaglandin	プロスタグランジン
PNED	progetto nazionale emorragia digestive	
PP	per-protocol	
PPI	proton pump inhibitor	プロトンポンプ阻害薬
PSL		プレドニゾロン
RCT	randomized controlled trial	ランダム化比較試験
RMS		RPZ + MNZ + STFX

RPZ		ラベプラゾール
RS	Rockall Score	
SMA	superior mesenteric artery	上腸間膜動脈
SSRI	selective serotonin reuptake inhibitors	選択的セロトニン再取り込み阻害薬
STFX		シタフロキサシン
TAE	transcatheter arterial embolization	
TNZ		チニダゾール
UGIB	upper gastrointestinal bleeding	上部消化管出血
VPZ		ボノプラザン

第1章
疫学

BQ 1-1

日本人の消化性潰瘍の有病率は減少しているか？

> **回答**
> ● 日本人の消化性潰瘍の有病率は減少している．

解説

　近年本邦での消化性潰瘍の疫学研究論文はみられないため，正確な疫学事項を知ることは困難である．厚生労働省の患者調査[1]により，推定患者数（調査日当日に，病院，一般診療所，歯科診療所で受療した患者の推計数．入院と外来合計）を調べた．1984年から2014年の推移（図1）をみると，潰瘍患者数は年々減少し，2014年で胃潰瘍は29,200人，十二指腸潰瘍が4,400人で，それぞれ1984年の26％と10％にまで減少している．好発年齢をみると，胃潰瘍は1999年では60歳代，2005年以降は70歳代である．十二指腸潰瘍は，1999年で40～50歳代，2005年に50～60歳代になり，2017年では60歳代である．1999年と2017年の年齢別推定患者数を，図2，図3に示す．男女比は，胃潰瘍では1996年には1.5：1，以後男性の比率が低下し，2005年には1：1，2011～2017年には0.9：1である．十二指腸潰瘍の男女比は，1996年に2.2：1，1999年には1.8：1，以後大きな変化なく2017年には1.7：1である．厚生労働省の人口動態統計によれば，胃潰瘍および十二指腸潰瘍の死亡数は，1970年の7,997人から1990年には3,615人にまで減少し，以後横ばい，2008年以降漸減で，2017年には2,513人である．出血や穿孔の合併症のある潰瘍による死亡が存在する．

　*H. pylori*と非ステロイド抗炎症薬（non-steroidal anti-inflammatory drugs：NSAIDs）が消化

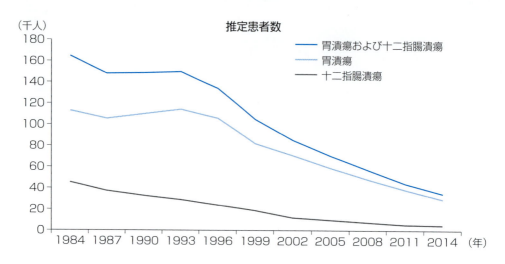

図1　消化性潰瘍推定患者数
　　（厚生労働省．平成29年，26年，23年，20年，17年，14年，11年，8年患者調査[1]より作成）

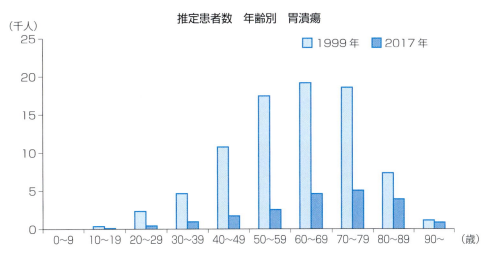

図2 胃潰瘍年齢別推定患者数（1999年と2017年）
（厚生労働省．平成29年，26年，23年，20年，17年，14年，11年，8年患者調査[1]より作成）

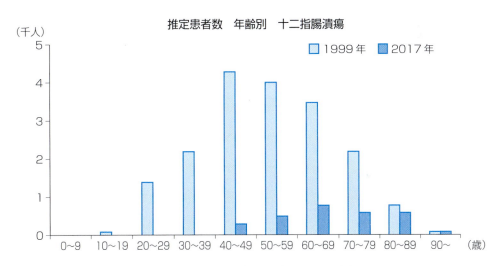

図3 十二指腸潰瘍年齢別推定患者数（1999年と2017年）
（厚生労働省．平成29年，26年，23年，20年，17年，14年，11年，8年患者調査[1]より作成）

性潰瘍の2大リスク因子である．それらの経時的変化をみた報告がある．Nagasueら[2]は，出血性潰瘍症例の H. pylori 感染と NSAIDs 使用を，2002〜2007年群と2008〜2013年群で比較し，H. pylori 感染率は71.6%から57.9%へと有意に低下（$p<0.001$），NSAIDs 服用は39.9%から48.6%へ有意に増加（$p=0.02$）したことを報告している．

Nakayamaら[3]は，2000〜2003年と2004〜2007年の出血性潰瘍症例を比較し，H. pylori 感染率と NSAIDs の使用は有意差がなかったが，低用量アスピリン（low-dose aspirin：LDA）服用者の比率が9.9%から18.8%へと有意に増加していた（オッズ比2.093，95%CI 1.047〜4.185，$p=$

0.0366).岩本ら[4]は,前期(2002年1月～2005年12月),中期(2006年1月～2008年9月),後期(2008年10月～2011年6月)の3期間の消化性潰瘍症例の検討で,LDA服用例は7.7から14.2％と明らかな増加傾向を示したと報告している.また,本邦のH. pylori陰性,NSAIDs陰性の特発性潰瘍は,別項で詳記されるが,2000～2003年には約1～4％[5~7]であったが,2012～2013年には12％[8]に増加している.

文献

1) 厚生労働省.平成29年,26年,23年,20年,17年,14年,11年,8年患者調査 https://www.mhlw.go.jp/toukei/list/10-20-kekka_gaiyou.html(2020年3月2日閲覧)
2) Nagasue T, Nakamura S, Kochi S, et al. Time trends of the impact of *Helicobacter pylori* infection and nonsteroidal anti-inflammatory drugs on peptic ulcer bleeding in Japanese patients. Digestion 2015; **91**: 37-41(コホート)
3) Nakayama M, Iwakiri R, Hara M, et al. Low-dose aspirin is a prominent cause of bleeding ulcers in patients who underwent emergency endoscopy. J Gastroenterol 2009; **44**: 912-918(コホート)
4) 岩本淳一,村上　昌,齋藤吉史,ほか.*Helicobacter pylori*総除菌時代における消化性潰瘍の現状.Helicobacter Research 2014; **18**: 412-418(コホート)
5) Nishikawa K, Sugiyama T, Kato M, et al. Non-*Helicobacter pylori* and non-NSAID peptic ulcer disease in the Japanese population. Eur J Gastroenterol Hepatol 2000; **12**: 635-640(コホート)
6) Sugiyama T, Nishikawa K, Komatsu Y, et al. Attributable risk of *H. pylori* in peptic ulcer disease: does declining prevalence of infection in general population explain increasing frequency of non-*H. pylori* ulcers? Dig Dis Sci 2001; **46**: 307-310(横断)
7) Kamada T, Haruma K, Kusunoki H, et al. Significance of an exaggerated meal-stimulated gastrin response in pathogenesis of *Helicobacter pylori*-negative duodenal ulcer. Dig Dis Sci 2003; **48**: 644-651(横断)
8) Kanno T, Iijima K, Abe Y, et al. A multicenter prospective study on the prevalence of *Helicobacter pylori*-negative and nonsteroidal anti-inflammatory drugs-negative idiopathic peptic ulcers in Japan. J Gastroenterol Hepatol 2015; **30**: 842-848(コホート)

第2章
出血性胃潰瘍・出血性十二指腸潰瘍

BQ 2-1　(1) 内視鏡的止血治療

出血性潰瘍に対する内視鏡的止血治療は有用か？

回答

● 出血性消化性潰瘍に対する内視鏡的止血治療は，薬物治療単独に比べて初回止血，再出血の予防が良好で，手術移行率，死亡率を減少させるため，有用である．

解説

　出血性消化性潰瘍に対する内視鏡的止血治療が有用であることは「消化性潰瘍診療ガイドライン 2015（改訂第 2 版）」に収載された 2 つのメタアナリシス[1,2]により明らかである．Sacks ら[1]のメタアナリシスでは，持続・再出血率（オッズ比 0.39，95％CI 0.27±0.15，$p<0.001$）や手術移行率（オッズ比 0.26，95％CI 0.16±0.05，$p<0.001$）は薬物治療と比較し有意に減少している．また，Barkun ら[2]のメタアナリシスでも，再出血率（オッズ比 0.35，95％CI 0.27〜0.46），手術移行率（オッズ比 0.57，95％CI 0.41〜0.81），および死亡率（オッズ比 0.57，95％CI 0.37〜0.89）いずれに関しても薬物療法（プロトンポンプ阻害薬（proton pump inhibitor：PPI）あるいは H_2 受容体拮抗薬（histamine H_2-receptor antagonist：H_2RA）静脈投与）と比較し有意に減少するとしている．

　現在，出血性潰瘍患者に対して様々な内視鏡的止血治療の予測精度を評価するスコアが提案されている．Remaekers ら[3]は 16 文献のメタアナリシスにより GBS（Glasgow-Blatchford Score）[4]，RS（Rockall Score）[5]，AIMS65[6]の再出血，内視鏡的止血治療の必要性，30 日以内の死亡予測の比較検討を行っている．それぞれの感度および特異度は，GBS（表 1）が，0.98，0.16，RS は 0.93，0.24，AIMS65 は 0.79，0.61 であった．また，GBS のカットオフ値を 0 とした場合は 0.99，0.08 であり，感度が最も高かった．また，Stanley ら[7]は，多施設前向きコホート研究にて GBS，RS，AIMS65，PNED（Progetto Nazionale Emorragia Digestive）[8]の比較を行い，予測精度と臨床的有用性の評価を行っている．介入（輸血，内視鏡的止血治療，IVR，手術）の必要性に関して，AUROC（area under receiver operating characteristic：ROC 曲線下面積）は，GBS 0.86，full RS 0.7，PNED 0.69，admission RS 0.66，AIMS65 0.68（すべて $p<0.001$）であり，GBS が最も有用であった．また GBS 1 点以下が，介入不要を予測する最高閾値であった（感度 98.6％，特異度 34.6％）．一方死亡の予測は，PNED および AIMS65 が 0.77 で GBS 0.64（$p<0.001$）より優れていた．以上より GBS は，内視鏡的止血治療必要性の予測スコアとして有用であると考える．GBS 7 点以上は入院による加療または内視鏡的止血治療が必要であり，0〜1 点であれば緊急内視鏡は行わずに外来での管理が可能である．これらのスコアを有効活用することで，緊急内視鏡の適応が選別され，患者への負担を軽減させることができると考えられる．

文献

1) Sacks HS, Chalmers TC, Blum AL, et al. Endoscopic hemostasis: an effective therapy for bleeding peptic ulcers. JAMA 1990; **264**: 491-499（メタ）
2) Barkun AN, Martel M, Toubouti Y, et al. Endoscopic hemostasis in peptic ulcer bleeding for patients with

表1 Glasgow-Blatchford Score（GBS）

	点数
収縮期血圧（mmHg）	
100～109	1
90～99	2
＜90	3
BUN（mg/dL）	
≧18.2　＜22.4	2
≧22.4　＜28.0	3
≧28.0　＜70.0	4
≧70.0	6
Hb　男性（g/dL）	
≧12.0　＜13.0	1
≧10.0　＜12.0	3
＜10.0	6
Hb　女性（g/dL）	
≧10.0　＜12.0	1
＜10.0	6
その他	
脈拍≧100/分	1
黒色便	1
失神	2
肝疾患	2
心不全	2

(Blatchford O, et al. Lancet 2000; 356: 1318-1321 [4]）より単位を改変して作成）

---

high-risk lesions: a series of meta-analysis. Gastointest Endosc 2009; **69**: 786-799（メタ）
3) Ramaekers R, Mukarram M, Smith CA, et al. The predictive value of preendoscopic risk scores to predict adverse outcomes in emergency department patients with upper gastrointestinal bleeding: a systematic review. Acad Emerg Med 2016; **23**: 1218-1227（メタ）
4) Blatchford O, Murray WR, Blatchford M. A risk score predict need for treatment for upper-gastrointestinal haemorrhage. Lancet 2000; **356**: 1318-1321
5) Rockall TA, Logan RF, Devlin HB, et al. Risk assessment after acute upper gastrointestinal haemorrhage. Gut 1996; **38**: 316-321
6) Saltzman JR, Tabak YP, Hyett BH, et al. A simple risk score accurately predicts in-hospital mortality, length of stay, and cost in acute upper GI bleeding. Gastointest Endosc 2011; **74**: 1215-1224
7) Stanley AJ, Laine L, Laursen SB, et al. Comparison of risk scoring systems for patients presenting with upper gastrointestinal bleeding: international multicenter prospective study. BMJ 2017; **356**: i6432（コホート）
8) Marmo R, Koch M, Cipolletta L, et al. Predicting mortality in non variceal upper gastrointestinal bleeders: validation of the Italian PNED Score and prospective comparison with the Rockall Score. Am J Gastroenterol 2010; **105**: 1284-1291

BQ 2-2　　　　　　　　　　　　　　　　　　　　　　(1) 内視鏡的止血治療

出血性潰瘍に対する内視鏡的止血治療法はどのような潰瘍を対象とするか？

回答

● 活動性出血（Forrest Ⅰa, Ⅰb）および非出血性露出血管症例（Forrest Ⅱa）が内視鏡的止血治療の適応となる．

解説

　内視鏡的止血治療のよい適応は，活動性出血（Forrest Ⅰa, Ⅰb）（表1）および非出血性露出血管症例（Forrest Ⅱa）である．米国消化器病学会や欧州消化器内視鏡学会が発表したガイドライン[1,2]においても活動性出血および非出血性露出血管症例に内視鏡的止血治療を行うべきとするステートメントが掲載されている．

　一方，血餅付着例（Forrest Ⅱb）の扱いに関しては依然として意見が分かれるところである．複数のRCT[3,4]やメタアナリシス[5,6]において，再出血率は内視鏡的止血治療が薬物治療単独よりも有意に低かったが，手術への移行率や死亡率には差がなかった[3〜5]という報告や内視鏡的止血治療の有用性は不確実である[6]という報告がある．米国消化器病学会ガイドラインでは洗浄でも除去できない血餅付着は，特に再出血のリスクがあるような患者（高齢者，合併症を有する患者，入院患者）では内視鏡的止血治療を考慮するとしている．一方欧州消化器学会ガイドラインでは，血餅を除去したうえでForrest分類の再評価を行い，内視鏡的止血治療か高用量PPIを使用した薬物治療を行うのか判断するとしている．以上より再出血のリスクが高い場合を除き，Forrest Ⅱbを積極的な内視鏡的止血治療の適応とはしなかった．本邦におけるForrest Ⅱbに対する内視鏡的止血治療の文献はなく，欧米のガイドラインに準じて対応しているのが現状である．

　また，黒色潰瘍底およびきれいな潰瘍（Forrest Ⅱcおよび Ⅲ）は重症な再出血例はまれであり，内視鏡的止血治療の適応ではなく薬物治療の適応であるとした．

表1　改変Forrest分類

　Ⅰ．活動性出血
　　　a．噴出性出血
　　　b．湧出性出血
　Ⅱ．出血の痕跡を認める潰瘍
　　　a．非出血性露出血管
　　　b．血餅付着
　　　c．黒色潰瘍底
　Ⅲ．きれいな潰瘍底

(Kohler B, Riemann JF. Hepatogastroenterology 1991; 38: 198より引用)

文献

1) Laine L, Jensen DM. Management of patients with ulcer bleeding. Am J Gastroenterol 2012; **107**: 345-360（ガイドライン）
2) Gralnek lan M, Dumonceau J, Kuipers EJ, et al. Diagnosis and management of nonvariceal upper gastrointestinal hemorrhage: European Society of Gastrointestinal Endoscopy (ESGE) Guideline. Endoscopy 2015; **47**: a1-46（ガイドライン）
3) Jensen DM, Kovacs TO, Jutabuha R, et al. Randomized trial of medical or endoscopic therapy to prevent reccurent ulcer hemorrhage in patients with adherent clots. Gastroenterology 2002; **123**: 407-413（ランダム）
4) Bleau BL, Gostout CJ, Sherman KE, et al. Recurrent bleeding from peptic ulcer associated with adherent clot: randomized study comparing endoscopic treatment with medical therapy. Gastrointest Endosc 2002; **56**: 1-6（ランダム）
5) Kahi CJ, Jensen DM, Sung JJY, et al. Endoscopic therapy versus medical therapy for bleeding peptic ulcer with adherent clot: a meta-analysis. Gastroenterology 2005; **129**: 855-862（メタ）
6) Laine L, McQuaid KR. Endoscopic therapy for bleeding ulcers: an evidence-based approach based on meta-analyses of randomized controlled trials. Clin Gastroenterol Hepatol 2009; **7**: 33-47（メタ）

BQ 2-3 （1）内視鏡的止血治療

出血性胃潰瘍に対する内視鏡的止血治療法の成績はどうか？

回答
- クリップ法は単独使用で再出血の予防に有用である．
- 局注法は単独よりもクリップ法や凝固法を併用したほうが初期止血や再出血予防に効果的である．
- 凝固法は単独使用で初期止血や再出血の予防に関してクリップ法や局注法と同等の効果がある．

解説

　内視鏡的止血治療には様々な方法（表1）があるが，死亡率に関して有意差がなく[1〜8]，その効果に明確な差はない．「消化性潰瘍診療ガイドライン2015（改訂第2版）」では複数のRCTやメタアナリシス[2〜7]によって各種方法の再出血率，手術移行率，および死亡率を評価している．

　今回検索された文献のなかでBaracatら[8]は28文献，2,988名のメタアナリシスを行っている．再出血率に関して，クリップ法は単独でも局注法より優れていた．一方局注法は，単独よりもクリップ法や凝固法を併用したほうがよいとしている．クリップ法と凝固法については有意差を認めなかった．また死亡率に関しては，すべての手技で有意差を認めなかった．このメタアナリシスでは，局注法は単独よりも併用療法が有用であるとしており「消化性潰瘍診療ガイドライン2015（改訂第2版）」のステートメントと同様の内容であった．一方クリップ法に関しては，単独使用で有用であり，局注法よりも再出血，手術移行率において優れていると報告している．

　凝固法については様々な方法（表1）が用いられているが，ソフト凝固に関して複数のRCT[7,9,10]がある．初期止血に関して，クリップ法と同等であったり[7,10]，ヒータープローブ法よりも優勢であったり[9]，また再出血に関してはアルゴンプラズマ凝固（APC）と同等[10]であるという結果であった．

表1　内視鏡的止血法

機械的止血法	クリップ法
薬剤局注法	
血管収縮剤局注法	エピネフリン
	高張Naエピネフリン（HSE）
硬化剤局注法	純エタノール
	ポリドカノール
凝固法	高周波凝固（モノポーラー・バイポーラー）
	Nd:YAGレーザー
	ヒータープローブ法
	アルゴンプラズマ凝固（APC）
	マイクロ波凝固
	ソフト凝固

以上より出血性胃潰瘍に対する内視鏡的止血治療法の選択は，上記のような複数の高いエビデンスレベルの論文をもとに最終的には患者の状況，内視鏡施行医の技術力などを総合的に判断して対応する必要があると思われる．

　各種文献を総合するとクリップ法と凝固法は同程度の止血効果が期待できるが，クリップ法は他の手技に比べ煩雑であり，施行医の経験年数や潰瘍の局在，瘢痕化などの影響を受けやすいなどの問題点がある．一方，局注療法は単独では止血効果が不十分であるが，特に活動性出血の場合は，局注によって出血の勢いを弱めることで止血視野が確保され，クリップ法や凝固法の手技的な面をサポートすることで高い止血効果につながると考えられる．

■文献

1) Sung JJ, Tsoi KK, Lai LH, et al. Endoscopic clipping versus injection and thermo-coagulation in the treatment of non-variceal upper gastrointestinal bleeding: a meta-analysis. Gut 2007; **56**: 1364-1373（メタ）
2) Vergara M, Calvet X, Gisbert JP. Epinephrine injection versus epinephrine injection and a second endoscopic method in high risk bleeding ulcers. Cochrane Database Syst Rev 2014; (10): CD005584（メタ）
3) Barkun AN, Martel M, Toubouti Y, et al. Endoscopic hemostasis in peptic ulcer bleeding for patients with high-risk lesions: a series of meta-analyses. Gastrointest Endosc 2009; **69**: 786-799（メタ）
4) Ljubicic N, Budimir I, Biscanin A, et al. Endoclips vs large or small-volume epinephrine in peptic ulcer recurrent bleeding. World J Gastroenterol 2012; **18**: 2219-2224（ランダム）
5) Taghavi SA, Soleimani SM, Hosseini-Asi SMK, et al. Adrenaline injection plus argon plasma coagulation versus adrenaline injection plus hemoclips for treating high-risk bleeding peptic ulcers: a prospective, randomized trial. Can J Gastroenterol 2009; **23**: 699-704（ランダム）
6) Yuan Y, Wang C, Hunt R, et al. Endoscopic clipping for acute nonvariceal upper-GI bleeding: a meta-analysis and critical appraisal of randomized controlled trials. Gastrointest Endosc 2008; **68**: 339-351（メタ）
7) Arima S, Sakata Y, Ogata S, et al. Evaluation of hemostasis with soft coagulation using endoscopic hemostatic forceps in comparison with metallic hemoclips for bleeding gastric ulcers: a prospective, randomized trial. J Gastroenterol 2010; **45**: 501-505（ランダム）
8) Baracat F, Moura E, Bernard W, et al. Endoscopic hemostasis for peptic ulcer bleeding: systematic review and meta-analyses of randomized controlled trials. Surg Endosc 2016; **30**: 2155-2168（メタ）
9) Nunoe T, Takenaka R, Hori K, et al. A randomized trial of monopolar soft-mode coagulation versus heater probe thermocoagulation for peptic ulcer bleeding. J Clin Gastroenterol 2015; **49**: 472-476（ランダム）
10) Kim JW, Jang JY, Lee CK, et al. Comparison of hemostatic forceps with soft coagulation versus argon plasma coagulation for bleeding peptic ulcer- a randomized trial. Endoscopy 2015; **47**: 680-687（ランダム）

BQ 2-4　(1) 内視鏡的止血治療

止血確認のための内視鏡検査（セカンド・ルック）は必要か？

回答
● セカンド・ルックは再出血の危険性の高い臨床所見を有する患者に必要である．

解説

「消化性潰瘍診療ガイドライン 2015（改訂第 2 版）」同様，セカンド・ルックは再出血の危険性の高い臨床所見を有する患者に行い，内視鏡的止血治療を行った患者に一律に行うことは推奨されない．特に血行動態が不安定（BPs＜100 mmHg あるいは Hb＜10 g/dL），2 cm 以上の大きな潰瘍，活動性出血のいずれかを認めた場合は再出血のリスクが高く，セカンド・ルックを行う必要がある[1,2]．

米国消化器病学会が発表したガイドライン[3]でも内視鏡的止血治療により初期止血が得られた消化性潰瘍患者に 24 時間以内にルーティンにセカンド・ルックを行うことは推奨していない．

Tsoi ら[4]は，熱凝固法および局注法後のセカンド・ルックの有用性についてメタアナリシスを行っている（5 文献 998 例）．このメタアナリシスは，熱凝固法後のセカンド・ルックの有用性を証明する一方で，局注法後にセカンド・ルックを一律に行うことは有用ではないとしている．

今回検索された文献で El Ouali ら[5]は 8 文献 938 名のメタアナリシスを行っている．高用量 PPI 投与を行わない場合，セカンド・ルック群は再出血率（オッズ比 0.55, 95%CI 0.37～0.81）や手術移行率（オッズ比 0.43, 95%CI 0.19～0.96）は有意に減少したが，死亡率（オッズ比 0.65, 95%CI 0.26～1.62）に関しては有意差を認めなかったとしている．しかし再出血リスクの高い症例を除外して検討した場合，死亡率は有意に減少したとはいえずセカンド・ルックは再出血リスクの高い症例に有用であるとしている．

Soo ら[6]の RCT では，再出血率はセカンド・ルック群 10.1%，セカンド・ルックを行わない群 5.6%（$p=0.132$）であり，セカンド・ルックを行ったほうが再出血率が高いという結果を示した．この結果に関して，高用量 PPI 投与下であることや初期の止血処置を行った医師の経験年数の差を理由にあげている．さらに多変量解析も行っており，初期の内視鏡的止血が不十分な患者（$p=0.004$），NSAIDs 使用（$p=0.04$），大量の輸血を受けたもの（$p=0.004$）はセカンド・ルックが有用としている．

一方，Chiu ら[7]の RCT では，高用量の PPI（オメプラゾール 80 mg ボーラス，その後 8 mg/時，点滴静注 72 時間）を用いた場合は，再出血に関して有意差を認めなかった（$p=0.646$）と報告している．以上より，セカンド・ルックは再出血リスクの高い患者に有用であり，日本では保険適用のない高用量 PPI 投与を行えば，必要性はさらに低下すると考えられる．

文献

1) Marmo R, Rotondano G, Bianco MA, et al. Outcome of endoscopic treatment for peptic ulcer bleeding: is a second look necessary? a meta-analysis. Gastrointest Endosc 2003; **57**: 62-67（メタ）
2) Elmunzer BJ, Young SD, Inadomi JM, et al. Systematic review of the predictors of recurrent hemorrhage after endoscopic hemostatic therapy for bleeding peptic ulcers. Am J Gastroenterol 2008; **10**: 2625-2632（メ

タ）
3) Laine L, Jensen DM. Management of patients with ulcer bleeding. Am J Gastroenterol 2012; **107**: 345-360（ガイドライン）
4) Tsoi KK, Chan HC, Chiu PW, et al. Second-look endoscopy with thermal coagulation or injections for peptic ulcer bleeding: a meta-analysis. J Gastrol Hepatol 2010; **25**: 8-13（メタ）
5) EI Ouali S, Barkun AN, Wyse J, et al. Is routine second-look endoscopy effective after endoscopic hemostasis in acute peptic ulcer bleeding? Gastrointestinal Endosc 2012; **76**: 283-292（メタ）
6) Soo JP, Hyojin P, Yong CL, et al. Effect of scheduled second-look endoscopy on peptic ulcer bleeding: a prospective randomized multicenter trial. Gastrointestinal Endosc 2018; **87**: 457-465（ランダム）
7) Chiu PW, Joeng HK, Choi CL, et al. High-dose omeprazole infusion compared with scheduled second-look endoscopy for prevention of peptic ulcer rebleeding: a randomized controlled trial. Endoscopy 2016; **48**: 717-722（ランダム）

BQ 2-5

(2) 非内視鏡的止血治療

どのような場合に輸血が必要か？

> **回答**
> ● 輸血は血中ヘモグロビン（Hb）値が 7.0 g/dL 未満の場合に考慮する．ただし，心血管疾患などの合併症の有無やバイタルサインによって実施すべきタイミングは異なるため，総合的な判断のうえ実施する．

解説

　厚生労働省の「血液製剤の使用指針」[1]は，日本輸血・細胞治療学会が 2016 年に発表した「科学的根拠に基づいた赤血球製剤の使用ガイドライン」[2]に準拠し 2017 年に改定されているが，その内容にほぼ変更はない．

　複数の RCT，システマティックレビュー[3〜5]において，輸血のトリガー値は Hb 7.0 g/dL で，死亡率，再出血率，急性冠動脈疾患の発生において Hb 9.0 g/dL よりも有意性が示された．Hb 9.0 g/dL 以上で輸血が必要となることはほとんどないが，冠動脈疾患，肺機能障害，脳循環障害のある患者では Hb 値を 10 g/dL 程度に維持することが推奨されており，このような合併症を有する患者ではショック症状がなくても早めに輸血を開始する必要がある．

　米国消化器病学会[6]，欧州消化器内視鏡学会[7]さらにアジア太平洋ワーキンググループのガイドライン[8]では，まず第一に患者の血液循環状態の把握が重要であり，血液循環状態に問題がある場合には速やかにその回復に努めること，輸血を行う場合には血中 Hb 値を 7.0 g/dL 以上に保つことを推奨している．

　以上より血中 Hb 値が 7.0 g/dL 未満の場合に輸血を考慮する必要があるが，心血管疾患などの合併症の有無やバイタルサインによって輸血を実施すべきタイミングは異なる．したがって，血中 Hb 値はあくまで輸血を実施する指標のひとつに過ぎず，患者の状況や合併症の有無を把握したうえで輸血を適切に行うことが重要である．

文献

1) 厚生労働省医薬・生活衛生局．「血液製剤の使用指針」平成 30 年　https://www.mhlw.go.jp/new-info/kobetu/iyaku/kenketsugo/5tekisei3b.html（2020 年 3 月 2 日閲覧）（ガイドライン）
2) 日本輸血・細胞治療学会．科学的根拠に基づいた赤血球製剤の使用ガイドライン．2016（ガイドライン）
3) Villanueva C, Colomo A, Bosch A, et al. Transfusion strategies for acute upper gastrointestinal bleeding. N Eng J Med 2013; **368**: 11-21（ランダム）
4) Rohde JM, Dimcheff DE, Blumberg N, et al. Health care associated infection after red blood cell transfusion: a systematic review and meta analysis (Structured abstract). JAMA 2014; **311**: 1317-1326（メタ）
5) Carson JL. Transfusion thresholds and other strategies for guiding allogeneic red blood cell transfusion. Cochrane Database Syst Rev 2012; **10**: 1-61（メタ）
6) Laine L, Jensen DM. Manegement of patients with ulcer bleeding. Am J Gastroenterol 2012; **107**: 345-360（ガイドライン）
7) Gralnek Ian M, Dumonceau J, Kuipers EJ, et al. Diagnosis and management of nonvariceal upper gastrointestinal hemorrhage: European Society of Gastrointestinal Endoscopy (ESGE) Guideline. Endoscopy 2015; **47**: a1-46（ガイドライン）
8) Sung JJY, Chiu PCY, Chan FKL, et al. Asia-Pacific working group consensus on non-variceal upper gastrointestinal bleeding: an update 2018. Gut 2018; **67**: 1757-1768（ガイドライン）

BQ 2-6 (2) 非内視鏡的止血治療

再出血予防に H. pylori 除菌療法は有用か？

回答
- H. pylori 陽性例には，再出血予防に対して除菌療法は有用である．

解説

　現在，保存的治療にて治癒した H. pylori 陽性の出血性消化性潰瘍に対して除菌治療を行うということは臨床の場において当たり前のこととなっている．除菌療法を行ったほうが除菌療法を行わない場合に比べて，再出血率が低いことが2つのメタアナリシス[1,2]と複数のRCT[3～6]にて証明されている．また医療費の面においても，除菌療法を行って維持療法を行わないほうが，1年間に必要な医療費を抑制できるというメタアナリシスもある[2,7]．今回新たに検索を行ったが，特に新しい文献は見当たらなかった．したがって，出血性消化性潰瘍に対して保存的治療を行ったあとはまず H. pylori 感染診断を行い，H. pylori 陽性者は再出血予防の目的で除菌治療を行うべきである．除菌が成功すれば，その後酸分泌抑制薬による維持療法の必要はない[1,2,8]．ただし，除菌治療を行っても H. pylori が残存（除菌不成功）した場合は，H. pylori が完全に消失した場合に比べて再出血率が有意に高くなるため[8～12]，除菌治療の効果判定は正確に行う必要がある[7]．

文献

1) Gisbert JP, Khorrami S, Carballo F, et al. Meta-analysis: *Helicobacter pylori* eradication therapy vs. antisecretory non-eradication therapy for the prevention of recurrent bleeding from peptic ulcer. Aliment Pharmacol Ther 2004; **19**: 617-629（メタ）
2) Sharma VK, Sahai AV, Corder FA, et al. *Helicobacter pylori* eradication is superior to ulcer healing with or without maintenance therapy to prevent further ulcer haemorrhage. Aliment Pharmacol Ther 2001; **15**: 1939-1947（メタ）
3) Jaspersen D, Koerner T, Schorr W, et al. *Helicobacter pylori* eradication reduces the rate of rebleeding in ulcer hemorrhage. Gastrointest Endosc 1995; **41**: 5-7（ランダム）
4) Lai KC, Hui WM, Wong WM, et al. Treatment of *Helicobacter pylori* in patients with duodenal ulcer hemorrhage: a long-term randomized, controlled study. Am J Gastroenterol 2000; **95**: 2225-2232（ランダム）
5) Rokkas T, Karameris A, Mavrogeorgis A, et al. Eradication of *Helicobacter pylori* reduces the possibility of rebleeding in peptic ulcer disease. Gastrointest Endosc 1995, **41**. 1-4（ランダム）
6) Liu CC, Lee CL, Chan CC, et al. Maintenance treatment is not necessary after *Helicobacter pylori* eradication and healing of bleeding peptic ulcer. Arch Intern Med 2004; **163**: 2020-2024（ランダム）
7) Ofman J, Wallace J, Badamgarav E, et al. The cost-effectiveness of competing strategies for the prevention of recurrent peptic ulcer hemorrhage. Am J Gastroenterol 2002; **97**: 1941-1950（メタ）
8) Gisbert JP, Calvet X, Feu F, et al. Eradication of *Helicobacter pylori* for the prevention of peptic ulcer bleeding. Helicobacter 2007; **12**: 279-286（コホート）
9) Macri G, Milani S, Surrenti E, et al. Eradication of *Helicobacter pylori* reduces the rate of duodenal ulcer rebleeding: a long-term follow-up study. Am J Gastroenterol 1998; **93**: 925-927（コホート）
10) Labenz J, Börsch G. Role of *Helicobacter pylori* eradication in the prevention of peptic ulcer bleeding relapse. Digestion 1994; **55**: 19-23（コホート）
11) Horvat D, Vcev A, Soldo I, et al. The results of *Helicobacter pylori* eradication on repeated bleeding in patients with stomach ulcer. Coll Antropol 2005; **29**: 139-142（コホート）
12) Vergara M, Casellas F, Saperas E, et al. *Helicobacter pylori* eradication prevents recurrence from peptic ulcer haemorrhage. Eur J Gastroenterol Hepatol 2000; **12**: 733-737（コホート）

CQ 2-1

(2) 非内視鏡的止血治療

抗凝固薬・抗血小板薬服用中の出血性潰瘍に対して休薬は必要か？

推 奨

- アスピリン服用中の血栓症イベント発症高リスク群は，アスピリンを休薬しないことを推奨する．
  【推奨の強さ：**強**（合意率 100％），エビデンスレベル：**B**】
- アスピリン以外の抗血小板薬は原則休薬とするが，血栓症イベント発症高リスク群ではアスピリンへの置換を提案する．
  【推奨の強さ：**弱**（合意率 100％），エビデンスレベル：**D**】
- 血栓症イベント発症高リスク群以外は，抗血小板薬は休薬することを提案する．
  【推奨の強さ：**弱**（合意率 100％），エビデンスレベル：**D**】
- ワルファリン服用中の場合，止血のために必要なら休薬することを推奨する．休薬した場合，ヘパリン置換や内視鏡的止血確認後できる限り速やかに再開することを推奨する．
  【推奨の強さ：**強**（合意率 100％），エビデンスレベル：**C**】
- 直接経口抗凝固薬（DOAC）内服中の場合，止血のために必要なら休薬し，内視鏡的止血確認後早期（1～2 日以内）に再開することを提案する．
  【推奨の強さ：**弱**（合意率 100％），エビデンスレベル：**D**】
- 抗血小板薬とワルファリンを併用内服中の場合，抗血小板薬はアスピリンまたはシロスタゾールにして，INR を治療域に保ったワルファリン継続下あるいはヘパリン置換を考慮することを提案する．
  【推奨の強さ：**弱**（合意率 100％），エビデンスレベル：**D**】
- 抗血小板薬を 2 剤内服中の場合，アスピリン単剤継続投与を推奨する．
  【推奨の強さ：**強**（合意率 100％），エビデンスレベル：**D**】

解説

　抗凝固薬・抗血小板薬の休薬の有無については，継続した場合の再出血のリスクの増加と休薬した場合の血栓症イベントリスクの増加の両面について考慮しなければならない．抗凝固薬・抗血小板薬の休薬による血栓症イベントの発症高危険群[1]を表 1 に示す．休薬に関しては，この血栓症発症リスクの有無に大きく左右される．

　まず抗血小板薬は，アスピリンとアスピリン以外に分けて扱う必要がある．アスピリンの休薬に関しては，今回検索したなかに新たなエビデンスレベルの高い論文はなく，「消化性潰瘍診療ガイドライン 2015（改訂第 2 版）」と同様，アスピリン服用中の血栓発症高リスク患者において，パントプラゾール継続投与下でアスピリン 80 mg 継続群とプラセボ投与群を比較すると，アスピリン継続群のほうが再出血率は高い傾向（有意差はなし）にあるが，死亡率は有意に低いという RCT[2]をステートメントに反映している．したがって，PPI を併用しながら，アスピリン

表1 抗凝固薬・抗血小板薬の休薬による血栓症イベント発症高リスク群

抗血小板薬関連
- 冠動脈ステント留置後 2 ヵ月
- 冠動脈薬剤溶出性ステント留置後 12 ヵ月
- 脳血行再建術（頸動脈内膜剥離術，ステント留置）後 2 ヵ月
- 主幹動脈に 50％以上の狭窄を伴う脳梗塞または一過性脳虚血発作
- 最近発症した虚血性脳卒中または一過性脳虚血発作
- 閉塞性動脈硬化症で Fontaine 3 度（安静時疼痛）以上
- 頸動脈超音波検査，頭頸部磁気共鳴血管画像で休薬の危険が高いと判断される所見を有する場合

抗凝固薬関連*
- 心原性脳塞栓症の既往
- 弁膜症を合併する心房細動
- 弁膜症を合併していないが脳卒中高リスクの心房細動
- 僧帽弁の機械弁置換術後
- 機械弁置換術後の血栓塞栓症の既往
- 人工弁設置
- 抗リン脂質抗体症候群
- 深部静脈血栓症・肺塞栓症

*：ワルファリンなど抗凝固療法中の休薬に伴う血栓・塞栓症のリスクは様々であるが，一度発症すると重篤であることが多いことから，抗凝固療法中の症例は全例，高リスク群として対応することが望ましい．
（藤本一眞，ほか．Gastroenterological Endoscopy 2012; 54: 2075-2102 [1]）より引用）

を継続すべきである．一方，アスピリン以外（チエノピリジン誘導体とその他）を服用中の血栓症イベント発症リスクの高い患者の休薬に関する文献はなかった．日本消化器内視鏡学会の「抗血栓薬服用者に対する消化器内視鏡診療ガイドライン」[1])では，出血高危険度の消化器内視鏡においてアスピリン以外の抗血小板薬は原則休薬とし，アスピリンへの置換を考慮するとしている．ただしその際は循環器専門医と連携し，安全性と有効性の十分な検討を行う必要がある．エビデンスレベルは低いものの臨床的には有用と考え，この内容をステートメントに反映している．また，抗血小板薬服用中の血栓症イベント発症リスクが低い場合は，いずれの抗血小板薬も休薬することが可能である．

　抗凝固薬についてはワルファリンと 2011 年に保険適用認証された直接経口抗凝固薬（direct oral anticoagulants：DOAC）に分けて扱う必要がある．DOAC はワルファリンと比較し，投与後 0.5〜5 時間で血中濃度がピークに達し，半減期が 12 時間前後と短く，持続時間は 36〜48 時間とされている[3])．ワルファリンの休薬に関して今回検索された文献のなかの前向きコホート研究[4])では，ワルファリンの早期再開が死亡率を有意に減少させると報告している．これは「消化性潰瘍診療ガイドライン 2015（改訂第 2 版）」における複数の文献[5〜7])と同様の内容である．したがってワルファリン服用者は，血栓症イベントの発症リスクが高い群として扱い，ヘパリン置換や止血確認後できる限り速やかに再開することを推奨する．また，その際には，PT-INR をモニタリングしながら調整することが重要である[5])．一方 DOAC の休薬に関する文献はなかったが，ワルファリン同様，休薬後に血栓症発症リスクが高まるため早期の再開を提案する．アジア太平洋ワーキンググループのガイドライン[8])では，DOAC の作用が 36〜48 時間持続するため，内視鏡的止血確認後 1〜2 日以内に再開することを推奨しており，ステートメントに反映している．

　抗血小板薬とワルファリンを内服している患者は血栓発症リスクの高い患者であり，休薬はできる限り避ける必要があるが，これらの休薬に関する文献はない．日本消化器内視鏡学会の

「抗血栓薬服用者に対する消化器内視鏡診療ガイドライン 直接経口抗凝固薬（DOAC）を含めた抗凝固薬に関する追補 2017」[9]では，出血高危険度の消化器内視鏡において，抗血小板薬はアスピリンあるいはシロスタゾールに変更し，ワルファリンは INR 治療域下で継続するかヘパリン置換を考慮するとしており，これをステートメントに反映している．同様に抗血小板薬 2 剤内服の休薬に関する文献もない．欧州消化器内視鏡学会のガイドライン[10]では抗血小板薬を 2 剤内服中の休薬に関して，出血性潰瘍の内視鏡所見により対応が異なっている．出血リスクの低い所見（Forrest Ⅱc, Ⅲ）の場合は 2 剤を継続投与し，出血リスクの高い所見（Forrest Ⅰ, Ⅱa, Ⅱb）の場合はアスピリンのみ継続し，もう 1 剤の再開に関しては，セカンド・ルック所見や循環器専門医の意見を反映するとしている．また，アジア太平洋ワーキンググループのガイドライン[8]では，アスピリンのみ継続投与するとしている．今回科学的根拠が低いレベルではあるが臨床的には有用と考え，これらのガイドラインをステートメントに反映している．

文献

1) 藤本一眞，藤城光弘，加藤元嗣，ほか．抗血栓薬服用者に対する消化器内視鏡診療ガイドライン（日本消化器内視鏡学会）．Gastroenterological Endoscopy 2012; **54**: 2075-2102（ガイドライン）
2) Sung JJ, Lau JY, Ching JY, et al. Continuation of low-dose aspirin therapy in peptic ulcer bleeding: a randomized trial. Ann Intern Med 2010; **152**: 1-9（ランダム）
3) Frost C, Song Y, Barret YC, et al. Direct comparison of the pharmacokinetics and pharmacodynamics of apixaban and rivaroxaban. J Thromb Haemost 2011; **9** (Suppl 2): 569. P-WE-159
4) Qureshi WT, Nasir U. Restarting oral anticoagulation among patients with atrial fibrillation with gastrointestinal bleeding was associated with lower risk of all-cause mortality and thromboembolism. Evid Based Med 2016; **21**: 152（コホート）
5) Choudari CP, Rajgopal, C, Palmer KR. Acute gastrointestinal haemorrhage in anticoagulated patients: diagnoses and response to endoscopic treatment. Gut 1994; **35**: 464-466（ケースコントロール）
6) Witt DM, Delate T, Garcia DA, et al. Risk of thromboenbolism, recurrent hemorrhage, and death after warfarin therapy interruption for gastrointestinal tract bleeding. Arch Intern Med 2012; **172**: 1484-1491（コホート）
7) Qureshi W, Mittal C, Patsias C, et al. Restarting Anticoagulation and outcomes after major gastrointestinal bleeding in atrial fibrillation. Am J Cardiol 2014; **113**: 662-668（コホート）
8) Sung JJY, Chiu PCY, Chan FKL, et al. Asia-Pacific working group consensus on non-variceal upper gastrointestinal bleeding: an update 2018. Gut 2018; **67**: 1757-1768（ガイドライン）
9) 加藤元嗣，上堂文也，掃本誠治，ほか．抗血栓薬服用者に対する消化器内視鏡診療ガイドライン―直接経口抗凝固薬（DOAC）を含めた抗凝固薬に関する追補 2017．Gastroenterological Endoscopy 2017; **59**: 1547-1558（ガイドライン）
10) Gralnek Ian M, Dumonceau J, Kuipers EJ, et al. Diagnosis and management of nonvariceal upper gastrointestinal hemorrhage: European Society of Gastrointestinal Endoscopy (ESGE) Guideline. Endoscopy 2015; **47**: a1-46（ガイドライン）

CQ 2-2

interventional radiology（IVR）は有用か？

> **推奨**
>
> ● 内視鏡的止血困難例に対して外科手術と同等の結果であり，その安全性から行うことを提案する．
>
> 【推奨の強さ：**弱**（合意率 100％），エビデンスレベル：**C**】

解説

「消化性潰瘍診療ガイドライン 2015（改訂第 2 版）」では止血困難な消化性潰瘍に対して IVR を行うことの有用性に対するエビデンスレベルの高い文献[1〜7]に乏しかった．今回検索した文献のなかに止血困難例に対する手術と IVR の比較に関する 2 つのメタアナリシス[8,9]を認めた．

Tarasconi ら[8]は，13 文献 1,077 名（TAE 群 427 名，手術群 650 名）のメタアナリシスを行っている．いずれの文献も RCT はなく，10 文献は単施設，2 文献は 2 施設の後向きコホート研究であり 1 文献のみが多施設共同前向きコホート研究であった．再出血率は TAE 群が高かった（オッズ比 2.44，95％CI 1.77〜3.36，$p=0.41$，$I^2=4\%$［fixed effect］）．死亡率は TAE 群が低かったが，明らかな有意差を認めなかった（オッズ比 0.77，95％CI 0.50〜1.18，$p=0.05$，$I^2=43\%$［random effect］）．合併症は TAE 群が手術群より少なかった（オッズ比 0.45，95％CI 0.30〜0.47，$p=0.24$，$I^2=26\%$［fixed effect］）．また Kyaw ら[9]は，6 文献（後ろ向きコホート研究），423 名（TAE 群 182 名，手術群 241 名）のメタアナリシスを行っている．再出血は TAE 群で高かったが（相対危険度 1.82，95％CI 1.23〜2.67，$p=0.66$，$I^2=0\%$），死亡率（相対危険度 0.87，95％CI 0.59〜1.29，$p=0.67$，$I^2=0\%$），追加治療に関しては（相対危険度 1.67，95％CI 0.75〜3.7，$p=0.08$，$I^2=53\%$），TAE 群と手術群で明らかな有意差を認めなかった．以上より TAE は合併症が少なく安全な手技であるが，手術より高い再出血率を示した（有意差あり）．しかしながら死亡率に関しては有意差がなく，再出血は臨床転帰に影響を及ぼしていないと考えられる．したがって IVR は難治性出血性潰瘍の治療の選択肢のひとつとして提案する．ただし，IVR はその手技に熟達した専門医の存在が必須であり，施設によっては施行が困難な場合があることを考慮する必要がある．

文献

1) Ljungdahl M, Eriksson LG, Nyman R, et al. Arterial embolization in management of massive bleeding from gastric and duodenal ulcers. Eur J Surg 2002; **168**; 384-390（ケースシリーズ）
2) Akatsu T, Aiura K, Ueda M, et al. Life-threatening bleeding from postbulbullar duodenal ulcer saved by emergency transcatheter arterial embolization. J Gastroenterol 2006; **41**: 604-605（ケースシリーズ）
3) Hizawa K, Miura N, Hasegawa H, et al. Late-onset life threatening hemorrhage of omeprazole-resistant duodenal ulcer managed by interventional radiology: report of a case. Intern Med 2006; **45**: 861-863（ケースシリーズ）
4) Holme JB, Nielsen DT, Funch-Jensen P, et al. Transcatheter arterial embolization in patients with bleeding duodenal ulcer: an alternative to surgery. Acta Radiol 2006; **47**: 244-247（ケースシリーズ）
5) Toyoda H, Nakano S, Takeda I, et al. Transcatheter arterial embolization for massive bleeding from duodenal ulcers not controlled by endoscopic hemostasis. Endoscopy 1995; **27**: 304-307（ケースシリーズ）

6) 小金丸史隆,岡崎正敏.出血性胃潰瘍に対する救急左胃動脈塞栓術の検討.臨床放射線 1990; **35**: 607-613（ケースシリーズ）
7) De Wispelaere JF, De Ronde T, Trigaux JP, et al. Duodenal ulcer hemorrhage treated by embolization: results in 28 patients. Acta Gastroenterol Belg 2002; **65**: 6-11（ケースシリーズ）
8) Tarasconi A, Baiocchi GL, Pattonieri V, et al. Transcatheter arterial embolization versus surgery for refractory non-variceal upper gastrointestinal bleeding: a meta-analysis. World J Emerg Surg 2019; **14**: 3（メタ）
　　［検索期間外文献］
9) Kyaw M, Tse Y, Ang D, et al. Embolization versus surgery for peptic ulcer bleeding after failed endoscopic hemostasis: a meta-analysis. Endos Int Open 2014; **2**: E6-E14（メタ）

CQ 2-3

(2) 非内視鏡的止血治療

内視鏡的止血治療後に酸分泌抑制薬を用いる必要はあるか？

推奨

- 内視鏡的止血治療後のPPI投与は，治療成績を向上させるため，行うことを推奨する． 【推奨の強さ：**強**（合意率100％），エビデンスレベル：**A**】

解説

内視鏡的止血治療後のPPI静脈内投与（一部経口投与を含む）が，プラセボと比べて有意に再出血率の減少，輸血量の減少，入院期間の短縮，外科手術移行率の減少を認めることは2つのメタアナリシス[1,2]と複数のRCT[3〜8]で証明されている．

PPI投与量に関しては，高用量（80 mgボーラス投与し，その後8 mg/時，72時間連続投与）とそれ以外で検討した複数のメタアナリシス[9〜11]では，いずれも再出血率，手術移行率，死亡率に差を認めなかった．つまり内視鏡的止血治療後のPPI投与は低用量であっても高用量と同等に有効であることを示している．しかしこれらの研究は，Forrest分類ごとに検証されたものではなく出血リスクの低い潰瘍を対象とした研究も多く，またサンプルサイズの小さいものも含まれていた．その点を考慮し米国消化器病学会ガイドライン[12]では，ForrestⅠ，Ⅱa，Ⅱbは内視鏡的止血治療後に高用量PPIを投与し，それ以外（Ⅱc，Ⅲ）は標準量を使用することを推奨している．

PPIの投与方法に関しては，2つのメタアナリシス[13,14]において高用量静脈内投与と高用量経口投与（日本の2倍量）の間で再出血率，輸血量，手術移行率，入院期間，死亡率に差はないとしている．ただしサンプルサイズや対象の選択に偏りがあるため，高用量の経口投与は内視鏡的止血確認後の補助療法として有用であるとしている．

内視鏡的止血治療後のPPIとH₂RAの比較では，PPIのほうが再出血率は低い[1,15]，輸血量が少ない[1]，入院期間が短い[1]，外科手術への移行率は低い[1,16]という報告があるが，死亡率には差がない[1]としている．今回検索した文献には1つのメタアナリシス[17]と2つのRCT[18,19]があり，いずれもPPI群のほうが再出血率が低かったが，死亡率に関しては差がないと報告している[17,18]が，患者の益を考慮しPPIを推奨とした．

また，PPIの内視鏡的止血治療前投与に関して，コクランレビュー[20]では，内視鏡的止血治療前に高用量PPI（経静脈，経口）を投与した場合，H₂RAやプラセボ投与，無治療と比較し，出血性消化性潰瘍の活動性を低下させ（Forrest分類のdown grade），内視鏡治療回数を減少させたが，死亡率，再出血率，外科手術移行率に関しては差を認めなかったとしている．以上より高用量PPIの内視鏡的止血治療前投与は，米国消化器病学会[12]や欧州消化器内視鏡学会ガイドライン[21]では条件付推奨としており，アジア太平洋ワーキンググループのガイドライン[22]では推奨していない．最終的な臨床結果に差がなく，日本では高用量PPIは保険適用外であり費用対効果の面も考慮すると積極的な使用は難しいと思われる．

また，今回検索したなかにボノプラザンに関する文献はなく，今後期待される．

文献

1) Leontiadis GI, Sharma VK, Howden CW. Systematic review and meta-analysis: proton-pump inhibitor treatment for ulcer bleeding reduces transfusion requirements and hospital stay-results from the Cocharane Collaboration. Aliment Pharmacol Ther 2005; **22**: 169-174（メタ）
2) Selby NM, Kubba AK, Hawkey CJ. Acid suppression in peptoc ulcer haemorrhage: a 'meta-analysis'. Aliment Pharmacol Ther 2000; **14**: 1119-1126（メタ）
3) Zargar SA, Javid G, Khan BA, et al. Pantoprazole infusion as adjuvant therapy to endoscopic treatment in patients with peptic ulcer bleeding: prospective randomized controlled trial. J Gastroenterol Hepatol 2006; **21**: 716-721（ランダム）
4) Schaffalitzky de Muckadell OB, Havelund T, Harling H, et al. Effect of omeprazole on the outcome of endoscopically treated bleeding peptic ulcers. Scand J Gastroenterol 1997; **32**: 320-327（ランダム）
5) Javid G, Masoodi I, Zargar SA, et al. Omeprazole as adjuvant therapy to endoscopic combination injection sclerotherapy for treating bleeding peptic ulcer. Am J Med 2001; **111**: 280-284（ランダム）
6) Kaviani MJ, Hashemi MR, Kazemifar AR, et al. Effect of oral omeprazole in reducing re-bleeding in bleeding peptic ulcers: a prospective, double-blind, randomized, clinical trial. Aliment Pharmacol Ther 2003; **17**: 211-216（ランダム）
7) Sung JJY, Barkun A, Kuipers EJ, et al. Intravenous esomeprazole for prevention of recurrent peptic ulcer bleeding. Ann Intern Med 2009; **150**: 455-464（ランダム）
8) Barkun AN, Adam V, Sung JJY, et al. Cost effectiveness of high-dose intravenous esomeprazole for peptic ulcer bleeding. Pharmacoeconomics 2010; **28**: 217-230（ランダム）
9) Wang CH, et al. High-dose vs non-high-dose proton pump inhibitors after endoscopic treatment in patients with bleeding pepetic ulcer: a systematic review and meta-analysis of randomized controlled trials. Arch Intern Med 2010; **170**: 751-758（メタ）
10) Neumann I, Letelier LM, Rada G, et al. Comparison of different regimens of proton pump inhibitors for acute peptic ulcer bleeding. Cochrane Database Syst Rev 2013; (6): CD007999（メタ）
11) George S, George C, Androniki P, et al. High-dose vs.low-dose proton pump inhibitors post endoscopic hemostasis in patients with bleeding peptic ulcer: a meta-analysis and meta-regression analysis. Turk J Gastroenterol 2018; **29**: 22-31（メタ）
12) Laine L, Jensen DM. Management of patients with ulcer bleeding. Am J Gastroenterol 2012; **107**: 345-360（ガイドライン）
13) Tsoi KK, Hirai HW, Sung JJ, et al. Meta-analysis: comparison of oral vs. intravenous proton pump inhibitors in patients with peptic ulcer bleeding. Aliment Pharmacol Ther 2013; **38**: 721-728（メタ）
14) Jian Z, Li H, Race NS, et al. Is the era of intravenous proton pump inhibitors coming to an end in patients with bleeding peptic ulcers? Meta-analysis of the published literature. Br J Clin Pharmacol 2016; **82**: 880-889（メタ）
15) Khoshbaten M, Fattahi E, Naderi N, et al. A comparison of oral omeprazole and intravenous cimetidine in reducing complications of duodenal peptic ulcer. BMC Gastroenterol 2006; **6**: 2（ランダム）
16) Lanas A, Artal A, Blás JM, et al. Effect of parenteral omeprazole and ranitidine on gastric pH and the outcome of bleeding peptic ulcer. J Clin Gastroenterol 1995; **21**: 103-106（非ランダム）
17) Wang J, Yang K, Ma B, et al. Intravenous pantoprazole as an adjuvant therapy following successful endoscopic treatment for peptic ulcer bleeding. Can J Gastroenterol 2009; **23**: 287-299（メタ）
18) Demetrashvili ZM, Lashkhi IM, Ekaladze EN, et al. Comparison of intravenous pantoprazole with intravenous ranitidine in peptic ulcer bleeding. Georgian Med News 2013; **223**: 7-11（ランダム）
19) Bai Y, Chen DF, Wang RQ, et al. Intravenous Esomeprazole for prevention of peptic ulcer rebleeding: A randomized trial in Chinese Patients. Adv Ther 2015; **32**: 1160-1176（ランダム）
20) Sreedharan A, Martin J, Leontiadis GI, et al. Protom pump inhibitor treatment initiated prior to endoscopic diagnosis in upper gastrointestinal bleeding. Cochrane Database Syst Rev 2010; (7): CD005415（メタ）
21) Gralnek lan M, Dumonceau J, Kuipers EJ, et al. Diagnosis and management of nonvariceal upper gastrointestinal hemorrhage: European Society of Gastrointestinal Endoscopy (ESGE) Guideline. Endoscopy 2015; **47**: a1-46（ガイドライン）
22) Sung JJY, Chiu PCY, Chan FKL, et al. Asia-Pacific working group consensus on non-variceal upper gastrointestinal bleeding: an update 2018. Gut 2018; **67**: 1757-1768（ガイドライン）

CQ 2-4

(3) 出血性潰瘍の予防

抗血栓薬使用者の出血性潰瘍の予防にどのような薬剤を推奨するか？

推奨

- 抗血小板薬2剤併用療法（DAPT）では上部消化管出血の予防にPPIを併用することを推奨する．（潰瘍既往例以外は保険適用外）

  【推奨の強さ：**強**（合意率100％），エビデンスレベル：**A**】

- ワルファリン服用例のうち，抗血小板薬またはNSAIDs併用例では，上部消化管出血予防のためPPIを併用することを提案する．（潰瘍既往例のLDA，NSAIDs投与時以外は保険適用外）

  【推奨の強さ：**弱**（合意率100％），エビデンスレベル：**C**】

解説

1. DAPT

　低用量アスピリン（LDA）と，チエノピリジン系抗血小板薬のクロピドグレルによる抗血小板薬二剤併用療法（dual antiplatelet therapy：DAPT）において，上部消化管出血（upper gastrointestinal bleeding：UGIB）の予防にプロトンポンプ阻害薬（PPI）併用が有用かどうかについてランダム化比較試験（RCT）のメタアナリシスの報告がある．消化性潰瘍に限定できないので，UGIBについて検討した．大きなRCTは，BhattらのCOGENT trial[1]ひとつである．

　Moら[2]は，DAPTの4つのRCTのメタアナリシスを行い，UGIBの予防にPPIがコントロールより有意に優れており，主要有害心血管イベント（major adverse cardiovascular events：MACE）には差がないことを報告した．しかし，4つのRCTのうち2つは，PPI vs. H_2RAである．Huら[3]は，4つのRCTと8つの観察研究を合わせたメタアナリシスを行い，PPI投与は，GIBを有意に減少させ，MACEを有意に増加させることを示している．これは，RCTのみではなく観察研究も含まれたメタアナリシスで，RCTにはCOGENT studyのほかにそのpost hoc analysisも含まれている．MACEについては，観察研究のメタアナリシスではPPIが有意に悪影響を生じるが，RCTでは差がないことが報告されている[4]．観察研究のセレクションバイアスとして，高リスク群がよりPPI治療を受けている可能性が考えられている．

　COGENT trialの他にPPIの有無で比較したRCT 2件[5,6]を加えた3研究で，メタアナリシスを行った．PPIは，UGIBを有意に予防していた（相対危険度0.26，95％CI 0.13〜0.53，$p=0.0002$）（図1）．MACEについては，PPIの有無で有意差を認めなかった（相対危険度1.01，95％CI 0.80〜1.26，$p=0.96$）．

　PPIとH_2RAの比較のメタアナリシスでは，PPIがUGIBの予防に有意に優れ，MACEには差がないことが報告されている[7,8]．

　急性冠症候群で抗血栓療法を受けている症例や，心血管疾患でDAPTを受けている症例では，消化管出血は死亡率を有意に上げることが知られている[9〜11]．このことからも，DAPTを受けている症例では，PPI投与によりUGIBを予防することが重要と考えられる．したがって，DAPT

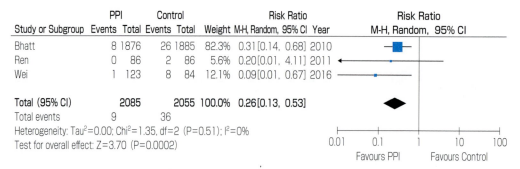

図1 DAPT における UGIB 予防効果の PPI とコントロールの比較

におけるPPI併用を強く推奨することにした．なお，欧州心臓病学会(ESC)の冠動脈疾患におけるDAPTの2017 focused updateでは，PPI併用を，推奨度classⅠ（治療が有用であるエビデンスや一般的合意），エビデンスレベルB（1つのRCTか大規模な非無作為割り付け試験による）で推奨している[12]．日本循環器学会「急性冠症候群ガイドライン（2018年改訂版）」[13]では，同疾患の入院中の評価・管理において，出血性合併症予防に関する推奨として，「消化管出血のリスクが高くアスピリン単独またはDAPTの服用患者に対してPPIを併用する」（推奨クラスⅠ（手技・治療が有効・有用であるというエビデンスがある，または見解が広く一致している），エビデンスレベルB（単一の無作為臨床試験または大規模な無作為でない臨床試験で実証されたもの））としている．

　DAPT施行例でのPPI投与は，全例が保険適用というわけではない．「低用量アスピリン投与時における胃潰瘍または十二指腸潰瘍の再発抑制」では，ランソプラゾール15mg，ネキシウム20mg，ラベプラゾール5mg（10mg）が保険適用である．オメプラゾールは，COGENT trialで安全性が示され，そのことよりアジア太平洋ワーキンググループのガイドラインでは，クロピドグレルとの併用時に特別のPPIの選択はないとしている[14]．一方，本邦の薬剤の添付文書[15]では，オメプラゾールがクロピドグレルの作用を減弱するおそれがあるため併用注意と記載されている．なお，ボノプラザンは，DAPTと併用のRCTのデータはない．

2．クロピドグレル単剤療法

　Hsuら[16]は，消化性潰瘍既往があるクロピドグレル服用例をエソメプラゾール併用投与の有無に分けて潰瘍再発率をみたRCTを行っている．H. pylori陽性例は，除菌している．6ヵ月間フォローし，エソメプラゾール投与群が非投与群よりも有意に潰瘍再発は少なかった（1.2% vs. 11.0%，$p=0.009$）．ただ，UGIBの発生率は，エソメプラゾール投与群と非投与群で有意差はなかった（0% vs. 1.2%，$p=0.497$）．エソメプラゾール投与群と非投与群で心血管イベントの発生率に差はなかった（4.8% vs. 3.7%，$p=1.000$）．

　観察研究では結果が分かれている．Kwokら[17]の観察研究2件のメタアナリシスでは，クロピドグレル単独療法での有害胃腸イベントの予防効果は，PPI投与の有無で有意差はなかった（pooledオッズ比0.60，95%CI 0.14〜2.61，$p=0.50$）．Linら[18]の大規模な集団ベースのコホート内症例対照研究では，クロピドグレル単独療法でPPI投与は，UGIBのリスクを有意に軽減していた（相対危険度0.18，95%CI，0.04〜0.79））．

　以上より，クロピドグレル単独療法施行例でのUGIB予防にPPI併用を推奨することはでき

なかった.

3. ワルファリン

ワルファリン服用例でのPPIのUGIB予防効果については，RCTはなく，観察研究のみみられた.

Lanasら[19]の症例対象研究では，ワルファリン服用例でPPI投与は，UGIBに有意の予防効果はなかった（調整相対危険度0.67，95%CI 0.37～1.21）．Massó Gonzálezら[20]のコホート内症例対照研究では，PPI投与は，ワルファリン服用例でUGIBの再発リスクを減少していた（ワルファリンとPPI服用者は相対危険度1.93，95%CI 0.23～16.28，ワルファリンのみの服用者は相対危険度8.58，95%CI 2.54～28.97）．Rayら[21]は大規模な後ろ向きコホート研究を行い，ワルファリン服用者では，抗血小板薬またはNSAIDsを併用している症例においてのみ，PPI投与はUGIBの入院リスクを有意に減少させる（45%減少，ハザード比0.55，95%CI 0.39～0.77，$p=0.0004$）ことを示した．このPPIの予防効果は，UGIBのリスク因子（消化性潰瘍，胃炎，GIBなど）の既往の有無には関係がなかった.

以上のようにワルファリン服用例でのPPIのUGIB予防効果は観察研究により差があるが，抗血小板薬またはNSAIDsを併用している場合に有用と考えられ，提案することにした.

なお，薬剤の添付文書[15]では，オメプラゾールがワルファリンの代謝，排泄を遅延して抗凝血作用を増強し，出血にいたるおそれがあるので，併用注意と記載されている．ワルファリン服用例でのUGIB予防のためのPPI投与は，保険適用ではない.

4. DOAC

直接経口抗凝固薬（direct oral anticoagulants：DOAC）服用例でPPI投与のUGIB予防効果のRCTはみられなかった．観察研究がみられた.

Chanら[22]の後ろ向きコホート研究では，酸分泌抑制薬（PPI，H_2RA）は，ダビガトラン服用者で消化性潰瘍かGIBの既往のある症例でのみ，UGIBのリスクを有意に減少させていた（罹患率比IRR 0.14，95%CI 0.06～0.30，$p<0.001$）．Younら[23]はDOAC服用例の後ろ向き観察研究を行い，抗血小板薬併用例または消化性潰瘍やUGIB既往例のリスクのある症例でも，酸分泌抑制薬（PPI，H_2RA）のUGIB予防効果は有意ではなかった.

以上より，DOAC服用例でのUGIB予防にPPI併用を推奨することはできなかった.

検索終了後に，DOAC服用例のPPI予防効果のRCTが報告された[24]．リバーロキサバン2.5 mg・1日2回＋アスピリン100 mg・1日1回，リバーロキサバン5 mg・1日2回，アスピリン100 mg・1日1回投与の3群に，パントプラゾール40 mg/日またはプラセボを投与し，平均3.02年のフォローで，上部消化管イベントの発生を調べた．パントプラゾールは，上部消化管イベント全体のリスクを減少させなかったが，胃十二指腸病変からの出血は有意に減少させた（ハザード比0.52，95%CI 0.28～0.94，$p=0.03$）．安定した心血管疾患で低用量の抗凝固薬，アスピリンの単独または併用している症例でのPPIの常用は，有益ではないとしている.

文献

1) Bhatt DL, Cryer BL, Contant CF, et al; COGENT Investigators. Clopidogrel with or without omeprazole in coronary artery disease. N Engl J Med 2010; **363**: 1909-1917（ランダム）
2) Mo C, Sun G, Lu ML, et al. Proton pump inhibitors in prevention of low-dose aspirin-associated upper gastrointestinal injuries. World J Gastroenterol 2015; **21**: 5382-5392（メタ）
3) Hu W, Tong J, Kuang X, et al. Influence of proton pump inhibitors on clinical outcomes in coronary heart dis-

ease patients receiving aspirin and clopidogrel: A meta-analysis. Medicine (Baltimore) 2018; **97**: e9638（メタ）
4) Melloni C, Washam JB, Jones WS, et al. Conflicting results between randomized trials and observational studies on the impact of proton pump inhibitors on cardiovascular events when coadministered with dual antiplatelet therapy: systematic review. Circ Cardiovasc Qual Outcomes 2015; **8**: 47-55（メタ）
5) Ren YH, Zhao M, Chen YD, et al. Omeprazole affects clopidogrel efficacy but not ischemic events in patients with acute coronary syndrome undergoing elective percutaneous coronary intervention. Chin Med J 2011; **124**: 856-861（ランダム）
6) Wei P, Zhang YG, Ling L, et al. Effects of the short-term application of pantoprazole combined with aspirin and clopidogrel in the treatment of acute STEMI. Exp Ther Med 2016; **12**: 2861-2864（ランダム）
7) Almufleh A, Ramirez FD, So D, et al. H2 Receptor Antagonists versus Proton Pump Inhibitors in Patients on Dual Antiplatelet Therapy for Coronary Artery Disease: A Systematic Review. Cardiology 2018; **140**: 115-123（メタ）
8) Yi ZM, Qiu TT, Zhang Y, et al. Comparison of prophylactic effect of UGIB and effects on platelet function between PPIs and H2RAs combined with DAPT: systematic review and meta-analysis. Ther Clin Risk Manag 2017; **13**: 367-377（メタ）
9) Nikolsky E, Stone GW, Kirtane AJ, et al. Gastrointestinal bleeding in patients with acute coronary syndromes: incidence, predictors, and clinical implications: analysis from the ACUITY (Acute Catheterization and Urgent Intervention Triage Strategy) trial. J Am Coll Cardiol 2009; **54**: 1293-1302（ランダム）
10) Berger PB, Bhatt DL, Fuster V, et al; CHARISMA Investigators. Bleeding complications with dual antiplatelet therapy among patients with stable vascular disease or risk factors for vascular disease: results from the Clopidogrel for High Atherothrombotic Risk and Ischemic Stabilization, Management, and Avoidance (CHARISMA) trial. Circulation 2010; **121**: 2575-2583（ランダム）
11) Généreux P, Giustino G, Witzenbichler B, et al. Incidence, Predictors, and Impact of Post-Discharge Bleeding After Percutaneous Coronary Intervention. J Am Coll Cardiol 2015; **66**: 1036-1045（コホート）
12) Valgimigli M, Bueno H, Byrne RA, et al; ESC Scientific Document Group; ESC Committee for Practice Guidelines (CPG); ESC National Cardiac Societies. 2017 ESC focused update on dual antiplatelet therapy in coronary artery disease developed in collaboration with EACTS: The Task Force for dual antiplatelet therapy in coronary artery disease of the European Society of Cardiology (ESC) and of the European Association for Cardio-Thoracic Surgery (EACTS). Eur Heart J 2018; **39**: 213-260（ガイドライン）
13) 日本循環器学会．急性冠症候群ガイドライン（2018年改訂版）
http://www.j-circ.or.jp/guideline/pdf/JCS2018_kimura.pdf（2020年3月2日閲覧）（ガイドライン）
14) Sung JJ, Chiu PW, Chan FKL, et al. Asia-Pacific working group consensus on non-variceal upper gastrointestinal bleeding: an update 2018. Gut 2018; **67**: 1757-1768（ガイドライン）
15) 添付文書　オメプラール錠10，オメプラール錠10，2015年1月改訂（第26版），アストラゼネカ株式会社
16) Hsu PI, Lai KH, Liu CP. Esomeprazole with clopidogrel reduces peptic ulcer recurrence, compared with clopidogrel alone, in patients with atherosclerosis. Gastroenterology 2011; **140**: 791-798（ランダム）
17) Kwok CS, Nijjar RS, Loke YK. Effects of proton pump inhibitors on adverse gastrointestinal events in patients receiving clopidogrel: systematic review and meta-analysis. Drug Saf 2011; **34**: 47-57（メタ）
18) Lin KJ, Hernández-Díaz S, García Rodríguez LA. Acid suppressants reduce risk of gastrointestinal bleeding in patients on antithrombotic or anti-inflammatory therapy. Gastroenterology 2011; **141**: 71-79（ケースコントロール）
19) Lanas A, García-Rodríguez LA, Arroyo MT, et al; Investigators of the Asociación Española de Gastroenterología (AEG). Effect of antisecretory drugs and nitrates on the risk of ulcer bleeding associated with nonsteroidal anti-inflammatory drugs, antiplatelet agents, and anticoagulants. Am J Gastroenterol 2007; **102**: 507-515（ケースコントロール）
20) Massó González EL, García Rodríguez LA. Proton pump inhibitors reduce the long-term risk of recurrent upper gastrointestinal bleeding: an observational study. Aliment Pharmacol Ther 2008; **28**: 629-637（ケースコントロール）
21) Ray WA, Chung CP, Murray KT, et al. Association of Proton Pump Inhibitors With Reduced Risk of Warfarin-Related Serious Upper Gastrointestinal Bleeding. Gastroenterology 2016; **151**: 1105-1112（コホート）
22) Chan EW, Lau WC, Leung WK, et al. Prevention of Dabigatran-Related Gastrointestinal Bleeding With Gastroprotective Agents: A Population-Based Study. Gastroenterology 2015; **149**: 586-595（コホート）
23) Youn SH, Lim H, Ju Y, et al. Effect of gastroprotective agents on upper gastrointestinal bleeding in patients receiving direct oral anticoagulants. Scand J Gastroenterol 2018; **53**: 1490-1495（コホート）［検索期間外文献］
24) Moayyedi P, Eikelboom JW, Bosch J, et al; COMPASS Investigators. Pantoprazole to Prevent Gastroduodenal Events in Patients Receiving Rivaroxaban and/or Aspirin in a Randomized, Double-Blind, Placebo-Controlled Trial. Gastroenterology 2019; **157**: 403-412（ランダム）［検索期間外文献］

第3章
H. pylori 除菌治療

BQ 3-1 (1) 初期治療【胃潰瘍】

H. pylori 除菌は胃潰瘍の治癒を促進するか？

回答
- 胃潰瘍症例に対する H. pylori 除菌治療は，胃潰瘍の治癒速度を促進する．

解説

　胃潰瘍症例に対する H. pylori 除菌治療は，除菌治療不成功症例や未除菌症例と比較して，有意に胃潰瘍の治癒速度を促進する[1~5]．ただし，酸分泌抑制薬を使用するときには，PPI による単独治療時と除菌治療後に PPI 追加投与をするときの胃潰瘍の治癒速度は同等である（図1，表1）[6]．
　また，海外の報告では，H. pylori の除菌治療を単独で治療した場合と PPI での単独治療の場合で，8週後の胃潰瘍の治癒率は同等である[7~15]．しかし，本邦の報告では，15mm 以上の胃潰瘍の場合には，除菌治療単独は PPI 単独投与時よりも8週後の胃潰瘍の治癒率は劣る[16]．

Study or Subgroup	Treatment n/N	Control n/N	Weight	Risk Ratio M-H, Random, 95% CI
Asaka 2001	65/225	11/55	12.1%	1.44 [0.82, 2.55]
Axon 1997	20/87	13/42	11.6%	0.74 [0.41, 1.34]
Bayerdorffer 1996	13/65	3/65	5.0%	4.33 [1.30, 14.49]
Befrits 2004	10/56	11/47	9.1%	0.76 [0.36, 1.64]
Fukuda 1995a	0/32	1/33	0.9%	0.34 [0.01, 8.13]
Fukuda 1995b	0/37	1/49	0.9%	0.44 [0.02, 10.47]
Furuta 1995	0/12	2/15	1.1%	0.25 [0.01, 4.69]
Higuchi 2003	31/61	10/59	11.3%	3.00 [1.62, 5.55]
Kato 1996	5/35	3/33	4.2%	1.57 [0.41, 6.06]
Katoh 1995	7/40	3/39	4.6%	2.28 [0.63, 8.17]
Lazzaroni 1997	0/29	2/30	1.0%	0.21 [0.01, 4.13]
Malfertheiner 1999	20/97	10/48	10.3%	0.99 [0.50, 1.95]
Meining 1998	23/100	15/85	11.8%	1.30 [0.73, 2.33]
Sung 1995	6/51	7/45	6.4%	0.76 [0.27, 2.08]
Tulassay 2008	20/265	10/137	9.6%	1.03 [0.50, 2.15]
Total (95% CI)	**1192**	**782**	**100.0%**	**1.23 [0.90, 1.68]**

Total events 220 (Treatment), 102 (Control)
Heterogeneity: Tau^2=0.13; Chi^2=22.93, df=14 (P=0.06); I^2=39%
Test for overall effect: Z=1.29 (P=0.20)
Test for subgroup differences: Not applicable

図1 胃潰瘍治癒率の比較：除菌治療＋酸分泌抑制薬 vs. 酸分泌抑制薬
(Ford AC, et al. Cochrane Database Syst Rev 2016; (4): CD003840 [6] より許諾を得て転載)

表1　胃潰瘍治癒におけるH. pylori除菌治療の効果

治療条件	治療方法		
PPI（酸分泌抑制薬）を使用しないとき	除菌治療	＞＞	未除菌（無治療）
PPI（酸分泌抑制薬）を使用しないとき	除菌治療	＞＞	除菌治療不成功
PPI（酸分泌抑制薬）治療を行うとき	除菌治療＋PPI	＝	未除菌＋PPI
除菌治療とPPI治療：海外報告	除菌治療	＝	PPI単独治療
除菌治療とPPI治療：本邦報告：胃潰瘍径15 mm以上	除菌治療	＜	PPI単独治療

文献

1) Treiber G, Lambert JR. The impact of *Helicobacter pylori* eradication on peptic ulcer healing. Am J Gastroenterol 1998; **93**: 1080-1084（メタ）
2) Tatsuta M, Ishikawa H, Iishi H, et al. Reduction of gastric ulcer recurrence after suppression of *Helicobacter pylori* by cefixime. Gut 1990; **31**: 973-976（ランダム）
3) Furuta T, Futami H, Arai H, et al. Effects of lansoprazole with or without amoxicillin on ulcer healing: relation to eradication of *Helicobacter pylori*. J Clin Gastroenterol 1995; **20** (Suppl 2): S107-S111（ランダム）
4) Kato M, Asaka M, Kudo M, et al. Effects of lansoprazole plus amoxycillin on the cure of *Helicobacter pylori* infection in Japanese peptic ulcer patients. Aliment Pharmacol Ther 1996; **10**: 821-827（ランダム）
5) Asaka M, Sugiyama T, Kato M, et al. A multicenter, double-blind study on triple therapy with lansoprazole, amoxicillin, and clarithromycin for eradication of *Helicobacter pylori* in Japanese peptic ulcer patients. Helicobacter 2001; **6**: 254-261（ランダム）
6) Ford AC, Gurusamy KS, Delaney B, et al. Eradication therapy for peptic ulcer disease in *Helicobacter pylori* positive people. Cochrane Database Syst Rev 2016; (4): CD003840（メタ）
7) Sung JJ, Chung SC, Ling TK, et al. Antibacterial treatment of gastric ulcers associated with *Helicobacter pylori*. N Engl J Med 1995; **332**: 139-142（ランダム）
8) Axon AT, O'Moráin CA, Bardhan KD, et al. Randomised double blind controlled study of recurrence of gastric ulcer after treatment for eradication of *Helicobacter pylori* infection. BMJ 1997; **314**: 565-568（ランダム）
9) Seppälä K, Pikkarainen P, Sipponen P, et al. Cure of peptic gastric ulcer associated with eradication of *Helicobacter pylori*: Finnish Gastric Ulcer Study Group. Gut 1995; **36**: 834-837（ランダム）
10) Bayerdörffer E, Miehlke S, Lehn N, et al. Cure of gastric ulcer disease after cure of *Helicobacter pylori* infection: German Gastric Ulcer Study. Eur J Gastroenterol Hepatol 1996; **8**: 343-349（ランダム）
11) Lazzaroni M, Perego M, Bargiggia S, et al. *Helicobacter pylori* eradication in the healing and recurrence of benign gastric ulcer: a two-year, double-blind, placebo controlled study. Ital J Gastroenterol Hepatol 1997; **29**: 220-227（ランダム）
12) Meining A, Hochter W, Weingart J, et al. Double-blind trial of omeprazole and amoxicillin in the cure of *Helicobacter pylori* infection in gastric ulcer patients: The Ulcer Study Group, Germany. Scand J Gastroenterol 1998; **33**: 49-54（ランダム）
13) Malfertheiner P, Bayerdörffer E, Diete U, et al. The GU-MACH study: the effect of 1-week omeprazole triple therapy on *Helicobacter pylori* infection in patients with gastric ulcer. Aliment Pharmacol Ther 1999; **13**: 703-712（ランダム）
14) Malfertheiner P, Kirchner T, Kist M, et al; BYK Advanced Gastric Ulcer Study Group. *Helicobacter pylori* eradication and gastric ulcer healing: comparison of three pantoprazole-based triple therapies. Aliment Pharmacol Ther 2003; **17**: 1125-1135（ランダム）
15) Tulassay Z, Stolte M, Sjölund M, et al. Effect of esomeprazole triple therapy on eradication rates of *Helicobacter pylori*, gastric ulcer healing and prevention of relapse in gastric ulcer patients. Eur J Gastroenterol Hepatol 2008; **20**: 526-536（ランダム）
16) Higuchi K, Fujiwara Y, Tominaga K, et al. Is eradication sufficient to heal gastric ulcers in patients infected with *Helicobacter pylori*? a randomized, controlled, prospective study. Aliment Pharmacol Ther 2003; **17**: 111-117（ランダム）

BQ 3-2

(1) 初期治療【胃潰瘍】

H. pylori 除菌前の PPI 投与は胃潰瘍の除菌率に影響を与えるか？

回答

- H. pylori 除菌治療前の PPI 投与は 3 剤併用除菌療法施行時の除菌率に影響を及ぼさない．このため，PPI 投与直後でも除菌治療を行ってよい．

解説

　胃潰瘍症例に対して標準的な 3 剤併用の H. pylori 除菌治療を実施する場合には，PPI を前投与していても H. pylori 除菌の成否に影響は及ぼさない（図 1）[1〜4]．ただし，ボノプラザンの前投与時における H. pylori 除菌率への影響は明らかではない．

　また，PPI を前投与したあとにボノプラザンを含むレジメンで除菌治療を行う際には，後ろ向きの検討ではあるものの除菌率を低下させるとした報告もある[5]．今後前向きの RCT で除菌率への影響を検証する必要がある．

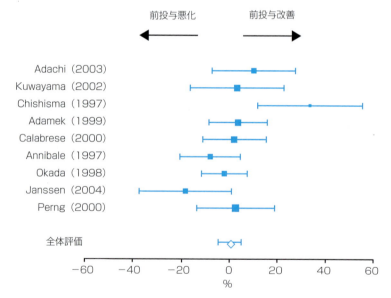

図 1　PPI 前投与が H. pylori 除菌に与える影響（メタアナリシス）
（Janssen MJ, et al. Aliment Pharmacol Ther 2005; 21: 341-345 [3] より許諾を得て転載）

文献

1) Axon AT, O'Moráin CA, Bardhan KD, et al. Randomised double blind controlled study of recurrence of gastric ulcer after treatment for eradication of *Helicobacter pylori* infection. BMJ 1997; **314**: 565-568（ランダム）
2) Ford AC, Delaney BC, Forman D, et al. Eradication therapy in *Helicobacter pylori* positive peptic ulcer disease: systematic review and economic analysis. Am J Gastroenterol 2004; **99**: 1833-1855（メタ）
3) Janssen MJ, Laheij RJ, de Boer WA, et al. Meta-analysis: the influence of pre-treatment with a proton pump inhibitor on *Helicobacter pylori* eradication. Aliment Pharmacol Ther 2005; **21**: 341-345（メタ）
4) Inoue M, Okada H, Hori S, et al. Does pretreatment with lansoprazole influence *Helicobacter pylori* eradication rate and quality of life? Digestion 2010; **81**: 218-222（ランダム）
5) Shinozaki S, Osawa H, Sakamoto H, et al. Pre-treatment with proton pump inhibitors decreases the success of primary *Helicobacter pylori* eradication using a vonoprazan-based regimen. Kaohsiung J Med Sci 2018; **34**: 456-460（ケースコントロール）

BQ 3-3 (1) 初期治療【胃潰瘍】

開放性（活動期）胃潰瘍に対して H. pylori 除菌治療後の潰瘍治療の追加は必要か？

回答

● 開放性（活動期）胃潰瘍では H. pylori 除菌治療後に潰瘍治療を追加することで潰瘍治癒促進が期待できるので，治療を追加する．

解説

胃潰瘍の治療に酸分泌抑制薬を使用するときは，PPI の単独治療時と除菌治療後に PPI の追加投与をするときの胃潰瘍の治癒速度は同等である[1]．ただし，15 mm 以上の胃潰瘍の場合には，除菌治療単独は PPI 単独投与時よりも 8 週後の胃潰瘍の治癒率は劣るため[2]，除菌治療後には無治療よりも PPI を追加することで胃潰瘍治癒促進効果が期待できる．したがって，開放性（活動期）胃潰瘍の治療に対して H. pylori の除菌治療を行う際には，除菌治療後に PPI 追加投与を行うことを考慮すべきである（表 1）．

なお，胃粘膜保護薬でも酸分泌抑制薬と同様に除菌治療後の胃潰瘍治癒効果が報告されている[3~6]．

表 1 開放性（活動期）胃潰瘍治療における H. pylori 除菌治療後の追加治療の必要性

治療条件	治療方法		
PPI（酸分泌抑制薬）治療を行うとき	除菌治療＋PPI	＝	未除菌＋PPI
除菌治療後の追加治療	除菌治療＋PPI	＞	除菌治療単独

文献

1) Ford AC, Gurusamy KS, Delaney B, et al. Eradication therapy for peptic ulcer disease in *Helicobacter pylori* positive people. Cochrane Database Syst Rev 2016; (4): CD003840（メタ）
2) Higuchi K, Fujiwara Y, Tominaga K, et al. Is eradication sufficient to heal gastric ulcers in patients infected with *Helicobacter pylori*? a randomized, controlled, prospective study. Aliment Pharmacol Ther 2003; **17**: 111-117（ランダム）
3) Terano A, Arakawa T, Sugiyama T, et al. Rebamipide, a gastro-protective and anti-inflammatory drug, promotes gastric ulcer healing following eradication therapy for *Helicobacter pylori* in a Japanese population: a randomized, double-blind, placebo-controlled trial. J Gastroenterol 2007; **42**: 690-693（ランダム）
4) Hiraishi H, Haruma K, Miwa H, et al. Clinical trial: irsogladine maleate, a mucosal protective drug, accelerates gastric ulcer healing after treatment for eradication of *Helicobacter pylori* infection: the results of a multicentre, double-blind, randomized clinical trial (IMPACT study). Aliment Pharmacol Ther 2010; **31**: 824-833（ランダム）
5) Higuchi K, Watanabe T, Tanigawa T, et al. Sofalcone, a gastroprotective drug, promotes gastric ulcer healing following eradication therapy for *Helicobacter pylori*: a randomized controlled comparative trial with cimetidine, an H2-receptor antagonist. J Gastroenterol Hepatol 2010; **25** (Suppl 1): S155-S160（ランダム）
6) Murakami K, Okimoto T, Kodama M, et al. Comparison of the efficacy of irsogladine maleate and famotidine for the healing of gastric ulcers after *Helicobacter pylori* eradication therapy: a randomized, controlled, prospective study. Scand J Gastroenterol 2011; **46**: 287-292（ランダム）

BQ 3-4 (1) 初期治療【十二指腸潰瘍】

H. pylori 除菌は十二指腸潰瘍の治癒を促進するか？

回答

- 十二指腸潰瘍症例に対する *H. pylori* 除菌治療は，十二指腸潰瘍の治癒速度を促進する．

解説

十二指腸潰瘍症例に対する *H. pylori* 除菌治療は，除菌治療不成功症例や未除菌症例と比較して，十二指腸潰瘍の治癒速度を有意に促進させる[1〜8]．また，除菌単独治療時と PPI 単独治療時の十二指腸潰瘍の治癒率は同等である[9]．酸分泌抑制薬を使用するときには，PPI の単独治療時と比較して，除菌治療後に PPI の追加投与時の治癒速度は有意に促進される（図1）[8]．したがって，除菌治療により十二指腸潰瘍の治癒率は向上するため，除菌治療を行うことを考慮するべきである（表1）．

Study or Subgroup	Treatment n/N	Control n/N	Risk Ratio M-H, Random, 95% CI	Weight	Risk Ratio M-H, Random, 95% CI
Asaka 2001	34/205	10/51		4.5%	0.85 [0.45, 1.60]
Avsar 1996	2/23	10/22		2.9%	0.19 [0.05, 0.78]
Bardhan 1997	4/141	6/74		2.2%	0.35 [0.01, 1.20]
Bayerdorffer 1992	2/29	4/29		1.1%	0.50 [0.01, 2.52]
Bayerdorffer 1995	4/136	12/128		3.5%	0.31 [0.01, 0.95]
Bianchi Porro 1993	7/91	12/92		3.4%	0.59 [0.24, 1.43]
Bianchi Porro 1996	2/17	9/15		2.7%	0.20 [0.05, 0.77]
Carpintero 1997	3/78	3/44		1.1%	0.56 [0.12, 2.68]
Figueroa 1996	4/57	4/43		1.3%	0.75 [0.20, 2.85]
Furuta 1995	0/20	0/20			Not estimable
Graham 1991	4/53	10/52		2.8%	0.39 [0.13, 1.17]
Graham 1998	22/77	27/76		7.6%	0.80 [0.51, 1.28]
Harford 1996	36/127	25/69		9.1%	0.78 [0.52, 1.19]
Hentschel 1993	1/52	3/52		0.8%	0.33 [0.04, 3.10]
Hosking 1992	8/78	21/77		5.9%	0.38 [0.18, 0.80]
Kato 1996	0/28	1/23		0.5%	0.28 [0.01, 6.47]
Katoh 1995	0/27	1/25		0.4%	0.31 [0.01, 7.26]
Kepecki 1999	7/39	4/34		1.2%	1.53 [0.49, 4.77]
Lin 1994	0/21	2/21		0.7%	0.20 [0.01, 3.93]
Logan 1995	2/70	6/78		1.6%	0.37 [0.08, 1.78]
Mantzaris 1993	5/17	8/16		2.3%	0.59 [0.24, 1.42]
Mones 2001	5/42	7/43		1.9%	0.73 [0.25, 2.12]
O'Morain 1996	9/102	15/106		4.1%	0.62 [0.29, 1.36]
Parente 1996	7/63	1/33		0.4%	3.67 [0.47, 28.55]
Pinero 1995	8/30	7/30		2.0%	1.14 [0.47, 2.75]

0.1 0.2 0.5 1 2 5 10
Favours treatment　Favours control

図1 十二指腸潰瘍治癒率の比較：除菌治療＋酸分泌抑制薬 vs. 酸分泌抑制薬
（Ford AC, et al. Cochrane Database Syst Rev 2016; (4): CD003840 [8] より許諾を得て転載）

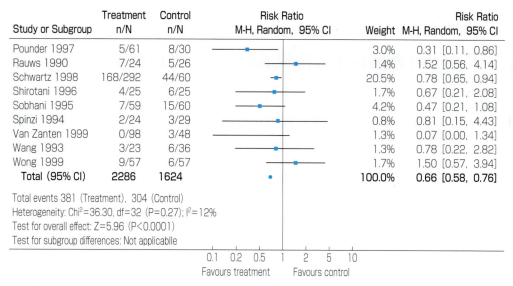

図1 つづき
(Ford AC, et al. Cochrane Database Syst Rev 2016; (4): CD003840 [8] より許諾を得て転載)

表1 十二指腸潰瘍治癒における _H. pylori_ 除菌治療の効果

治療条件	治療方法		
PPI（酸分泌抑制薬）を使用しないとき	除菌治療	＞＞	未除菌（無治療）
PPI（酸分泌抑制薬）を使用しないとき	除菌治療	＞＞	除菌治療不成功
除菌治療と PPI 治療	除菌治療	＝	PPI 単独治療
PPI（酸分泌抑制薬）治療を行うとき	除菌治療＋PPI	＞	未除菌＋PPI

文献

1) Ford AC, Delaney BC, Forman D, et al. Eradication therapy in _Helicobacter pylori_ positive peptic ulcer disease: systematic review and economic analysis. Am J Gastroenterol 2004; **99**: 1833-1855（メタ）
2) Treiber G, Lambert JR. The impact of _Helicobacter pylori_ eradication on peptic ulcer healing. Am J Gastroenterol 1998; **93**: 1080-1084（メタ）
3) Lam SK, Ching CK, Lai KC, et al. Does treatment of _Helicobacter pylori_ with antibiotics alone heal duodenal ulcer? a randomised double blind placebo controlled study. Gut 1997; **41**: 43-48（ランダム）
4) Gisbert JP, Pajares JM. Systematic review and meta-analysis: is 1-week proton pump inhibitor-based triple therapy sufficient to heal peptic ulcer? Aliment Pharmacol Ther 2005; **21**: 795-804（メタ）
5) Ge ZZ, Zhang DZ, Xiao SD, et al. Does eradication of _Helicobacter pylori_ alone heal duodenal ulcers? Aliment Pharmacol Ther 2000; **14**: 53-58（ランダム）
6) Wong BC, Lam SK, Lai KC, et al. Triple therapy for _Helicobacter pylori_ eradication is more effective than long-term maintenance antisecretory treatment in the prevention of recurrence of duodenal ulcer: a prospective long-term follow-up study. Aliment Pharmacol Ther 1999; **13**: 303-309（ランダム）
7) Colin R. Duodenal ulcer healing with 1-week eradication triple therapy followed, or not, by anti-secretory treatment: a multicentre double-blind placebo-controlled trial. Aliment Pharmacol Ther 2002; **16**: 1157-1162（ランダム）
8) Ford AC, Gurusamy KS, Delaney B, et al. Eradication therapy for peptic ulcer disease in _Helicobacter pylori_ positive people. Cochrane Database Syst Rev 2016; (4): CD003840（メタ）
9) Wong BC, Lam SK, Lai KC, et al. Triple therapy for _Helicobacter pylori_ eradication is more effective than long-term maintenance antisecretory treatment in the prevention of recurrence of duodenal ulcer: a prospective long-term follow-up study. Aliment Pharmacol Ther 1999; **13**: 303-309（ランダム）

BQ 3-5 (1) 初期治療【十二指腸潰瘍】

H. pylori 除菌前の PPI 投与は十二指腸潰瘍の除菌率に影響を与えるか？

回答

● *H. pylori* 除菌治療前の PPI 投与は 3 剤併用療法の除菌率を低下させない．このため，PPI 投与直後でも除菌治療を行ってよい．

解説

十二指腸潰瘍症例に対して標準的な 3 剤併用の *H. pylori* 除菌治療を実施する場合，PPI の前投与は *H. pylori* 除菌治療の成否に影響を及ぼさない[1〜5]．ただし，ボノプラザンの前投与における除菌率への影響は明らかではない．

文献

1) Axon AT, O'Moráin CA, Bardhan KD, et al. Randomised double blind controlled study of recurrence of gastric ulcer after treatment for eradication of *Helicobacter pylori* infection. BMJ 1997; **314**: 565-568（ランダム）
2) Ford AC, Delaney BC, Forman D, et al. Eradication therapy in *Helicobacter pylori* positive peptic ulcer disease: systematic review and economic analysis. Am J Gastroenterol 2004; **99**: 1833-1855（メタ）
3) Janssen MJ, Laheij RJ, de Boer WA, et al. Meta-analysis: the influence of pre-treatment with a proton pump inhibitor on *Helicobacter pylori* eradication. Aliment Pharmacol Ther 2005; **21**: 341-345（メタ）
4) Inoue M, Okada H, Hori S, et al. Does pretreatment with lansoprazole influence *Helicobacter pylori* eradication rate and quality of life? Digestion 2010; **81**: 218-222（ランダム）
5) Ford A, Gurusamy KS, Delaney B, et al. Eradication therapy for peptic ulcer disease in *Helicobacter pylori* positive people. Cochrane Database Syst Rev 2016; (4): CD003840（メタ）

BQ 3-6

(1) 初期治療【十二指腸潰瘍】

開放性（活動期）十二指腸潰瘍に対して H. pylori 除菌治療後の潰瘍治療の追加は必要か？

回答

- 開放性（活動期）十二指腸潰瘍では H. pylori 除菌治療後に潰瘍治療を追加することで潰瘍治癒促進の可能性があるため，治療追加を検討する．

解説

　開放性（活動期）十二指腸潰瘍では，H. pylori の除菌単独と PPI 単独投与の十二指腸潰瘍の治癒率は同等であり[1]，H. pylori の除菌治療単独と除菌治療後の PPI 追加投与時の比較でも十二指腸潰瘍の治癒率は同等である（図1）[2,3]．ただし，H. pylori の除菌治療後の PPI 追加投与は，PPI 単独投与よりも十二指腸潰瘍の治癒率は向上する[4]．したがって，十二指腸潰瘍症例に対して除菌治療を施行したあとには PPI 追加投与は必ずしも必要ない（表1）．ただし，除菌に失敗する可能性もあるため開放性（活動期）十二指腸潰瘍症例に対して除菌治療を行う際には酸分泌抑制薬による潰瘍治療の追加をするように提案する．

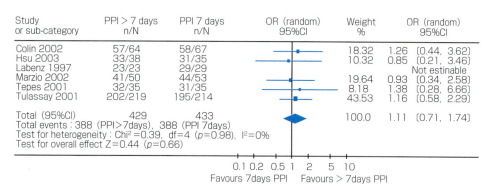

図1 H. pylori 除菌単独と PPI 単独による十二指腸潰瘍治癒率（メタアナリシス）
＊：Hsu 2003 論文は胃潰瘍を含む
（Gisbert JP, Pajares JM. Aliment Pharmacol Ther 2005; 21: 795-804 [2] より許諾を得て転載）

表1 開放性（活動期）十二指腸潰瘍治療における H. pylori 除菌治療後の追加治療の必要性

治療条件	治療方法		
除菌治療と PPI 治療	除菌治療	＝	PPI 単独治療
除菌治療後の追加治療	除菌治療＋PPI	＝	除菌治療単独
PPI（酸分泌抑制薬）治療を行うとき	除菌治療＋PPI	＞	未除菌＋PPI

■文献■

1) Wong BC, Lam SK, Lai KC, et al. Triple therapy for *Helicobacter pylori* eradication is more effective than long-term maintenance antisecretory treatment in the prevention of recurrence of duodenal ulcer: a prospective long-term follow-up study. Aliment Pharmacol Ther 1999; **13**: 303-309（ランダム）
2) Gisbert JP, Pajares JM. Systematic review and meta-analysis: is 1-week proton pump inhibitor-based triple therapy sufficient to heal peptic ulcer? Aliment Pharmacol Ther 2005; **21**: 795-804（メタ）
3) Takeuchi T, Umegaki E, Takeuchi N, et al. Strategies for peptic ulcer healing after 1 week proton pump inhibitor-based triple *Helicobacter pylori* eradication therapy in Japanese patients: differences of gastric ulcers and duodenal ulcers. J Clin Biochem Nutr 2012; **51**: 189-195（ランダム）
4) Ford AC, Gurusamy KS, Delaney B, et al. Eradication therapy for peptic ulcer disease in *Helicobacter pylori* positive people. Cochrane Database Syst Rev 2016; (4): CD003840（メタ）

CQ 3-1　　　　　　　　　　　　　　　　　　　　　　　　　　　　(2) 一次除菌

一次除菌治療はどのようなレジメンを推奨するか？

> **推 奨**
>
> - ボノプラザンを用いたアモキシシリンおよびクラリスロマイシンの3剤療法はPPI使用時よりも除菌率が高いため，一次除菌治療ではボノプラザンを使用することを推奨する．
>   【推奨の強さ：**強**（合意率100％），エビデンスレベル：**A**】
> - 3剤療法の抗菌薬の選択はアモキシシリンおよびクラリスロマイシンまたはメトロニダゾールの組み合わせを推奨する．本邦では，クラリスロマイシンの耐性菌率が高いため，アモキシシリンとメトロニダゾールの組み合わせを推奨する（保険適用外）．
>   【推奨の強さ：**強**（合意率100％），エビデンスレベル：**A**】
> - PPI使用時には，シーケンシャル（連続）治療および4剤併用療法は，3剤療法に比べて除菌効果に優れるので，実施するよう提案する（保険適用外）．
>   【推奨の強さ：**弱**（合意率100％），エビデンスレベル：**A**】

解説

　現在，本邦における保険診療では，*H. pylori* に対する一次除菌療法はPPIもしくはボノプラザン（VPZ）と，アモキシシリン（AMPC）＋クラリスロマイシン（CAM）の2種類の抗菌薬を7日間投与して行うことが認められている．2015年の「消化性潰瘍診療ガイドライン2015（改訂第2版）」の発刊時と比較して，本邦のCAM耐性菌率が35～40％前後に増加傾向を示していること，PPIよりも強力な酸分泌抑制薬であるVPZの使用が可能となったことなど，除菌治療をめぐる環境は大きく変化している．

　一方，海外では3剤療法以外にもシーケンシャル療法（PPI，AMPC 1,000 mg 1日2回投与（bid）5日間＋PPI，CAM 500 mg，メトロニダゾール（MNZ）500 mgまたはチニダゾール（TNZ）bid 5日間）や4剤併用療法（PPI，AMPC 1,000 mg，CAM 500 mg，MNZ 500 mgまたはTNZ bid 10日間），ビスマス製剤を含む4剤療法（PPI bid，ビスマス製剤1日4回投与（qid），MNZ 1日3回投与（tid），テトラサイクリン qid 14日間）の有効性が多数報告されている[1,2]．実際に，推奨レジメンは本邦とは異なり，Maastricht V/Florence Consensus Report[1] では各地域でのCAM耐性菌率に従い選択するレジメンを決める必要性を述べている．CAM耐性菌率が低い地域ではPAC療法（PPI＋AMPC＋CAM）やビスマス製剤を含む4剤療法が推奨されるが，CAM耐性率が15％以上の地域では，4剤併用療法やビスマス製剤を含む4剤療法が推奨される．さらに，CAM耐性率が15％以上の地域でMNZ耐性率が低ければPAM療法（PPI＋AMPC＋MNZ）を，MNZ耐性率も高ければビスマス製剤を含む4剤療法を推奨している．また，Toronto Consensus[2] では前述のレジメンに加えてシーケンシャル療法も推奨している．これらは，本邦では保険診療として一次除菌治療では認可されていないレジメンであるが，新たなレジメンの有効性について国内でも検討する時期であると考える．

「消化性潰瘍診療ガイドライン 2020（改訂第 3 版）」では，RCT で除菌治療のレジメン間での有効性を比較検討した論文のみを PubMed と医中誌より抽出し，①3 剤療法時における酸分泌抑制薬別の比較（VPZ と PPI），②3 剤療法時の抗菌薬別の比較（CAM と MNZ），③シーケンシャル療法と 3 剤療法の比較，④4 剤併用療法と 3 剤療法の比較，⑤シーケンシャル療法と 4 剤併用療法の比較，⑥シーケンシャル療法とビスマス製剤を含む 4 剤療法の有用性を比較し，メタアナリシスにて，その優劣について検討した．

1．3 剤療法における酸分泌抑制薬の選択：VPZ＋AMPC＋CAM vs. PPI＋AMPC＋CAM

H. pylori 除菌治療の成否には除菌治療中の酸分泌抑制度が重要な要素と考えられている[3]．VPZ は既存の PPI よりも強い酸分泌抑制作用を有することから，VPZ を除菌治療で使用した際には高い除菌率を示すことが期待され，実際の RCT でも VPZ を使用した 3 剤療法の有効性が証明されている[4〜6]．VPZ＋AMPC＋CAM と PPI＋AMPC＋CAM との除菌率を比較したメタアナリシスでは，VPZ 使用時の除菌率は ITT 解析で 91.2%（95%CI 88.2〜93.7%），per-protocol（PP）解析で 93.7%（91.0〜95.7%）であり，PPI 使用時の 74.4%（70.0〜78.2%），77.0%（72.7〜80.9%）と比較して有意に高い除菌率を示した（図 1）．上記のなかで CAM に対する感受性を検討した 2 編の報告[4,6]をもとに行ったサブ解析では，CAM 感受性菌の場合には VPZ 使用時の除菌率は ITT 解析で 93.9%（90.3〜96.5%），PP 解析で 95.8%（92.6〜97.9%）であり，PPI 使用時の 92.4%（88.3〜95.4%），95.2%（91.6〜97.6%）と同程度であった．しかし，CAM 耐性菌の場合には VPZ の除菌率は ITT 解析，PP 解析ともに 82.0%（73.1〜89.0%）であり，PPI 使用時の 40.0%（31.0〜49.6%）と比較して有意に高い除菌率を示した．そのため，本邦では，PPI よりも VPZ を含む 3 剤療法が除菌効果に優れるため，VPZ を含む 3 剤療法を選択することを推奨する．ただし，VPZ を含んだ除菌療法の有効性は本邦からの報告に限られ，諸外国における VPZ の有効性は明らかではない．

VPZ 使用時と PPI 使用時で副作用の出現率を比較したメタアナリシスでは，VPZ 使用時には 21.4%（95%CI 17.7〜25.7%）であり，PPI 使用時の 26.9%（22.8〜31.5%）と比較して同程度であった（$p=0.07$）．

また，「消化性潰瘍診療ガイドライン 2015（改訂第 2 版）」にて PPI の高用量使用時，あるいは除菌治療期間を 14 日に延長した際の有効性が示されたが，VPZ 使用時において同様の効果があるか否かは明らかではない．

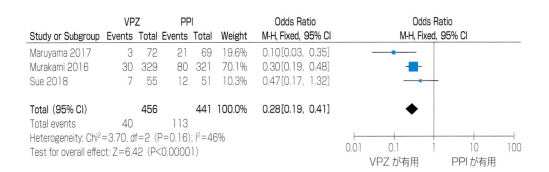

図 1 3 剤療法における VPZ と PPI の除菌率（メタアナリシス）

2. 3剤併用療法における抗菌薬の選択:：PPI+AMPC+CAM vs. PPI+AMPC+MNZ

　RCT を使用したメタアナリシスでは，一次除菌治療時には CAM を使用した標準的3剤療法（PPI+AMPC+CAM：PAC）と MNZ を使用した3剤療法（PPI+AMPC+MNZ：PAM）のレジメン間に除菌率の差を認めなかった（図2）[7]．欧米のガイドラインでは CAM 耐性菌率により選択する抗菌薬を変更する必要があり，本邦のように CAM 耐性菌が 15％ 以上の地域では CAM の使用を避けることが推奨されている[1,2]．また，CAM 耐性菌率が高く，MNZ 耐性菌率が低い地域では PAM 療法を推奨している．本邦から報告された3報の RCT を使用した解析では，PAM 療法の除菌率は ITT 解析で 94.1％（95％CI 90.8～96.5％），PP 解析で 95.6％（92.6～97.6％）であり，PAC 療法の 68.1％（62.3～73.9％），70.0％（64.0～75.6％）と比較して有意に高い除菌率を示した（図3）[8~10]．また，副作用の出現率は PAM 使用時には 32.8％（95％CI 29.9～35.8％）であり，PAC 使用時の 30.1％（27.0～33.4％）と比較して同程度であった（$p=0.94$）．そのため，本

Study or Subgroup	PAM Events	Total	PAC Events	Total	Weight	Odds Ratio M-H, Fixed, 95% CI
Adachi 2017	4	70	18	66	5.1%	0.16[0.05, 0.51]
Auriemma 2001	33	156	30	154	6.9%	1.11[0.64, 1.93]
Bhatia 2004	30	52	19	54	2.3%	2.51[1.15, 5.50]
Filipec 2009	45	282	33	278	8.1%	1.41[0.87, 2.29]
Gungor 2015	44	96	45	87	7.4%	0.79[0.44, 1.41]
Harris 1998	12	50	6	59	1.2%	2.79[0.96, 8.09]
Huang 2000	6	27	2	35	0.4%	4.71[0.87, 25.58]
Koivisto 2005	23	106	10	110	2.2%	2.77[1.25, 6.15]
Labenz 1996	5	33	1	31	0.3%	5.36[0.59, 48.73]
Lahbabi 2013	30	103	23	113	4.5%	1.61[0.86, 3.00]
Lee 2015	22	139	34	143	8.2%	0.60[0.33, 1.09]
Lind 1996	21	114	18	209	3.0%	2.40[1.22, 4.71]
Loghmari 2012	20	39	14	46	1.8%	2.41[0.99, 5.85]
Mabe 2018	5	162	46	134	14.1%	0.06[0.02, 0.16]
Malfertheiner 2003	32	132	14	127	3.1%	2.58[1.30, 5.11]
Misiewicz 1997	30	113	11	114	2.3%	3.38[1.60, 7.16]
Miyaji 1997	10	70	15	74	3.6%	0.66[0.27, 1.58]
Namiot 2004	9	40	7	38	1.6%	1.29[0.43, 3.89]
Namiot 2008	26	78	16	81	3.0%	2.03[0.99, 4.18]
Nishizawa 2015	4	62	13	57	3.7%	0.23[0.07, 0.77]
Pieramico 1997	8	57	4	54	1.0%	2.04[0.58, 7.22]
Pilotto (1) 1999	5	35	6	40	1.4%	0.94[0.26, 3.41]
Pilotto (2) 1999	6	46	5	46	1.3%	1.23[0.35, 4.35]
Sancar 2006	5	10	4	24	0.3%	5.00[0.97, 25.77]
Savarino 1999	8	70	23	69	5.9%	0.26[0.11, 0.63]
Stack 1998	2	17	0	18	0.1%	5.97[0.27, 133.87]
Sun 2005	7	44	6	56	1.3%	1.58[0.49, 5.08]
Uygun 1999	44	121	26	79	5.8%	1.16[0.64, 2.12]
Total (95% CI)		2324		2396	100.0%	1.14[0.99, 1.32]
Total events	496		449			

Heterogeneity: Chi^2=118.80, df=27 (P<0.00001); I^2=77%
Test for overall effect: Z=1.77 (P=0.08)

0.01　0.1　1　10　100
PAM が有用　　PAC が有用

図2　3剤療法における PAM と PAC の除菌率（メタアナリシス）

(2) 一次除菌

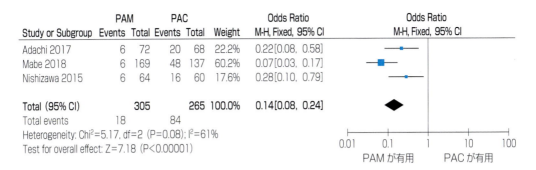

図3 本邦での3剤療法におけるPAMとPACの除菌率（メタアナリシス）

邦ではCAM耐性菌率が高く，MNZ耐性菌率が低いため，PAM療法を選択することを推奨する．PAM療法は，感受性試験でCAM耐性菌感染者と判明した場合やCAM使用歴のある場合に特に有効であると報告されている．また，一次除菌治療におけるPAM療法とVPZを使用したVPZ＋AMPC＋CAM療法の有効性を比較した検討はなく，現時点で優劣をつけるのは難しい．

ただし，二次除菌療法時のVPZ＋AMPC＋MNZの有効性は示されているものの，一次除菌治療における有効性はいまだ明らかではない．

3．シーケンシャル療法（保険適用外）と3剤療法の比較

PPI＋AMPC，次いでPPI＋CAM＋MNZまたはTNZを段階的に連続投与するシーケンシャル療法は，CAM耐性菌の増加による3剤療法の除菌率の低下を克服するレジメンとして検討されてきた[11]．シーケンシャル療法と3剤療法（PPI＋AMPC＋CAMまたはMNZ）の有効性を比較検討した26編のRCTのメタアナリシスの結果，除菌率はそれぞれITT解析で81.7％（95％CI 80.6〜82.8％）と74.7％（73.4〜75.9％）であり，シーケンシャル療法の除菌率が優れていた（図4）．また副作用出現率は，シーケンシャル療法で31.0％（95％CI 29.5〜32.4％），3剤療法で28.5％（27.2〜29.9％）と両群間で有意差は認めていない（$p=1.00$）．

さらに，このレジメンの有用性は欧米諸国のみではなく，韓国や中国などの東アジアでも同様の効果を認めている．ただし，CAMやMNZ耐性菌感染者に対する除菌率の低下が危惧されており，注意を要する[1,2]．

また，この両レジメンの比較もVPZを使用したRCTはなく，VPZを使用した際のシーケンシャル療法の有用性は明らかではない．

4．4剤併用療法（保険適用外）と3剤療法の比較

PPIと3種類の抗菌薬（AMPC＋CAM＋MNZまたはTNZ）を併用投与する4剤併用療法はMaastricht V/Florence Consensus Report[1]やToronto Consensus[2]でも薬物耐性菌を克服しうる治療として推奨されている．4剤併用療法をPPI＋AMPC＋CAM＋MNZまたはTNZ，3剤療法をPPI＋AMPC＋CAMまたはMNZとし，両レジメンの除菌治療の有効性を比較したRCT 17編を用いたメタアナリシスでは，4剤併用療法のITT解析の除菌率は82.8％（95％CI 81.3〜84.2％），PP解析で89.5％（88.2〜90.7％）であり，3剤療法の74.6％（73.0〜76.2％），81.3％（79.8

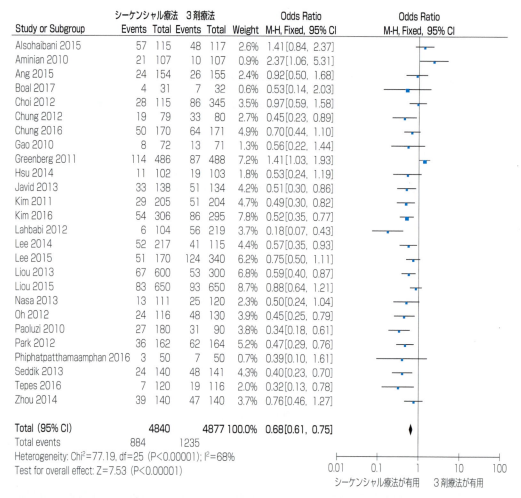

図4 一次除菌におけるシーケンシャル療法と3剤療法の除菌率（メタアナリシス）

〜82.8％）と比較して，4剤併用療法の除菌率が優れていた（図5）．ただし，両レジメンの副作用出現率を比較したメタアナリシスでは，3剤療法の33.8％（95％CI 31.8〜35.8％）に対して4剤併用療法では39.7％（95％CI 37.6〜41.9％）と有意に高く（オッズ比1.31，95％CI 1.15〜1.49，p<0.001）（図6），4剤併用療法は除菌率が優れるものの副作用の出現には注意を要する．

また，この両レジメンの比較もVPZを使用したRCTはなく，VPZを使用した4剤併用療法の有用性は明らかではない．

5. シーケンシャル療法（保険適用外）と4剤併用療法（保険適用外）の比較

シーケンシャル療法と4剤併用療法の有効性を比較したRCT 18編を用いたメタアナリシスで，それぞれのレジメンでのITT解析での除菌率は，79.9％（95％CI 78.3〜81.4％）と82.8％（81.3〜84.2％）であり，シーケンシャル療法と比較して4剤併用療法が有意に高い除菌率を達成した（図7）．しかし，図7で示すように個々の論文では有意差を持つ報告は少なく，シーケンシャル治療と4剤併用療法の有効性が同等と考えられている．ただし，特にCAM耐性率が高い地域に

(2) 一次除菌

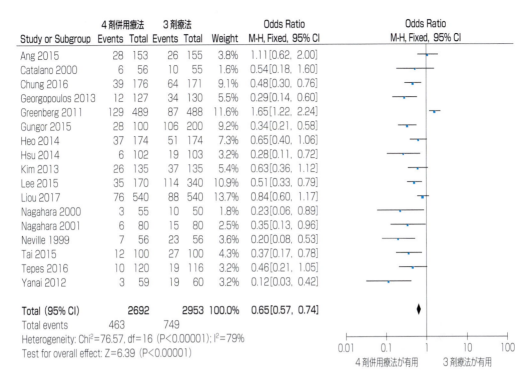

図5 一次除菌における4剤併用療法と3剤療法の除菌率（メタアナリシス）

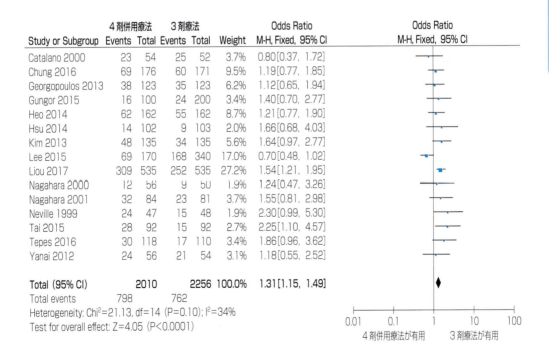

図6 一次除菌における4剤併用療法と3剤療法の副作用出現率（メタアナリシス）

	シーケンシャル療法		4剤併用療法			Odds Ratio	Odds Ratio
Study or Subgroup	Events	Total	Events	Total	Weight	M-H, Fixed, 95% CI	M-H, Fixed, 95% CI
Ang 2015	24	154	28	153	6.7%	0.82 [0.45, 1.50]	
Apostolopoulos 2015	53	182	28	182	5.6%	2.26 [1.35, 3.78]	
Chung 2016	50	170	39	176	7.6%	1.46 [0.90, 2.38]	
Das 2016	10	35	6	33	1.2%	1.80 [0.57, 5.68]	
De Francesco 2014	11	110	39	220	6.6%	0.52 [0.25, 1.05]	
De Francesco 2017	4	63	3	63	0.8%	1.36 [0.29, 6.32]	
Georgopoulos 2016	38	178	19	175	4.2%	2.23 [1.23, 4.04]	
Greenberg 2011	114	486	129	489	27.7%	0.86 [0.64, 1.14]	
Hsu 2014	11	102	6	102	1.5%	1.93 [0.69, 5.45]	
Huang 2012	17	85	10	84	2.3%	1.85 [0.79, 4.32]	
Kefeli 2016	17	130	17	130	4.2%	1.00 [0.49, 2.06]	
Lee 2015	51	170	35	170	6.9%	1.65 [1.01, 2.71]	
Lim 2013	21	86	15	78	3.3%	1.36 [0.64, 2.87]	
McNicholl 2014	32	170	22	168	5.1%	1.54 [0.85, 2.78]	
Park 2017	51	179	40	172	8.2%	1.31 [0.81, 2.13]	
Tepes 2016	7	120	10	120	2.7%	0.68 [0.25, 1.85]	
Wu 2010	9	117	8	115	2.1%	1.11 [0.41, 3.00]	
Zullo 2013	8	90	13	90	3.3%	0.58 [0.23, 1.47]	
Total (95% CI)		2627		2720	100.0%	1.21 [1.05, 1.39]	
Total events	528		467				

Heterogeneity: Chi^2=31.42, df=17 (P=0.02); I^2=46%
Test for overall effect: Z=2.67 (P=0.008)

0.01　0.1　1　10　100
シーケンシャル療法が有用　4剤併用療法が有用

図7 一次除菌におけるシーケンシャル療法と4剤併用療法の除菌率（メタアナリシス）

おいては，4剤併用療法がより有効であることが推察されている[12]．このことから，本邦でも4剤併用療法で高い除菌率を示す可能性が考えられ，他レジメンとの比較が待たれる．

また，副作用出現率は，シーケンシャル療法で36.3%（95%CI 33.9〜38.7%）であり，4剤併用療法の38.2%（35.9〜40.6%）と比較して同程度であった（$p=0.07$）．

6. シーケンシャル療法（保険適用外）とビスマス製剤を含む4剤療法（保険適用外）の比較

ビスマス製剤を含む4剤療法は本邦で選択することができないが，海外では以前より選択されてきた治療レジメンである．実際にガイドラインでもCAMやMNZ耐性菌感染者に対する第一選択治療法として推奨されている[1]．シーケンシャル療法とビスマス製剤を含む4剤療法の有効性の比較したRCT 6編を用いたメタアナリシスでは，それぞれのレジメンのITT解析での除菌率は80.7%（95%CI 77.5〜83.6%）と80.9%（77.8〜83.8%），PP解析で86.5%（83.6〜89.1%）と87.7%（84.8〜90.1%）であり，有効性は同程度であった（図8）．また，副作用出現率は，シーケンシャル療法で34.3%（95%CI 30.5〜38.2%）であり，4剤併用療法の30.2%（26.6〜33.9%）と比較して有意差は認めなかった（$p=0.16$）．

本項では，一次除菌治療として4種類の推奨レジメンを提案したが，PAM療法，シーケンシャル療法および4剤併用療法を選択した場合，二次除菌レジメンとして有用性を示す除菌方法は明らかではない．

(2) 一次除菌

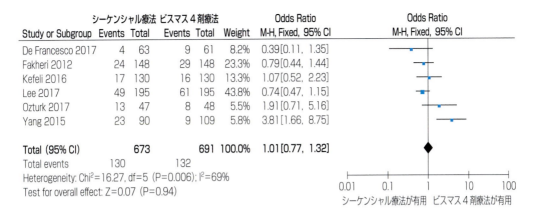

図8 シーケンシャル療法とビスマスを含む4剤療法の除菌率（メタアナリシス）

文献

1) Malfertheiner P, Megraud F, O'Morain CA, et al. Management of *Helicobacter pylori* infection-the Maastricht V/Florence Consensus Report. Gut 2017; **66**: 6-30（ガイドライン）
2) Fallone CA, Chiba N, van Zanten SV, et al. The Toronto Consensus for the Treatment of *Helicobacter pylori* Infection in Adults. Gastroenterology 2016; **151**: 51-69.e14（ガイドライン）
3) Sugimoto M, Furuta T, Shirai N, et al. Evidence that the degree and duration of acid suppression are related to *Helicobacter pylori* eradication by triple therapy. Helicobacter 2007; **12**: 317-323
4) Murakami K, Sakurai Y, Shiino M, et al. Vonoprazan, a novel potassium-competitive acid blocker, as a component of first-line and second-line triple therapy for *Helicobacter pylori* eradication: a phase Ⅲ, randomised, double-blind study. Gut 2016; **65**: 1439-1446（ランダム）
5) Maruyama M, Tanaka N, Kubota D, et al. Vonoprazan-Based Regimen Is More Useful than PPI-Based One as a First-Line *Helicobacter pylori* Eradication: A Randomized Controlled Trial. Can J Gastroenterol Hepatol 2017; **2017**: 4385161（ランダム）
6) Sue S, Ogushi M, Arima I, et al. Vonoprazan- vs proton-pump inhibitor-based first-line 7-day triple therapy for clarithromycin-susceptible *Helicobacter pylori*: A multicenter, prospective, randomized trial. Helicobacter 2018; **23**: e12456（ランダム）
7) Murata M, Sugimoto M, Mizuno H, et al. Clarithromycin Versus Metronidazole in First-Line *Helicobacter Pylori* Triple Eradication Therapy Based on Resistance to Antimicrobial Agents: Meta-Analysis. J Clin Med 2020; **9**: 543（メタ）［検索期間外文献］
8) Nishizawa T, Maekawa T, Watanabe N, et al. Clarithromycin Versus Metronidazole as First-line *Helicobacter pylori* Eradication: A Multicenter, Prospective, Randomized Controlled Study in Japan. J Clin Gastroenterol 2015; **49**: 468-471（ランダム）
9) Adachi T, Matsui S, Watanabe T, et al. Comparative Study of Clarithromycin- versus Metronidazole-Based Triple Therapy as First-Line Eradication for *Helicobacter pylori*. Oncology 2017; **93** (Suppl 1): 15-19（ランダム）
10) Mabe K, Okuda M, Kikuchi S, et al. Randomized controlled trial: PPI-based triple therapy containing metronidazole versus clarithromycin as first-line treatment for *Helicobacter pylori* in adolescents and young adults in Japan. J Infect Chemother 2018; **24**: 538-543（ランダム）
11) Kate V, Kalayarasan R, Ananthakrishnan N. Sequential therapy versus standard triple-drug therapy for *Helicobacter pylori* eradication: a systematic review of recent evidence. Drugs 2013; **73**: 815-824（メタ）
12) Hsu PI, Wu DC, Chen WC, et al. Randomized controlled trial comparing 7-day triple, 10-day sequential, and 7-day concomitant therapies for *Helicobacter pylori* infection. Antimicrob Agents Chemother 2014; **58**: 5936-5942（ランダム）

CQ 3-2

(3) 二次除菌

二次除菌治療はどのようなレジメンを推奨するか？

> **推奨**
>
> ● 本邦の保険診療で一次除菌治療を実施した場合，二次除菌治療として，PPI またはボノプラザン，アモキシシリン，メトロニダゾールを用いた 3 剤療法を行うよう推奨する．
>
> 【推奨の強さ：**強**（合意率 100％），エビデンスレベル：**A**】

解説

「消化性潰瘍診療ガイドライン 2015（改訂第 2 版）」[1〜19] 以降，RCT が 9 編 [20〜28] 報告されているが，そのうち有効性が確認されたものは 3 編である．1 編 [20] はイランからの報告で，テトラサイクリン，オフロキサシンを含む 7 日間の 5 剤併用療法が，これらを含まない 7 日間の 5 剤併用療法より除菌率が高いことを示しており（86.5％ vs. 75.5％，オッズ比 2，95％CI 1.01〜4.30，$p<0.04$），副作用も少なかった（36.6％ vs. 77.4％，$p<0.01$）．一次除菌法は 10 日間の bismuth quadruple therapy である．またもう 1 編 [21] は台湾からの報告で，テトラサイクリン，レボフロキサシンを含む 10 日間の 4 剤併用療法が，アモキシシリン（AMPC），レボフロキサシンを含む 10 日間の 3 剤併用療法より除菌率が高いことが示している（98.0％ vs. 69.2％，RD 28.8％，95％CI 15.7〜41.9％，$p<0.001$）．副作用は嘔気のみが 4 剤併用療法で多かった（16.0％ vs. 3.8％，$p=0.049$）．一次除菌法は standard triple therapy，non-bismuth quadruple therapy，bismuth quadruple therapy である．もう 1 編 [22] は台湾からの報告で，レボフロキサシンを用いたシーケンシャル治療が，レボフロキサシンを含む 3 剤療法より除菌率が高いことを示している（84.3％ vs. 75.3％，RD 9％，95％CI 2.6〜15.4％，$p=0.006$）．副作用はシーケンシャル治療群のほうが 3 剤療法群より多かったが（41.2％ vs. 21.8％，$p<0.001$），ほとんどが軽症であったため服薬中断率には差がなかった（2.4％ vs. 2.4％）．一次除菌法はクラリスロマイシン（CAM）を含む 3 剤療法，CAM を含むシーケンシャル治療である．このようにテトラサイクリンとニューキノロンを含む多剤併用療法やニューキノロンによるシーケンシャル治療が有効であることが示されている．

ただし，ニューキノロンは，日本では H. pylori 除菌療法の薬事承認がない．また，日本でレボフロキサシンの一次耐性率は 15％と高く [14]，レボフロキサシン耐性菌感染例にレボフロキサシンを含む 3 剤療法の除菌率は低いこと [19] より，本除菌法は日本では勧められない．

「消化性潰瘍診療ガイドライン 2015（改訂第 2 版）」で採用された，日本で行われている二次除菌法，PPI/AMPC/メトロニダゾール（MNZ）に関する論文 [29〜34] では，除菌率は 81.5〜92.4％と報告されており，PPI 間での差は認められていない．2015 年より保険収載されたボノプラザン（VPZ）を用いた VPZ/AMPC/MNZ による二次除菌法に関する論文 [32〜37] では，除菌率は 80.5〜98.0％と報告され，PPI と比較した検討 [32〜34] では差は認められなかった．日本では PPI もしくは VPZ と AMPC/MNZ を用いた除菌法が勧められる．

文献

1) Li Y, Huang X, Yao L, et al. Advantages of Moxifloxacin and Levofloxacin-based triple therapy for second-line treatments of persistent *Helicobacter pylori* infection: a meta analysis. Wien Klin Wochenschr 2010; **122**; 413-422（メタ）

2) Wu C, Chen X, Liu J, et al. Moxifloxacin-containing triple therapy versus bismuth-containing quadruple therapy for second-line treatment of *Helicobacter pylori* infection: a meta-analysis. Helicobacter 2011; **16**: 131-138（メタ）

3) Bago J, Pevec B, Tomic M, et al. Second-line treatment for *Helicobacter pylori* infection based on moxifloxacin triple therapy: a randomized controlled trial. Wien Klin Wochenschr 2009; **121**: 47-52（ランダム）

4) Yoon H, Kim N, Kim JY, et al. Effects of multistrain probiotic-containing yogurt on second-line triple therapy for *Helicobacter pylori* infection. J Gastroenterol Hepatol 2011; **26**: 44-48（ランダム）

5) Kuo CH, Hu HM, Kuo FC, et al. Efficacy of levofloxacin-based rescue therapy for *Helicobacter pylori* infection after standard triple therapy: a randomized controlled trial. J Antimicrob Chemother 2009; **63**: 1017-1024（ランダム）

6) Kuo CH, Wang SS, Hsu WH, et al. Rabeprazole can overcome the impact of CYP2C19 polymorphism on quadruple therapy. Helicobacter 2010; **15**: 265-272（ランダム）

7) Ueki N, Miyake K, Kusunoki M, et al. Impact of quadruple regimen of clarithromycin added to metronidazole-containing triple therapy against *Helicobacter pylori* infection following clarithromycin-containing triple-therapy failure. Helicobacter 2009; **14**: 9-19（ランダム）

8) Wu DC, Hsu PI, Tseng HH, et al. *Helicobacter pylori* infection: a randomized, controlled study comparing 2 rescue therapies after failure of standard triple therapies. Medicine (Baltimore) 2011; **90**: 180-185（ランダム）

9) Chuah SK, Hsu PI, Chang KC, et al. Randomized comparison of two non-bismuth-containing second-line rescue therapies for *Helicobacter pylori*. Helicobacter 2012; **17**: 216-223（ランダム）

10) Gu LY, Lin WW, Lu H, et al. Quadruple therapy with medications containing either rufloxacin or furazolidone as a rescue regimen in the treatment of *Helicobacter pylori*-infected dyspepsia patients: a randomized pilot study. Helicobacter 2011; **16**: 284-288（ランダム）

11) Lee BH, Kim N, Hwang TJ, et al. Bismuth-containing quadruple therapy as second-line treatment for *Helicobacter pylori* infection: effect of treatment duration and antibiotic resistance on the eradication rate in Korea. Helicobacter 2010; **15**: 38-45（ランダム）

12) Sanches B, Coelho L, Moretzsohn L, et al. Failure of *Helicobacter pylori* treatment after regimes containing clarithromycin: new practical therapeutic options. Helicobacter 2008; **13**: 572-576（ランダム）

13) Hu TH, Chuah SK, Hsu PI, et al. Randomized comparison of two nonbismuth-containing rescue therapies for *Helicobacter pylori*. Am J Med Sci 2011; **342**: 177-181（ランダム）

14) Miyachi H, Miki I, Aoyama N, et al. Primary levofloxacin resistance and gyrA/B mutations among *Helicobacter pylori* in Japan. Helicobacter 2006; **11**: 243-249（横断）

15) Miwa H, Nagahara A, Kurosawa A, et al. Is antimicrobial susceptibility testing necessary before second-line treatment for *Helicobacter pylori* infection? Aliment Pharmacol Ther 2003; **17**: 1545-1551（ランダム）

16) Matsuhisa T, Kawai T, Masaoka T, et al. Efficacy of metronidazole as second-line drug for the treatment of *Helicobacter pylori* Infection in the Japanese population: a multicenter study in the Tokyo Metropolitan Area. Helicobacter 2006; **11**: 152-158（ランダム）

17) Matsumoto Y, Miki I, Aoyama N, et al. Levofloxacin- versus metronidazole-based rescue therapy for *H. pylori* infection in Japan. Dig Liver Dis 2005; **37**: 821-825（ランダム）

18) Shirai N, Sugimoto M, Kodaira C, et al. Dual therapy with high doses of rabeprazole and amoxicillin versus triple therapy with rabeprazole, amoxicillin, and metronidazole as a rescue regimen for *Helicobacter pylori* infection after the standard triple therapy. Eur J Clin Pharmacol 2007; **63**: 743-749（ランダム）

19) Murakami K, Furuta T, Ando T, et al; Japan GAST Study Group. Multi-center randomized controlled study to establish the standard third-line regimen for *Helicobacter pylori* eradication in Japan. J Gastroenterol 2013; **48**: 1128-1135（ランダム）

20) Mansour-Ghanaei F, Joukar F, Naghipour MR, et al. Seven-day quintuple regimen as a rescue therapy for *Helicobacter pylori* eradication. World J Gastroenterol 2015; **21**: 661-666（ランダム）

21) Hsu PI, Tsai FW, Kao SS, et al. Ten-Day Quadruple Therapy Comprising Proton Pump Inhibitor, Bismuth, Tetracycline, and Levofloxacin is More Effective than Standard Levofloxacin Triple Therapy in the Second-Line Treatment of *Helicobacter pylori* Infection: A Randomized Controlled Trial. Am J Gastroenterol 2017; **112**: 1374-1381（ランダム）

22) Liou JM, Bair MJ, Chen CC, et al. Levofloxacin Sequential Therapy vs Levofloxacin Triple Therapy in the Second-Line Treatment of *Helicobacter pylori*: A Randomized Trial. Am J Gastroenterol 2016; **111**: 381-387

（ランダム）
23) Kuo CH, Hsu PI, Kuo FC, et al. Comparison of 10 day bismuth quadruple therapy with high-dose metronidazole or levofloxacin for second-line *Helicobacter pylori* therapy: a randomized controlled trial. J Antimicrob Chemother 2013; **68**: 222-228（ランダム）
24) Calhan T, Kahraman R, Sahin A, et al. Efficacy of two levofloxacin-containing second-line therapies for *Helicobacter pylori*: a pilot study. Helicobacter 2013; **18**: 378-383（ランダム）
25) Cao Z, Chen Q, Zhang W, et al. Fourteen-day optimized levofloxacin-based therapy versus classical quadruple therapy for *Helicobacter pylori* treatment failures: a randomized clinical trial. Scand J Gastroenterol 2015; **50**: 1185-1190（ランダム）
26) Jheng GH, Wu IC, Shih HY, et al. Comparison of Second-Line Quadruple Therapies with or without Bismuth for *Helicobacter pylori* Infection. Biomed Res Int 2015; **2015**: 163960（ランダム）
27) Chuah SK, Liang CM, Lee CH, et al. A Randomized Control Trial Comparing 2 Levofloxacin-Containing Second-Line Therapies for *Helicobacter pylori* Eradication. Medicine 2016; **95**: e3586（ランダム）
28) Wu TS, Hsu PI, Kuo CH, et al. Comparison of 10-day levofloxacin bismuth-based quadruple therapy and levofloxacin-based triple therapy for *Helicobacter pylori*. J Dig Dis 2017; **18**: 537-542（ランダム）
29) Asaoka D, Nagahara A, Matsuhisa T, et al. Trends of second-line eradication therapy for *Helicobacter pylori* in Japan: a multicenter study in the Tokyo metropolitan area. Helicobacter 2013; **18**: 468-472（ケースシリーズ）
30) Sasaki H, Nagahara A, Hojo M, et al. Ten-year trend of the cumulative *Helicobacter pylori* eradication rate for the 'Japanese eradication strategy'. Digestion 2013; **88**: 272-278（ケースシリーズ）
31) Okuda M, Kikuchi S, Mabe K, et al. Nationwide survey of *Helicobacter pylori* treatment for children and adolescents in Japan. Pediatr Int 2017; **59**: 57-61（ケースシリーズ）
32) Tsujimae M, Yamashita H, Hashimura H, et al. A Comparative Study of a New Class of Gastric Acid Suppressant Agent Named Vonoparazan versus Esomeprazole for the Eradication of *Helicobacter pylori*. Digestion 2016; **94**: 240-246（ケースシリーズ）
33) Sakurai K, Suda H, Ido Y, et al. Comparative study: Vonoprazan and proton pump inhibitors in *Helicobacter pylori* eradication therapy. World J Gastroenterol 2017; **23**: 668-675（ケースシリーズ）
34) Sue S, Kuwashima H, Iwata Y, et al. The Superiority of Vonoprazan-based First-line Triple Therapy with Clarithromycin: A Prospective Multi-center Cohort Study on *Helicobacter pylori* Eradication. Intern Med 2017; **56**: 1277-1285（横断）
35) Murakami K, Sakurai Y, Shiino M, et al. Vonoprazan, a novel potassium-competitive acid blocker, as a component of first-line and second-line triple therapy for *Helicobacter pylori* eradication: a phase III, randomized, double-blind study. Gut 2016; **65**: 1439-1446（ケースシリーズ）
36) Katayama Y, Toyoda K, Kusano Y, et al. Efficacy of vonoprazan-based second-line *Helicobacter pylori* eradication therapy in patients for whom vonoprazan-based first-line treatment failed. Gut 2017; **66**: 752-753（ケースシリーズ）
37) Tanabe H, Ando K, Sato K, et al. Efficacy of Vonoprazan-Based Triple Therapy for *Helicobacter pylori* Eradication: A Multicenter Study and a Review of the Literature. Dig Dis Sci 2017; **62**: 3069-3076（ケースシリーズ）

CQ 3-3

(4) 三次除菌

三次除菌治療はどのようなレジメンを推奨するか？

> **推 奨**
> ● PPI，シタフロキサシンにメトロニダゾールまたはアモキシシリンを組み合わせたレジメンを提案する（保険適用外）．
> 【推奨の強さ：**弱**（合意率 100％），エビデンスレベル：**B**】

解説

2018 年までの文献検索で三次除菌に関して本邦より 3 編[1〜3]，海外より 2 編[4,5]の RCT を認めた．本邦では，PPI＋アモキシシリン（AMPC）＋シタフロキサシン（STFX）と PPI＋メトロニダゾール（MNZ）＋STFX による三次除菌結果に差はなく[2,3]，現時点で推奨できるレジメンはない．

Murakami ら[1]は二次除菌まで不成功であった 204 人を対象に，三次除菌として LA 群（ランソプラゾール（LPZ）30 mg＋AMPC 500 mg，4 回/日，14 日間），LAL 群（LPZ 30 mg＋AMPC 750 mg＋レボフロキサシン（LVFX）300 mg，2 回/日，7 日間），LAS 群（LPZ 30 mg＋AMPC 750 mg＋STFX 100 mg，2 回/日，7 日間）の 3 群間の比較検討を行い，intention-to-treat（ITT）解析での結果は LAS 群の除菌率が 70.0％と LA 群の 54.3％に比べ有意に高く（$p<0.05$），LAL 群（43.1％）は LAS 群に比べ有意に除菌率が低い結果（$p<0.001$）であった（多施設）．Furuta ら[2]は二次除菌まで不成功であった 180 人を対象に，ラベプラゾール（RPZ）＋AMPC＋STFX の 3 剤併用療法（RAS）を 1 または 2 週間投与する群と RPZ＋MNZ＋STFX の 3 剤併用療法（RMS）を 1 または 2 週間投与する計 4 群に振り分け比較検討した．ITT 解析と per-protocol（PP）解析による除菌率は，RAS 1 週間投与群でそれぞれ 84.1％（37/44）と 86.4％（37/43）であり，RAS 2 週間投与群でそれぞれ 88.9％（40/45）と 90.9％（40/44）であった．RMS 1 週間投与群ではそれぞれ 90.9％（40/44），90.9％（40/44）であり RMS 2 週間投与群では 87.2％（41/47），91.1％（41/45）であった．これら 4 つのレジメン間において有意差は認めなかった（単施設）．また Mori ら[3]は二次除菌まで不成功であった 121 人を対象にエソメプラゾール（EPZ）＋AMPC＋STFX の 3 剤併用療法（EAS）を 10 日間行った群と，EPZ＋MNZ＋STFX の 3 剤併用療法（EMS）を 10 日間行った群で比較検討した．治療開始前には全患者の H. pylori の gyrA 変異を確認し，gyrA 変異の有無にかかわらず EAS 群と EMS 群の除菌率（それぞれ ITT 解析で 81.0％，72.4％）に有意差は認めなかったと報告している（単施設）．

海外の報告では，Lim ら[4]は二次除菌まで不成功であった 59 人の患者を対象に，リファブチンを含むレジメンで三次除菌を行ったところ，高用量 PPI 群（リファブチン 150 mg 1 日 2 回投与（bid）＋AMPC 1 g 1 日 3 回投与（tid）＋LPZ 60 mg bid，7 日間）の ITT 除菌率が 96.3％であり，通常量 PPI 群（リファブチン 150 mg bid＋AMPC 1g tid＋LPZ 30 mg bid，7 日間）の ITT 除菌率 78.1％より優れていたと報告した．Liou ら[5]による既存の除菌治療に 2 回以上失敗した H. pylori 感染患者を対象とし，Genotypic Resistance-Guided therapy と Empirical therapy の有用性を比較した研究では，Genotypic Resistance-Guided therapy 群の 78％（160/205），Empirical therapy 群の 72.2％（148/205）が除菌成功となり，除菌率，副作用の頻度や服薬コンプライアンスに

有意な差はなかった．Genotypic Resistance-Guided therapy 群では *gyrA* 変異，23SrRNA 変異，CYP2C19 遺伝子多型に基づき，EPZ とアンピシリンを最初の 7 日間，続いて EPZ と MNZ に LVFX または CAM またはテトラサイクリンを組み合わせ残りの 7 日間投与するシーケンシャル療法が施行され，Empirical therapy 群ではこれまでの服薬歴に基づいて除菌薬が選択された．服薬歴に基づいて適切にデザインされた除菌抵抗性 *H. pylori* 感染に対する Empirical therapy は，簡便性，コスト，患者の好みなどを考慮すれば，Genotypic Resistance-Guided therapy の代替治療として許容できる治療であると結論づけられた．

本邦からの 3 件の RCT ではいずれも STFX を用いたレジメンで良好な除菌率が得られており三次除菌において STFX が有効である可能性はあるが，投与量や投与期間に関しては一定の見解が得られておらず現時点で推奨できるレジメンはない．

なお，本邦においてボノプラザン＋MNZ＋STFX と PPI＋MNZ＋STFX に関する RCT[6] があるが，ボノプラザン群 33 症例，PPI 群 30 症例と小規模であり今後の報告が待たれる．

文献

1) Murakami K, Furuta T, Ando T, et al. Multi-center randomized controlled study to establish the standard third-line regimen for *Helicobacter pylori* eradication in Japan. J Gastroenterol 2013; **48**: 1128-1135（ランダム）
2) Furuta T, Sugimoto M, Kodaira C, et al. Sitafloxacin-based third-line rescue regimens for *Helicobacter pylori* infection in Japan. J Gastroenterol Hepatol 2014; **29**: 487-493（ランダム）
3) Mori H, Suzuki H, Matsuzaki J, et al. Efficacy of 10-day Sitafloxacin-Containing Third-Line Therapies for *Helicobacter pylori* Strains Containing the gyrA Mutation. Helicobacter 2015; **21**: 286-294（ランダム）
4) Lim HC, Lee YJ, An B, et al. Rifabutin-based high-dose proton-pump inhibitor and amoxicillin triple regimen as the rescue treatment for *Helicobacter pylori*. Helicobacter 2014; **19**: 455-461（ランダム）
5) Liou JM, Chen PY, Luo JC, et al. Efficacies of Genotypic Resistance-Guided vs Empirical Therapy for Refractory *Helicobacter pylori* Infection. Gastroenterology 2018; **155**: 1109-1119（ランダム）
6) Sue S, Shibata W, Sasaki T, et al. Randomized trial of vonoprazan-based versus proton-pump inhibitor-based third-line triple therapy with sitafloxacin for *Helicobacter pylori*. J Gastroenterol Hepatol 2019; **34**: 686-692（ランダム）［検索期間外文献］

BQ 3-7 (5) 再発防止

H. pylori 除菌療法は潰瘍再発を抑制するか？

回答
- *H. pylori* 除菌療法は消化性潰瘍の再発予防に有効である．

解説

　欧米では消化性潰瘍のなかでも十二指腸潰瘍の占める比率が高く，十二指腸潰瘍の除菌による再発抑制効果は多くのエビデンスが蓄積されている[1〜6]．胃潰瘍に関してはその後，海外や日本からの報告により，十二指腸潰瘍と同様に *H. pylori* 除菌は潰瘍再発を予防することが明らかである[7〜14]．

　日本の報告として，ランソプラゾール/アモキシシリン/クラリスロマイシン3剤併用治療1年後の胃潰瘍，十二指腸潰瘍の累積再発率は，除菌成功群ではそれぞれ11％，6％であるのに対して，除菌治療不成功群では65％，85％と有意に高い再発率を示したものがある[15]．また，日本での4,000例を超える多施設共同研究では[16]，除菌後の胃潰瘍・十二指腸潰瘍の再発率は1〜2％程度と非常に低率であることが示されている（図1）．

　最近報告されたコクランレビュー[17]では，十二指腸潰瘍再発に *H. pylori* 除菌は潰瘍治癒後無

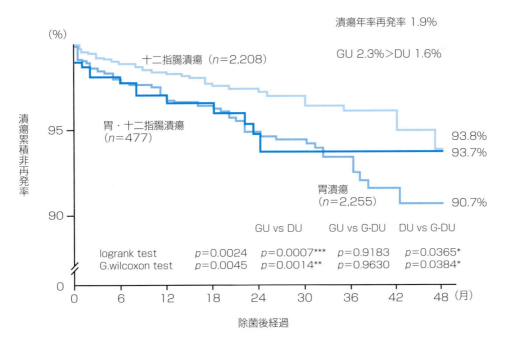

図1 *H. pylori* 除菌後陰性潰瘍の累積非再発率
GU：胃潰瘍，DU：十二指腸潰瘍，G-DU：胃・十二指腸潰瘍
（Miwa H, et al. Helicobacter 2004; 9: 9-16 [16] より許諾を得て転載）

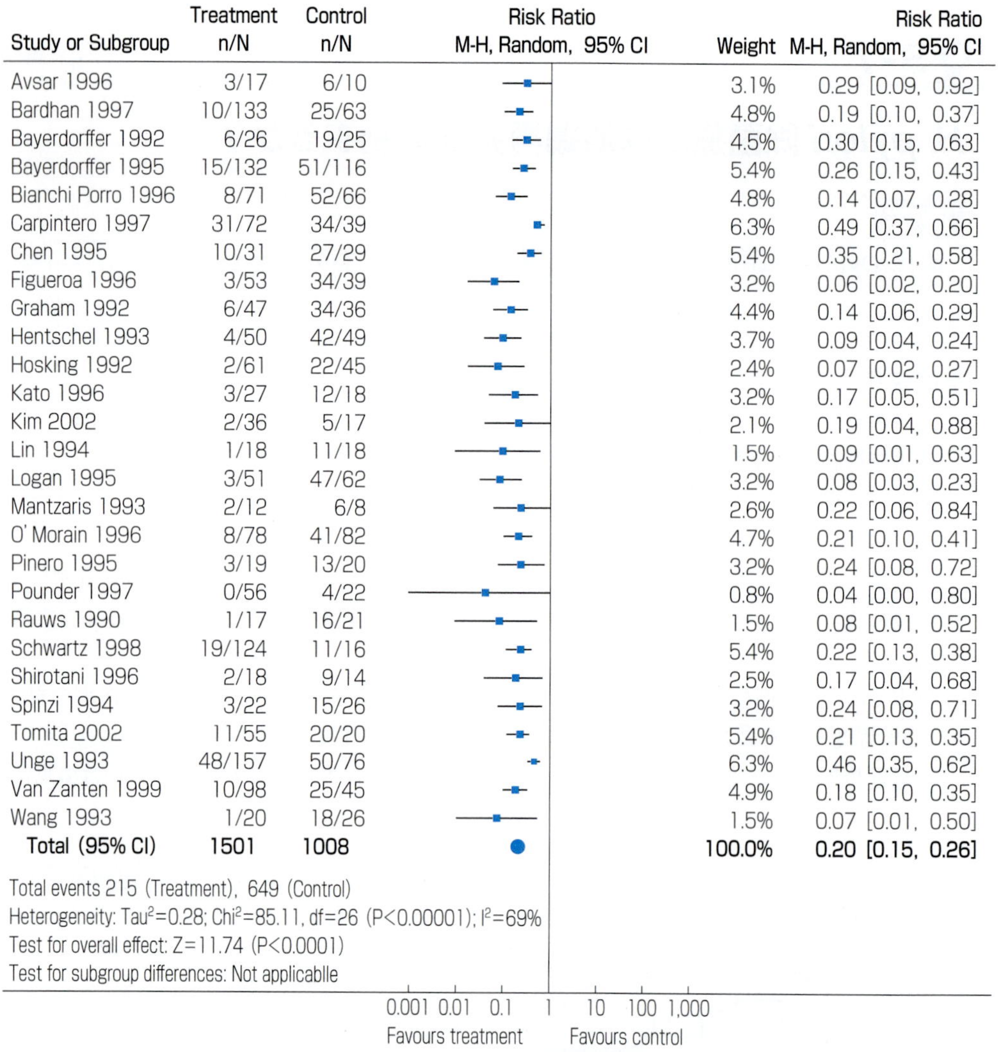
Study or Subgroup | Treatment n/N | Control n/N | Risk Ratio M-H, Random, 95% CI | Weight | Risk Ratio M-H, Random, 95% CI
Avsar 1996 3/17 6/10 3.1% 0.29 [0.09, 0.92]
Bardhan 1997 10/133 25/63 4.8% 0.19 [0.10, 0.37]
Bayerdorffer 1992 6/26 19/25 4.5% 0.30 [0.15, 0.63]
Bayerdorffer 1995 15/132 51/116 5.4% 0.26 [0.15, 0.43]
Bianchi Porro 1996 8/71 52/66 4.8% 0.14 [0.07, 0.28]
Carpintero 1997 31/72 34/39 6.3% 0.49 [0.37, 0.66]
Chen 1995 10/31 27/29 5.4% 0.35 [0.21, 0.58]
Figueroa 1996 3/53 34/39 3.2% 0.06 [0.02, 0.20]
Graham 1992 6/47 34/36 4.4% 0.14 [0.06, 0.29]
Hentschel 1993 4/50 42/49 3.7% 0.09 [0.04, 0.24]
Hosking 1992 2/61 22/45 2.4% 0.07 [0.02, 0.27]
Kato 1996 3/27 12/18 3.2% 0.17 [0.05, 0.51]
Kim 2002 2/36 5/17 2.1% 0.19 [0.04, 0.88]
Lin 1994 1/18 11/18 1.5% 0.09 [0.01, 0.63]
Logan 1995 3/51 47/62 3.2% 0.08 [0.03, 0.23]
Mantzaris 1993 2/12 6/8 2.6% 0.22 [0.06, 0.84]
O' Morain 1996 8/78 41/82 4.7% 0.21 [0.10, 0.41]
Pinero 1995 3/19 13/20 3.2% 0.24 [0.08, 0.72]
Pounder 1997 0/56 4/22 0.8% 0.04 [0.00, 0.80]
Rauws 1990 1/17 16/21 1.5% 0.08 [0.01, 0.52]
Schwartz 1998 19/124 11/16 5.4% 0.22 [0.13, 0.38]
Shirotani 1996 2/18 9/14 2.5% 0.17 [0.04, 0.68]
Spinzi 1994 3/22 15/26 3.2% 0.24 [0.08, 0.71]
Tomita 2002 11/55 20/20 5.4% 0.21 [0.13, 0.35]
Unge 1993 48/157 50/76 6.3% 0.46 [0.35, 0.62]
Van Zanten 1999 10/98 25/45 4.9% 0.18 [0.10, 0.35]
Wang 1993 1/20 18/26 1.5% 0.07 [0.01, 0.50]
Total (95% CI) 1501 1008 100.0% 0.20 [0.15, 0.26]
Total events 215 (Treatment), 649 (Control)
Heterogeneity: Tau²=0.28; Chi²=85.11, df=26 (P<0.00001); I²=69%
Test for overall effect: Z=11.74 (P<0.0001)
Test for subgroup differences: Not applicablle
0.001 0.01 0.1 1 10 100 1,000
Favours treatment
Favours control

図 2　*H. pylori* 除菌群と無治療群における十二指腸潰瘍再発リスクの検討（十二指腸潰瘍治癒後）

（Ford AC, et al. Cochrane Database Syst Rev 2016; (4): CD003840 [17] より許諾を得て転載）

治療に対して有効（相対危険度 0.20，95%CI 0.15～0.26）（図 2）であり，胃潰瘍再発に関しても同様に有効（相対危険度 0.31，95%CI 0.22～0.45）（図 3）であるとしている．

したがって，活動性出血がなく，かつ非ステロイド抗炎症薬（NSAIDs）使用との関連のない胃・十二指腸潰瘍症例では，*H. pylori* の感染診断を行い，*H. pylori* 陽性症例に対しては除菌治療を行うべきである．

文献

1) Fiocca R, Solcia E, Santoro B. Duodenal ulcer relapse after eradication of *Helicobacter pylori*. Lancet 1991; **337**: 1614（ランダム）
2) Sobhani I, Chastang C, De Korwin JD, et al. Antibiotic versus maintenance therapy in the prevention of

(5) 再発防止

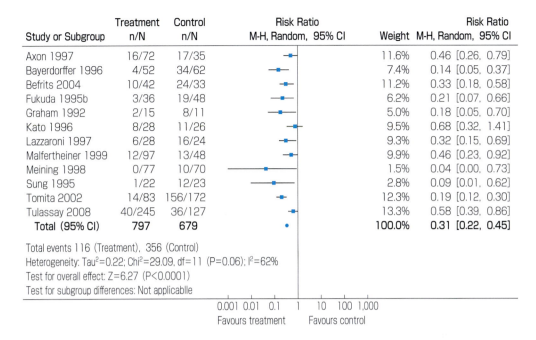

図3 *H. pylori* 除菌群除菌群と無治療群における胃潰瘍再発リスクの検討（胃潰瘍治癒後）
(Ford AC, et al. Cochrane Database Syst Rev 2016; (4): CD003840 [17] より許諾を得て転載)

duodenal ulcer recurrence: results of a multicentric double-blind randomized trial. Gastroenterol Clin Biol 1995; **19**: 252-258（ランダム）

3) Lam SK, Ching CK, Lai KC, et al. Does treatment of *Helicobacter pylori* with antibiotics alone heal duodenal ulcer? a randomised double blind placebo controlled study. Gut 1997; **41**: 43-48（ランダム）

4) Zanten SJ, Bradette M, Farley A, et al; The DU-MACH study. eradication of *Helicobacter pylori* and ulcer healing in patients with acute duodenal ulcer using omeprazole based triple therapy. Aliment Pharmacol Ther 1999; **13**: 289-295（ランダム）

5) Wong BC, Lam SK, Lai KC, et al. Triple therapy for *Helicobacter pylori* eradication is more effective than long-term maintenance antisecretory treatment in the prevention of recurrence of duodenal ulcer: a prospective long-term follow-up study. Aliment Pharmacol Ther 1999; **13**: 303-309（ランダム）

6) Ng EK, Lam YH, Sung JJ, et al. Eradication of *Helicobacter pylori* prevents recurrence of ulcer after simple closure of duodenal ulcer perforation: randomized controlled trial. Ann Surg 2000; **231**: 153-158（ランダム）

7) Fukuda Y, Yamamoto I, Okui M, et al. Combination therapy with a proton pump inhibitor for *Helicobacter pylori*-infected gastric ulcer patients. J Clin Gastroenterol 1995; **20** (Suppl 2): S132-S135（非ランダム）

8) Lazzaroni M, Perego M, Bargiggia S, et al. *Helicobacter pylori* eradication in the healing and recurrence of benign gastric ulcer: a two-year, double-blind, placebo controlled study. Ital J Gastroenterol Hepatol 1997; **29**: 220-227（ランダム）

9) Axon AT, O'Moráin CA, Bardhan KD, et al. Randomised double blind controlled study of recurrence of gastric ulcer after treatment for eradication of *Helicobacter pylori* infection. BMJ 1997; **314**: 565-568（ランダム）

10) Malfertheiner P, Bayerdörffer E, Diete U, et al. The GU-MACH study: the effect of 1-week omeprazole triple therapy on *Helicobacter pylori* infection in patients with gastric ulcer. Aliment Pharmacol Ther 1999; **13**: 703-712（ランダム）

11) Seppälä K, Pikkarainen P, Sipponen P, et al. Cure of peptic gastric ulcer associated with eradication of *Helicobacter pylori*: Finnish Gastric Ulcer Study Group. Gut 1995; **36**: 834-837（ランダム）

12) Graham DY, Lew GM, Klein PD, et al. Effect of treatment of *Helicobacter pylori* infection on the long-term recurrence of gastric or duodenal ulcer: a randomized, controlled study. Ann Intern Med 1992; **116**: 705-708（ランダム）

13) Kim N, Oh JH, Lee CG, et al. Effect of eradication of *Helicobacter pylori* on the benign gastric ulcer recurrence: a 24 month follow-up study. Korean J Intern Med 1999; **14**: 9-14（ランダム）
14) Van der Hulst RW, Rauws EA, Koycu B, et al. Prevention of ulcer recurrence after eradication of *Helicobacter pylori*: a prospective long-term follow-up study. Gastroenterology 1997; **113**: 1082-1086（非ランダム）
15) Asaka M, Kato M, Sugiyama T, et al. Follow-up survey of a large-scale multicenter, double-blind study of triple therapy with lansoprazole, amoxicillin, and clarithromycin for eradication of *Helicobacter pylori* in Japanese peptic ulcer patients. J Gastroenterol 2003; **38**: 339-347（ランダム）
16) Miwa H, Sakaki N, Sugano K, et al. Recurrent peptic ulcers in patients following successful *Helicobacter pylori* eradication: a multicenter study of 4940 patients. Helicobacter 2004; **9**: 9-16（非ランダム）
17) Ford AC, Gurusamy KS, Delaney B, et al. Eradication therapy for peptic ulcer disease in *Helicobacter pylori* positive people. Cochrane Database Syst Rev 2016; (4): CD003840（メタ）

BQ 3-8 (5) 再発防止

除菌成功例に潰瘍再発予防治療は必要か？

> **回答**
> - 除菌後の潰瘍再発予防に抗潰瘍薬投与を行う必要はない．

解説

　海外では，除菌後の潰瘍再発予防を目的とした抗潰瘍薬投与は必要ないというのがほぼコンセンサスとなっている[1,2]．日本における 4,000 例を超える多施設共同研究によると，除菌成功後の消化性潰瘍の再発率は 1～2％と極めて低いことが報告[3]されている．一方では，胃潰瘍・十二指腸潰瘍では除菌不成功の場合，1 年後の潰瘍再発率はそれぞれ per-protocol（PP）解析にて 64.5％と 85.3％であり，除菌成功群では除菌不成功群と比べて有意に潰瘍の再発を抑制するものの，1 年後にそれぞれ 11.4％と 6.8％の再発が生じることも報告[4]されており注意は必要である．

　除菌治療直後には除菌の成功，不成功は不明であり，除菌不成功例に関しては，除菌判定までの間に潰瘍が再発してくる可能性があるため抗潰瘍療法（CQ 4-1，CQ 4-2 参照）が望ましい．しかし，除菌成功例においては，日本では明確なエビデンスはないが，医療経済的な考慮を含めて，長期間の抗潰瘍療法（いわゆる維持療法）は必要ないと考えられる．

文献

1) Van der Hulst RW, Rauws EA, Koycu B, et al. Prevention of ulcer recurrence after eradication of *Helicobacter pylori*: a prospective long-term follow-up study. Gastroenterology 1997; **113**: 1082-1086（ランダム）
2) Malfertheiner P, Megraud F, O'Morain C, et al. Current concepts in the management of *Helicobacter pylori* infection: the Maastricht 2000 Consensus report. Aliment Pharmacol Ther 2002; **16**: 167-180（ランダム）
3) Miwa H, Sakaki N, Sugano K, et al. Recurrent peptic ulcers in patients following successful *Helicobacter pylori* eradication: a multicenter study of 4940 patients. Helicobacter 2004; **9**: 9-16（非ランダム）
4) Asaka M, Kato M, Sugiyama T, et al. Follow-up survey of a large-scale Multicenter, double-blind study of triple therapy with lansoprazole, amoxicillin, and clarithromycin for eradication of *Helicobacter pylori* in Japanese peptic ulcer patients. J Gastroenterol 2003; **38**: 339-347（ランダム）

BQ 3-9 (5) 再発防止

除菌後のH. pyloriの再陽性化率はどれほどか？

回答
- 除菌後の再陽性化率（再感染率）は年率2％以下である．

解説

除菌後の再陽性化率に関して様々な国からの報告があり，2017年のレビュー[1]で，除菌成功後の国際的な再陽性化率と再感染率は年率4.3％，3.1％と報告されている．わが国に関しては6研究が採択されており，再陽性化率はRandom effects modelによる重み付けで年率2.0％（95％CI 0.33〜4.69）と報告されている．除菌判定時に陰性であり，その後に再度H. pyloriが陽性となる原因として再燃（除菌判定時の偽陰性）もある．再感染が，除菌治療によりH. pyloriが胃粘膜より消失し，その後体外より新たな菌が感染し再陽性となることを意味するのに対し，再燃は除菌判定時にH. pyloriが胃粘膜に残っているにもかかわらず陰性と判定され，時間が経ってから菌数が増え再陽性となることを意味する．

除菌前後の菌株の遺伝子配列を比較したわが国の再陽性化率は，年率2.0％[2]，1.2％[3]，0.22％[4]と報告されている．PCR-RFLP法による再陽性化前後の菌の異同を調べた報告[2]では，除菌後1年以降に再陽性となった10例のすべてにおいて除菌前と異なる菌を認めており，異なる菌株の再感染の可能性が強いと考えられている．一方，6ヵ月後に再陽性となった8例中3例（37.5％）が除菌前と同じ菌を認めており，除菌判定時の偽陰性と考えられる．この研究では，除菌治療終了4週後に尿素呼気試験，培養検査，組織学的検査のすべてが陰性のものを除菌成功と判断しているが，偽陰性症例が存在している．除菌判定は適正に行う必要があるが，内視鏡検査による経過観察時に感染を疑う所見があれば，再検査を考慮すべきである．

以上より，現行の除菌法と除菌判定法において，除菌後に再陽性化した症例はそのほとんどが再感染であり，前述の報告[1〜4]を考慮すると再陽性化率は年率2％以下と思われる．

文献

1) Hu Y, Wan JH, Li XY, et al. Systematic review with meta-analysis: the global recurrence rate of *Helicobacter pylori*. Aliment Pharmacol Ther 2017; **46**: 773-779（メタ）
2) Okimoto T, Murakami K, Sato R, et al. Is the recurrence of *Helicobacter pylori* infection after eradication therapy resultant from recrudescence or reinfection in Japan. Helicobacter 2003; **8**: 186-191（コホート）
3) Adachi M, Mizuno M, Yokota K, et al. Reinfection rate following effective therapy against *Helicobacter pylori* infection in Japan. J Gastroenterol Hepatol 2002; **17**: 27-31（コホート）
4) Take S, Mizuno M, Ishiki K, et al. Reinfection rate of *Helicobacter pylori* after eradication treatment: a long-term prospective study in Japan. J Gastroenterol 2012; **47**: 641-646（コホート）

BQ 3-10 (5) 再発防止

除菌後の GERD 発症は増加するか？

> **回答**
> ● 除菌治療後に一時的に逆流性食道炎または GERD 症状が出現または増悪することがある.

解説

　H. pylori 除菌治療後の問題点のひとつとして逆流性食道炎あるいは胃食道逆流症（gastroesophageal reflux disease：GERD）の新たな発症やその増悪が懸念されてきた[1~3]. 除菌治療後に GERD が発生する重要な要因のひとつは，除菌による胃底腺領域の炎症の改善による胃酸分泌の回復であり，除菌後に PPI を投与することで GERD 発症を予防できるという報告もある[4]. 欧米では *H. pylori* 感染時に前庭部胃炎が強く，過酸状態である症例が多いため，除菌後に相対的に酸分泌は低下して正酸状態になり，GERD 症状の改善がみられるという報告も多い[5,6].

　日本では欧米と比較して体部胃炎が強いので，除菌後に相対的な過酸状態になる症例が多いと考えられる. そのため，除菌後の胃酸分泌能を含めた胃の生理学的機能の変化を客観的に把握する必要がある. 日本から，胃潰瘍除菌後では胃内は過酸となるが食道では pH 変化がないという報告がある[7]. また，除菌後の逆流性食道炎発生の要因に食道裂孔ヘルニアの存在をあげる報告もある[8]. 最近の除菌と GERD との関連では，除菌後短期，長期の GERD 症状の悪化はない[9], GERD 患者に対する除菌後 GERD 症状発生率は 13.8%，非除菌群では 24.9% であった（$p=0.01$）[10] など，むしろ除菌により GERD の改善を認めたという報告がある. また，メタアナリシスの結果からも *H. pylori* 除菌治療は GERD 発生のリスクを増加させなかったとされている（オッズ比 0.87，95%CI 0.66～1.14，$p=0.103$）[11]. しかし，アジア人においては *H. pylori* 除菌治療が GERD 発生のリスクを増加させた（相対危険度 4.53，95%CI 1.66～12.36）というメタアナリシス[12] もあり患者への説明が必要である.

　以上より，逆流性食道炎や GERD の発生・増悪の可能性は否定できないが，そのために消化性潰瘍患者の除菌治療をためらう必要はないというコンセンサスが得られていると考えてよい.

文献

1) Labenz J, Blum AL, Bayerdorffer E, et al. Curing *Helicobacter pylori* infection in patients with duodenal ulcer may provoke reflux esophagitis. Gastroenterology 1997; **112**: 1442-1447（非ランダム）
2) Hamada H, Haruma K, Mihara M, et al. High incidence of reflux oesophagitis after eradication therapy for *Helicobacter pylori*: impacts of hiatal hernia and corpus gastritis. Aliment Pharmacol Ther 2000; **14**: 729-735（非ランダム）
3) Fallone CA, Barkun AN, Friedman G, et al. Is *Helicobacter pylori* eradication associated with gastroesophageal reflux disease? Am J Gastroenterol 2000; **95**: 914-920（非ランダム）
4) Rokkas T, Ladas SD, Liatsos C, et al. Effectiveness of acid suppression in preventing gastroesophageal reflux disease (GERD) after successful treatment of *Helicobacter pylori* infection. Digest Dis Sci 2001; **46**: 1567-1572（ランダム）
5) El-Omar EM, Penman ID, Ardill JE, et al. *Helicobacter pylori* infection and abnormalities of acid secretion in patients with duodenal ulcer disease. Gastroenterology 1995; **109**: 681-691（コホート）
6) Tefera S, Hatlebakk JG, Berstad A. The effect of *Helicobacter pylori* eradication on gastro- oesophageal

reflux. Aliment Pharmacol Ther 1999; **13**: 915-920（コホート）
7) Fukuchi T, Ashida K, Yamashita H, et al. Influence of cure of *Helicobacter pylori* infection on gastric acidity and gastroesophageal reflux: study by 24-h pH monitoring in patients with gastric or duodenal ulcer. J Gastroenterol 2005; **40**: 350-360（コホート）
8) Tsukada K, Katoh H, Miyazaki T, et al. Factors associated with the development of reflux esophagitis after *Helicobacter pylori* eradication. Dig Dis Sci 2006; **51**: 539-542（非ランダム）
9) Qian B, Ma S, Shang L, et al. Effects of *Helicobacter pylori* eradication on gastroesophageal reflux disease. Helicobacter 2011; **16**: 255-265（非ランダム）
10) Saad AM, Choudhary A, Bechtold ML. Effect of *Helicobacter pylori* treatment on gastroesophageal reflux disease (GERD): meta-analysis of randomized controlled trials. Scand J Gastroenterol 2012; **47**: 129-135（メタ）
11) Tan J, Wang Y, Sun X, et al. The effect of *Helicobacter pylori* eradication therapy on the development of gastroesophageal reflux disease. Am J Med Sci 2015; **349**: 364-371（メタ）
12) Xie T, Cui X, Zheng H, et al. Meta-analysis: eradication of *Helicobacter pylori* infection is associated with the development of endoscopic gastroesophageal reflux disease. Eur J Gastroenterol Hepatol 2013; **25**: 1195-1205（メタ）

BQ 3-11

(5) 再発防止

除菌後症例の上部消化管検査は必要か？

> **回答**
> ● 消化性潰瘍の除菌後も胃癌などの発症リスクが続くため，上部消化管検査は必要である．

解説

消化性潰瘍の除菌後に潰瘍再発は激減することにより，消化器症状の改善や服薬からの開放が考えられ，医療機関や検診における上部消化管検査の頻度が低下する可能性がある．除菌後に胃癌の発症が低下するという報告[1〜3]があるが，除菌後も一定の割合で胃癌のリスクがある[4〜6]．最近のメタアナリシスでは，消化性潰瘍患者の除菌後胃癌発症オッズ比が 0.39（95％CI 0.21〜0.70）と報告[1]されており，胃癌多発国の日本においては，消化性潰瘍に対する除菌後も胃癌が発生する可能性を考え，内視鏡による従来どおりの定期的な検査が必要である．

文献

1) Sugano K. Effect of *Helicobacter pylori* eradication on the incidence of gastric cancer: a systematic review and meta-analysis. Gastric Cancer 2019; **22**: 435-445（メタ）
2) Lee YC, Chiang TH, Chou CK, et al. Association Between *Helicobacter pylori* Eradication and Gastric Cancer Incidence: A Systematic Review and Meta-analysis. Gastroenterology 2016; **150**: 1113-1124（メタ）
3) Doorakkers E, Lagergren J, Engstrand L, et al. Eradication of *Helicobacter pylori* and Gastric Cancer: A Systematic Review and Meta-analysis of Cohort Studies. J Natl Cancer Inst 2016; **108**: djw132（メタ）
4) Kamada T, Hata J, Sugiu K, et al. Clinical features of gastric cancer discovered after successful eradication of *Helicobacter pylori*: results from a 9-year prospective follow-up study in Japan. Aliment Pharmacol Ther 2005; **21**: 1121-1126（非ランダム）
5) Take S, Mizuno M, Ishiki K, et al. The long-term risk of gastric cancer after the successful eradication of *Helicobacter pylori*. J Gastroenterol 2011; **46**: 318-324（コホート）
6) Kodama M, Murakami K, Okimoto T, et al. Histological characteristics of gastric mucosa prior to *Helicobacter pylori* eradication may predict gastric cancer. Scand J Gastroenterol 2013; **48**: 1249-1256（非ランダム）

BQ 3-12 (6) 除菌後潰瘍

除菌成功後における未治癒潰瘍の対策は何か？

回答
- 除菌成功後の未治癒潰瘍に対しては抗潰瘍薬の投与を行う．

解説

「消化性潰瘍診療ガイドライン 2015（改訂第 2 版）」以降に新たな文献報告はなかった．日本の論文で，除菌成功後に追加治療を行わない場合，8 週後胃潰瘍治癒率は 72.1％という報告[1]がある．また，除菌治療後の胃潰瘍に関して，10 mm 未満であれば，8 週後の治癒率は 89％であるが，15 mm 以上の場合には，潰瘍治癒率が 5％であるという報告[2]もある．

除菌後の消化性潰瘍の潰瘍治癒に対して，H_2RA や PPI や防御因子製剤の有効性を検討した報告[1,3〜5]があり，胃潰瘍の潰瘍治癒促進のためには除菌後の抗潰瘍薬投与が必要である．

文献

1) Terano A, Arakawa T, Sugiyama T, et al. Rebamipide, a gastro-protective and anti-inflammatory drug, promotes gastric ulcer healing following eradication therapy for *Helicobacter pylori* in a Japanese population: a randomized, double-blind, placebo-controlled trial. J Gastroenterol 2007; **42**: 690-693（ランダム）
2) Higuchi K, Fujiwara Y, Tominaga K, et al. Is eradication sufficient to heal gastric ulcers in patients infected with *Helicobacter pylori*? a randomized, controlled, prospective study. Aliment Pharmacol Ther 2003; **17**: 111-117（ランダム）
3) Song KH, Lee YC, Fan DM, et al. Healing effects of rebamipide and omeprazole in *Helicobacter pylori*-positive gastric ulcer patients after eradication therapy: a randomized double-blind, multinational, multi-institutional comparative study. Digestion 2011; **84**: 221-229（ランダム）
4) Hiraishi H, Haruma K, Miwa H, et al. Clinical trial: irsogladine maleate, a mucosal protective drug, accelerates gastric ulcer healing after treatment for eradication of *Helicobacter pylori* infection: the results of a multicentre, double-blind, randomized clinical trial (IMPACT study). Aliment Pharmacol Ther 2010; **31**: 824-833（ランダム）
5) Murakami K, Okimoto T, Kodama M, et al. Comparison of the efficacy of irsogladine maleate and famotidine for the healing of gastric ulcers after *Helicobacter pylori* eradication therapy: a randomized, controlled, prospective study. Scand J Gastroenterol 2011; **46**: 287-292（ランダム）

CQ 3-4

(6) 除菌後潰瘍

除菌成功後における再発潰瘍にPPIの長期投与は必要か？

推奨

- 再発潰瘍の原因が不明の場合，PPIまたはH₂RAの長期投与を提案する．
【推奨の強さ：弱（合意率100％），エビデンスレベル：D】

解説

本件に関する文献報告はなかった．

潰瘍再発予防へのPPIの長期投与に関するRCTが7編[1〜7]報告されている．PPI長期投与による潰瘍再発予防のエビデンスは多数あるものの，これらの報告は低用量アスピリンを含むNSAIDs服用例が検討対象になっているものや，文献1以外では，未感染や除菌後の症例などが含まれており，除菌成功後患者の再発潰瘍にPPIを長期投与し評価した臨床試験は今回の検索では認めなかった．除菌成功後における再発潰瘍の要因として低用量アスピリンやNSAIDsの内服，*H. pylori* 再陽性化，生活習慣，患者の素因があげられる．再発予防のためにはこれらの原因に対する対応が必要である．また，除菌成功後の原因不明な再発潰瘍のなかには特発性潰瘍（CQ 6-1参照）が含まれると考えられるため，難治性・易再発性のリスクがあり，再発潰瘍治療後もPPIまたはH₂RAの継続投与を提案する．

本件に関する文献はなく，今後の研究が必要である．

文献

1) Lai KC, Lam SK, Chu KM, et al. Lansoprazole for the prevention of recurrences of ulcer complications from long-term low-dose aspirin use. N Engl J Med 2002; **346**: 2033-2038（ランダム）
2) Iwakiri R, Higuchi K, Kato M, et al. Randomised clinical trial: prevention of recurrence of peptic ulcers by rabeprazole in patients taking low-dose aspirin. Aliment Pharmacol Ther 2014; **40**: 780-795（ランダム）
3) Fujishiro M, Higuchi K, Kato M, et al. Long-term efficacy and safety of rabeprazole in patients taking low-dose aspirin with a history of peptic ulcers: a phase 2/3, randomized, parallel-group, multicenter, extension clinical trial. J Clin Biochem Nutr 2015; **56**: 228-239（ランダム）
4) Sugano K, Matsumoto Y, Itabashi T, et al. Lansoprazole for secondary prevention of gastric or duodenal ulcers associated with long-term low-dose aspirin therapy: results of a prospective, multicenter, double-blind, randomized, double-dummy, active-controlled trial. J Gastroenterol 2011; **46**: 724-735（ランダム）
5) Hsu PI, Lai KH, Liu CP. Esomeprazole with clopidogrel reduces peptic ulcer recurrence, compared with clopidogrel alone, in patients with atherosclerosis. Gastroenterology 2011; **140**: 791-798（ランダム）
6) Scheiman JM, Yeomans ND, Talley NJ, et al. Prevention of ulcers by esomeprazole in at-risk patients using non-selective NSAIDs and COX-2 inhibitors. Am J Gastroenterol 2006; **101**: 701-710（ランダム）
7) Graham DY, Agrawal NM, Campbell DR, et al. Ulcer prevention in long-term users of nonsteroidal anti-inflammatory drugs: results of a double-blind, randomized, multicenter, active- and placebo-controlled study of misoprostol vs lansoprazole. Arch Intern Med 2002; **162**: 169-175（ランダム）

第4章
非除菌治療

BQ 4-1 (1) 初期治療【胃潰瘍】

胃潰瘍に対する非除菌治療（初期治療）において，酸分泌抑制薬と防御因子増強薬の併用療法は有用か？

回答

- PPI と防御因子増強薬の併用によっても潰瘍治癒の上乗せ効果は得られないため，PPI の単独投与を行う．
- H_2RA と防御因子増強薬の併用によって潰瘍治癒の上乗せ効果が得られる．
  - シメチジンとエグアレンナトリウム水和物
  - シメチジンとエカベトナトリウム水和物
  - ラニチジン塩酸塩とテプレノン

解説

胃潰瘍に対する非除菌治療（初期治療）において，酸分泌抑制薬と防御因子増強薬の併用療法は有用かについて，「消化性潰瘍診療ガイドライン 2015（改訂第 2 版）」以降に新たな文献報告はなかった．

PPI と防御因子増強薬の併用療法に関して，ランソプラゾールと防御因子増強薬との併用では潰瘍治癒の上乗せ効果はない[1]．

H_2RA と防御因子増強薬の併用療法（表 1）に関して，シメチジンとエグアレンナトリウム水和物との併用[2]，シメチジンとエカベトナトリウム水和物との併用[3]では防御因子増強薬による潰瘍治癒の上乗せ効果がある．ラニチジン塩酸塩とテプレノンとの併用[4]および H_2RA とテプレノンとの併用[5]では潰瘍治癒の上乗せ効果があるが，シメチジンとテプレノンの併用[6]では上乗せ効果はない．シメチジンとソファルコンの併用[7]，ラニチジン塩酸塩とスクラルファートの併用[8]，H_2RA とレバミピドの併用[9]では潰瘍治癒の上乗せ効果はない．

表 1 H_2RA と防御因子増強薬の併用療法（*H. pylori* 除菌治療によらない胃潰瘍の初期治療）に関する報告

		薬剤の組み合わせ	報告者	エビデンスレベル
防御因子増強薬の上乗せ効果	あり	ラニチジン塩酸塩とテプレノン	木村健，1988 [4]	C
		H_2RA とテプレノン*	Shirakabe H，1995 [5]	C
		シメチジンとエグアレンナトリウム水和物	三好秋馬，1995 [2]	B
		シメチジンとエカベトナトリウム水和物	Murata H，2003 [3]	C
	なし	シメチジンとソファルコン	三輪剛，1986 [7]	C
		シメチジンとテプレノン	西元寺克礼，1988 [6]	C
		ラニチジン塩酸塩とスクラルファート	Houston LJ，1993 [8]	B
		H_2RA とレバミピド	越智浩二，1995 [9]	B

＊：複数の H_2RA（シメチジン，ラニチジン塩酸塩，ファモチジン，ロキサチジン酢酸エステル塩酸塩）に関するデータがひとつにまとめられたうえで解析が行われているため，ステートメントからは割愛した．

(1) 初期治療【胃潰瘍】

文献

1) 宮原 透, 勝 健一, 山中桓夫. 消化性潰瘍に対するLansoprazole単独投与と粘膜防御因子増強薬併用投与の比較検討. 薬理と治療 1997; **25**: 2557-2568（非ランダム）
2) 三好秋馬, 三輪 剛, 中澤三郎. 胃潰瘍に対するエグアレンナトリウムとシメチジンとの併用試験（第一報）—初期治療効果の検討—シメチジン単独療法との比較試験. 内科宝函 1995; **42**: 101-116（ランダム）
3) Murata H, Kawano S, Tsuji S, et al. Combination therapy of ecabet sodium and cimetidine compared with cimetidine alone for gastric ulcer: prospective randomized multicenter study. J Gastroenterol Hepatol 2003; **18**: 1029-1033（非ランダム）
4) 木村 健, 吉田行雄, 市田文弘. 胃潰瘍に対するTeprenoneの治療効果—多施設共同臨床研究. 診断と治療 1988; **76**: 3015-3028（非ランダム）
5) Shirakabe H, Takemoto T, Kobayashi K, et al. Clinical evaluation of teprenone, a mucosal protective agent, in the treatment of patients with gastric ulcers: a nationwide, multicenter clinical study. Clin Ther 1995; **17**: 924-935（非ランダム）
6) 西元寺克礼, 岡部治弥, 野村喜重郎. 胃潰瘍の治癒, 再発に対するセルベックス併用療法の有用性—シメチジン単独療法とセルベックス併用療法の比較検討. 臨牀と研究 1988; **65**: 1687-1692（非ランダム）
7) 三輪 剛, 椎名泰文, 柴田晴道. ソロン（SU-88）とタガメットとの併用による胃潰瘍の治療および再発に対する臨床評価—タガメット単独療法との比較試験. 診療と新薬 1986; **23**: 310-328（非ランダム）
8) Houston LJ, Mills JG, Wood JR. Does co-prescription of sucralfate with ranitidine therapy enhance the healing of gastric ulcers? Am J Gastroenterol 1993; **88**: 675-679（ランダム）
9) 越智浩二, 原田英雄, 水島孝明. レバミピド（ムコスタ錠）とH_2受容体拮抗薬併用による胃潰瘍初期治療の有用性の検討. 新薬と臨床 1995; **44**: 829-840（ランダム）

CQ 4-1

(1) 初期治療【胃潰瘍】

胃潰瘍に対する非除菌治療（初期治療）にどのような薬剤を推奨するか？

> **推 奨**
>
> 1) 第一選択薬
> - PPI（オメプラゾール，ランソプラゾール，ラベプラゾールナトリウム，エソメプラゾールマグネシウム水和物）およびボノプラザン（VPZ）のいずれかを第一選択薬とすることを推奨する．
>   【推奨の強さ：**強**（合意率100％），エビデンスレベル：**A**】
>
> 2) 第一選択薬としてPPIおよびボノプラザン（VPZ）を選択できない場合
> - H_2RA（シメチジン，ラニチジン塩酸塩，ファモチジン，ロキサチジン酢酸エステル塩酸塩，ニザチジン，ラフチジン）のいずれかを投与することを推奨する．
>   【推奨の強さ：**強**（合意率100％），エビデンスレベル：**B**】
> - 選択的ムスカリン受容体拮抗薬（ピレンゼピン塩酸塩水和物）もしくは一部の防御因子増強薬（スクラルファート，ミソプロストール）のいずれかを投与することを提案する．
>   【推奨の強さ：**弱**（合意率100％），エビデンスレベル：**B**】
> - 上記いずれの薬剤も投与できない場合，一部の防御因子増強薬（スクラルファート，ミソプロストール）を除くその他の防御因子増強薬のいずれかを投与することを提案する．
>   【推奨の強さ：**弱**（合意率100％），エビデンスレベル：**B**】

解説

現在，消化性潰瘍に対する初期治療は H. pylori 除菌治療が第一選択であるため，除菌治療によらない胃潰瘍の初期治療の対象は H. pylori 除菌治療の適応がない場合に限定される．「消化性潰瘍診療ガイドライン2015（改訂第2版）」以降，カリウムイオン競合型酸分泌抑制薬（potassium-competitive acid blocker：P-CAB）であるボノプラザン（VPZ）に関する文献報告があった（図1）．

胃潰瘍に対する非除菌治療（初期治療）第一選択薬としてPPIおよびボノプラザン（VPZ）を，PPIおよびボノプラザン（VPZ）を選択できない場合には H_2RA を推奨する．以下，各薬剤群毎にその根拠となった文献報告などを紹介する．

1. PPI（オメプラゾール，ランソプラゾール，ラベプラゾールナトリウム，エソメプラゾールマグネシウム水和物）およびボノプラザン（VPZ）

プラセボとの比較では，PPIが有意に潰瘍治癒率が高い[1〜3]．H_2RA との比較では，投与初期には H_2RA よりもPPIのほうが潰瘍治療率が高い傾向にあり，これはPPIによって速やかに潰瘍治癒が得られるという特性を表している[4〜7]．最終評価の時点（6〜8週）で，PPIが H_2RA より潰瘍治癒率が高いという報告[8〜13]と，差がみられないという報告[14〜19]とがあるが，メタアナ

(1) 初期治療【胃潰瘍】

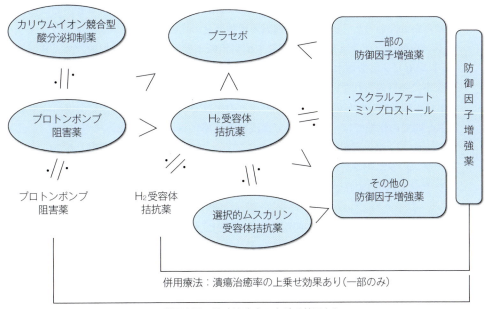

図1 H. pylori 除菌治療によらない消化性潰瘍の初期治療における各薬剤群間の治療効果比較

リシスではH₂RAよりPPIのほうが有意に潰瘍治癒率が高いと報告されている[20〜23]．PPI間での比較では，オメプラゾールとラベプラゾールナトリウム[24]，ボノプラザン（VPZ）とランソプラゾールとの間にはその潰瘍治癒率に差はみられない[25]．

(補足) エソメプラゾールマグネシウム水和物は国内での臨床試験は実施されていないが，エソメプラゾールマグネシウム水和物がオメプラゾールのラセミ体構造のS体のみを抽出して結合した光学異性体であること，エソメプラゾールマグネシウム水和物が胃酸関連疾患の代表的疾患である逆流性食道炎に対する臨床効果が確認されたことなどから，胃潰瘍については新たな臨床試験を実施せず，効能・効果として申請され，承認を受けている（参考URL：PMDA 審議結果報告書 http://www.info.pmda.go.jp/shinyaku/P201100115/670227000_22300AMX00598000_A100_1.pdf）．

以上から，胃潰瘍に対する非除菌治療（初期治療）は，PPI（オメプラゾール，ランソプラゾール，ラベプラゾールナトリウム，エソメプラゾールマグネシウム水和物）およびボノプラザン（VPZ）のいずれかを第一選択薬とすることを推奨する．

2．H₂RA（シメチジン，ラニチジン塩酸塩，ファモチジン，ロキサチジン酢酸エステル塩酸塩，ニザチジン，ラフチジン）

1日複数回（2〜4回）投与の場合，プラセボとの比較では，H₂RAが有意に潰瘍治癒率が高い[26〜30]．一部の防御因子増強薬（スクラルファート，ミソプロストール）との比較では，シメチジンやラニチジン塩酸塩とスクラルファート（3.6〜4g/日）との間には潰瘍治癒率に差はみられ

ない[31~38]．また，シメチジンやラニチジン塩酸塩とミソプロストールとの間には潰瘍治癒率に差はみられない[39,40]．その他の防御因子増強薬との比較では，シメチジン，ファモチジン，ラニチジン塩酸塩はゲファルナートよりも潰瘍治癒率が高い[41~43]．選択的ムスカリン受容体拮抗薬（ピレンゼピン塩酸塩水和物）との比較（常用量（100 mg/日））では，シメチジンとの間には潰瘍治癒率に差はみられない[44]．H_2RA間での比較では，薬剤間で潰瘍治癒率に差はみられない[45~52]．

1日1回就寝前投与の場合，プラセボとの比較では，H_2RAが有意に潰瘍治癒率が高い[26,53~61]．H_2RA間での比較では，H_2RA間では潰瘍治癒率に差はみられない[62~65]．

以上から，第一選択薬としてPPIおよびボノプラザン（VPZ）を選択できない場合，H_2RA（シメチジン，ラニチジン塩酸塩，ファモチジン，ロキサチジン酢酸エステル塩酸塩，ニザチジン，ラフチジン）のいずれかを投与することを推奨する．

3. 選択的ムスカリン受容体拮抗薬（ピレンゼピン塩酸塩水和物）

プラセボとの比較では，低用量（50 mg/日）では，ピレンゼピン塩酸塩水和物とプラセボとの間には潰瘍治癒率に差はみられない[66]．H_2RAとの比較では，常用量（100 mg/日）においてピレンゼピン塩酸塩水和物とシメチジンとの間には潰瘍治癒率に差はみられない[44]．

以上から，第一選択薬としてPPIおよびボノプラザン（VPZ）を選択できない場合，選択的ムスカリン受容体拮抗薬（ピレンゼピン塩酸塩水和物）を投与することを提案する．

4. 防御因子増強薬

1）一部の防御因子増強薬（スクラルファート，ミソプロストール）

スクラルファートについて，プラセボとの比較では，スクラルファート（3.6 g/日）が有意に潰瘍治癒率が高い[67]．H_2RAとの比較では，スクラルファート（3.6~4 g/日）はシメチジンやラニチジン塩酸塩との間には潰瘍治癒率に差はみられない[31~38]．

ミソプロストールについて，プラセボとの比較では，ミソプロストールの低用量（400 μg/日）の長期投与によって潰瘍治癒率に差が現れてくるという報告[68]もあるが，差がまったくないという報告[69]もあり一定しない．H_2RAとの比較では，ミソプロストールとシメチジンやラニチジン塩酸塩との間には潰瘍治癒率に差はみられない[39,40]．

以上から，第一選択薬としてPPIおよびVPZを選択できない場合，一部の防御因子増強薬（スクラルファート，ミソプロストール）を投与することを提案する．

2）その他の防御因子増強薬

プラセボとの比較については，胃潰瘍治癒効果に関するエビデンスに乏しい．抗ガストリン薬との比較では，テプレノンとプログルミドとの間には潰瘍治癒率に差はみられない[70]．選択的ムスカリン受容体拮抗薬（ピレンゼピン塩酸塩水和物）との比較では，ゲファルナートはピレンゼピン塩酸塩水和物よりも潰瘍治癒率が低い[71]．H_2RAとの比較では，ゲファルナートはシメチジン，ファモチジン，ラニチジン塩酸塩よりも潰瘍治癒率が低い[41~43]．なお，ゲファルナートはソファルコンやイルソグラジンマレイン酸塩よりも潰瘍治癒率が低く[72,73]，セトラキサート塩酸塩はレバミピド，ポラプレジンク，ミソプロストールよりも潰瘍治癒率が低いが[74~76]，ベネキサート塩酸塩ベータデクス，トロキシピド，エカベトナトリウム水和物，エグアレンナトリウム水和物，オルノプロスチルとの間には潰瘍治癒率に差はみられない[77~81]．

以上から，PPI，VPZ，H_2RA，選択的ムスカリン受容体拮抗薬（ピレンゼピン塩酸塩水和物），一部の防御因子増強薬（スクラルファート，ミソプロストール）のいずれの薬剤も投与できない

場合，一部の防御因子増強薬（スクラルファート，ミソプロストール）を除くその他の防御因子増強薬のいずれかを投与することを提案する．

文献

1) Avner DL, Movva R, Nelson KJ, et al. Comparison of once daily doses of lansoprazole (15, 30, and 60 mg) and placebo in patients with gastric ulcer. Am J Gastroenterol 1995; **90**: 1289-1294（ランダム）
2) Cloud ML, Enas N, Humphries TJ, et al. Rabeprazole in treatment of acid peptic diseases: results of three placebo-controlled dose-response clinical trials in duodenal ulcer, gastric ulcer, and gastroesophageal reflux disease (GERD): The Rabeprazole Study Group. Dig Dis Sci 1998; **43**: 993-1000（ランダム）
3) Valenzuela JE, Kogut DG, McCullough AJ, et al. Comparison of once-daily doses of omeprazole (40 and 20 mg) and placebo in the treatment of benign gastric ulcer: a multicenter, randomized, double-blind study. Am J Gastroenterol 1996; **91**: 2516-2522（ランダム）
4) Bate CM, Wilkinson SP, Bradby GV, et al. Randomised, double blind comparison of omeprazole and cimetidine in the treatment of symptomatic gastric ulcer. Gut 1989; **30**: 1323-1328（ランダム）
5) Danish Omeprazole Study Group. Omeprazole and cimetidine in the treatment of ulcers of the body of the stomach: a double blind comparative trial. BMJ 1989; **298**: 645-647（ランダム）
6) Lauritsen K. Omeprazole in the treatment of prepyloric ulcer: review of the results of the Danish Omeprazole Study Group. Scand J Gastroenterol Suppl 1989; **166**: 54-57; discussion: 74-75（ランダム）
7) Lauritsen K, Rune SJ, Wulff HR, et al. Effect of omeprazole and cimetidine on prepyloric gastric ulcer: double blind comparative trial. Gut 1988; **29**: 249-253（ランダム）
8) Choi KW, Sun HS, Yoon CM, et al. A double-blind, randomized, parallel group study of omeprazole and ranitidine in Korean patients with gastric ulcer. J Gastroenterol Hepatol 1994; **9**: 118-123（ランダム）
9) E3810研究会．胃潰瘍に対するE3810の臨床的有用性の検討—多施設二重盲検によるFamotidineとの比較．臨床評価 1993; **21**: 337-359（ランダム）
10) Italian Cooperative Group on Omeprazole. Omeprazole 20 mg uid and ranitidine 150 mg bid in the treatment of benign gastric ulcer. Hepatogastroenterology 1991; **38**: 400-403（ランダム）
11) Omeprazole研究会．Omeprazole（OPZ）の胃潰瘍に対する臨床的有用性の検討—多施設二重盲検法によるFamotidine（FAM）との比較．薬理と治療 1988; **16**: 543-561（ランダム）
12) Walan A, Bader JP, Classen M, et al. Effect of omeprazole and ranitidine on ulcer healing and relapse rates in patients with benign gastric ulcer. N Engl J Med 1989; **320**: 69-75（ランダム）
13) 竹本忠良，並木正義，後藤由夫．胃潰瘍に対するLansoprazole（AG-1749）の臨床的有用性の検討—多施設二重盲検法によるFamotidineとの比較．臨床成人病 1991; **21**: 327-345（ランダム）
14) Bardhan KD, Ahlberg J, Hislop WS, et al. Rapid healing of gastric ulcers with lansoprazole. Aliment Pharmacol Ther 1994; **8**: 215-220（ランダム）
15) Classen M, Dammann HG, Domschke W, et al. Omeprazole heals duodenal, but not gastric ulcers more rapidly than ranitidine: results of two German multicentre trials. Hepatogastroenterology 1985; **32**: 243-245（ランダム）
16) Cooperative study group. Double blind comparative study of omeprazole and ranitidine in patients with duodenal or gastric ulcer: a multicentre trial. Gut 1990; **31**: 653-656（ランダム）
17) Michel P, Lemaire M, Colin R, et al. Short report: treatment of gastric ulcer with lansoprazole or ranitidine: a multicentre clinical trial. Aliment Pharmacol Ther 1994; **8**: 119-122（ランダム）
18) 西元寺克禮，横田欽一，呉　禎吉，ほか．胃潰瘍に対するパリエット錠10mgの臨床評価．薬理と治療 2002; **30**: 675-693（ランダム）
19) 福地創太郎，常岡健二，平塚秀雄，ほか．シメチジンとオメプラゾールの高位胃潰瘍に対する治療効果の検討．新薬と臨牀 1998; **47**: 1544-1554（非ランダム）
20) Di Mario F, Battaglia G, Leandro G, et al. Short-term treatment of gastric ulcer: a meta-analytical evaluation of blind trials. Dig Dis Sci 1996; **41**: 1108-1131（メタ）
21) Eriksson S, Langstrom G, Rikner L, et al. Omeprazole and H2-receptor antagonists in the acute treatment of duodenal ulcer, gastric ulcer and reflux oesophagitis: a meta-analysis. Eur J Gastroenterol Hepatol 1995; **7**: 467-475（メタ）
22) Salas M, Ward A, Caro J. Are proton pump inhibitors the first choice for acute treatment of gastric ulcers? a meta analysis of randomized clinical trials. BMC Gastroenterol 2002; **2**: 17（メタ）
23) Tunis SR, Sheinhait IA, Schmid CH, et al. Lansoprazole compared with histamine2-receptor antagonists in healing gastric ulcers: a meta-analysis. Clin Ther 1997; **19**: 743-757（メタ）
24) Dekkers CP, Beker JA, Thjodleifsson B, et al. Comparison of rabeprazole 20 mg vs. omeprazole 20 mg in the treatment of active gastric ulcer: a European multicentre study: The European Rabeprazole Study

Group. Aliment Pharmacol Ther 1998; **12**: 789-795（ランダム）
25) Miwa H, Uedo N, Watari J, et al. Randomised clinical trial: efficacy and safety of vonoprazan vs. lansoprazole in patients with gastric or duodenal ulcers - results from two phase 3, non-inferiority randomised controlled trials. Aliment Pharmacol Ther 2017; **45**: 240-252（ランダム）
26) Cloud ML, Enas N, Offen WW. Nizatidine versus placebo in active benign gastric ulcer disease: an eight-week, multicenter, randomized, double-blind comparison: The Nizatidine Benign Gastric Ulcer Disease Study Group. Clin Pharmacol Ther 1992; **52**: 307-313（ランダム）
27) Graham DY, Akdamar K, Dyck WP, et al. Healing of benign gastric ulcer: comparison of cimetidine and placebo in the United States. Ann Intern Med 1985; **102**: 573-576（ランダム）
28) Isenberg JI, Peterson WL, Elashoff JD, et al. Healing of benign gastric ulcer with low-dose antacid or cimetidine: a double-blind, randomized, placebo-controlled trial. N Engl J Med 1983; **308**: 1319-1324（ランダム）
29) Leroux P, Farley A, Archambault A, et al. Effect of ranitidine on healing of peptic ulcer: a 2-month study. Am J Gastroenterol 1983; **78**: 227-230（ランダム）
30) Schulz TB, Berstad A, Rydning A, et al. Treatment of gastric ulcer with ranitidine. Scand J Gastroenterol 1984; **19**: 119-121（ランダム）
31) Blum AL, Bethge H, Bode JC, et al. Sucralfate in the treatment and prevention of gastric ulcer: multicentre double blind placebo controlled study. Gut 1990; **31**: 825-830（ランダム）
32) Glise H, Carling L, Hallerback B, et al. Treatment of peptic ulcers--acid reduction or cytoprotection? Scand J Gastroenterol Suppl 1987; **140**: 39-47（ランダム）
33) Hallerback B, Anker-Hansen O, Carling L, et al. Short term treatment of gastric ulcer: a comparison of sucralfate and cimetidine. Gut 1986; **27**: 778-783（ランダム）
34) Herrerias-Gutierrez JM, Pardo L, Segu JL. Sucralfate versus ranitidine in the treatment of gastric ulcer: randomized clinical results in short-term and maintenance therapy. Am J Med 1989; **86**: 94-97（ランダム）
35) Hjortrup A, Svendsen LB, Beck H, et al. Two daily doses of sucralfate or cimetidine in the healing of gastric ulcer: a comparative randomized study. Am J Med 1989; **86**: 113-115（ランダム）
36) Lahtinen J, Aukee S, Miettinen P, et al. Sucralfate, and cimetidine for gastric ulcer. Scand J Gastroenterol Suppl 1983; **83**: 49-51（ランダム）
37) Rey JF, Legras B, Verdier A, et al. Comparative study of sucralfate versus cimetidine in the treatment of acute gastroduodenal ulcer: randomized trial with 667 patients. Am J Med 1989; **86**: 116-121（ランダム）
38) Svedberg LE, Carling L, Glise H, et al. Short-term treatment of prepyloric ulcer: comparison of sucralfate and cimetidine. Dig Dis Sci 1987; **32**: 225-231（ランダム）
39) Gonvers JJ, Aenishanslin W, Backwinkel K, et al. Gastric ulcer: a double blind comparison of 800 mcg misoprostol versus 300 mg ranitidine. Hepatogastroenterology 1987; **34**: 233-235（ランダム）
40) Shield MJ. Interim results of a multicenter international comparison of misoprostol and cimetidine in the treatment of out-patients with benign gastric ulcers. Dig Dis Sci 1985; **30**: 178S-184S（ランダム）
41) 三浦邦彦, 国崎忠彦, 八尾恒良. 胃潰瘍に対するFPF1002（シメチジン）の臨床効果—多施設二重盲検試験. 臨牀と研究 1983; **60**: 1652-1666（ランダム）
42) 三好秋馬, 三輪　剛, 武藤　弘. 胃潰瘍に対するFamotidineの臨床評価—ゲファルナートを対照とした二重盲検法による検討. 診療と新薬 1983; **20**: 2069-2088（ランダム）
43) 竹本忠良, 岡崎幸紀, 並木正義. 二重盲検法によるRanitidineの臨床的有用性の検討（第1報）—胃潰瘍を対象として. 臨床成人病 1983; **13**: 123-142（ランダム）
44) Gonvers JJ, Realini S, Bretholz A, et al. Gastric ulcer: a double-blind comparison of 100 mg pirenzepine plus antacid versus 800 mg cimetidine plus antacid. Scand J Gastroenterol 1986; **21**: 806-808（ランダム）
45) Barbara L, Corinaldesi R, Dobrilla G, et al. Ranitidine vs cimetidine: short-term treatment of gastric ulcer. Hepatogastroenterology 1983; **30**: 151-153（ランダム）
46) Inoue M. Clinical studies on the use of roxatidine acetate for the treatment of peptic ulcer in Japan. Drugs 1988; **35** (Suppl 3): 114-119（ランダム）
47) Judmaier G. A comparison of roxatidine acetate and ranitidine in gastric ulcer healing. Drugs 1988; **35** (Suppl 3): 120-126（ランダム）
48) Naccaratto R, Cremer M, Dammann HG, et al. Nizatidine versus ranitidine in gastric ulcer disease: a European multicentre trial. Scand J Gastroenterol Suppl 1987; **136**: 71-78（ランダム）
49) 三好秋馬, 松尾　裕, 岩崎有良. 胃潰瘍に対するZL-101（Nizatidine）の臨床的有用性の検討—シメチジンを対照薬とした多施設二重盲検試験. 薬理と治療 1989; **17**: 369-392（ランダム）
50) 三好秋馬, 谷内　昭, 吉田　豊. TZU-0460の胃潰瘍に対する有用性の検討—cimetidineを対照薬とした多施設二重盲検試験. 診療と新薬 1985; **22**: 2897-2918（ランダム）
51) 三好秋馬, 谷内　昭, 矢花　剛. 胃潰瘍を対象としたFamotidineの臨床評価—二重盲検法によるcimetidineとの比較. 内科宝函 1984; **31**: 109-127（ランダム）
52) 松尾　裕, 三好秋馬, 三輪　剛, ほか. 胃潰瘍に対するFRG-8813（Lafutidine）の臨床的有用性の検討—

ファモチジンを対照薬とした多施設二重盲検比較試験．臨床医薬 1998; **14**: 2085-2102（ランダム）

53) Dammann HG, Walter TA, Hentschel E, et al. Famotidine: nocturnal administration for gastric ulcer healing: results of multicenter trials in Austria and Germany. Digestion 1985; **32** (Suppl 1): 45-50（ランダム）

54) Dammann HG, Walter TA, Hentschel E, et al. Famotidine: proven once-a-day treatment for gastric ulcer. Scand J Gastroenterol Suppl 1987; **134**: 29-33（ランダム）

55) Frank WO, Young M, Palmer RH, et al. Once-daily bedtime dosing regimen of cimetidine in the treatment of gastric ulcer. Clin Ther 1989; **11**: 595-603（ランダム）

56) Frank WO, Young MD, Palmer R, et al. Acute treatment of benign gastric ulcer with once-daily bedtime dosing of cimetidine compared with placebo. Aliment Pharmacol Ther 1989; **3**: 573-584（ランダム）

57) Johnson JA, Euler AR, Northcutt AR, et al. Ranitidine 300 mg at bedtime is effective for gastric ulcers: a 12-wk, multicenter, randomized, double-blind, placebo-controlled comparison: The Ranitidine 300 mg HS Gastric Ulcer Study Group. Am J Gastroenterol 1993; **88**: 1071-1075（ランダム）

58) Lyon DT. Efficacy and safety of famotidine in the management of benign gastric ulcers. Am J Med 1986; **81**: 33-41（ランダム）

59) McCullough AJ, Graham DY, Knuff TE, et al. Suppression of nocturnal acid secretion with famotidine accelerates gastric ulcer healing. Gastroenterology 1989; **97**: 860-866（ランダム）

60) Paoluzi P, Torsoli A, Bianchi Porro G, et al. Famotidine (MK-208) in the treatment of gastric ulcer: results of a multicenter double-blind controlled study. Digestion 1985; **32** (Suppl 1): 38-44（ランダム）

61) Simon B, Muller P, Dammann HG. Famotidine once-a-day in the therapy of acute, benign gastric ulcer: a worldwide experience. J Clin Gastroenterol 1987; **9** (Suppl 2): 19-22（ランダム）

62) Brandstatter G, Marks IN, Lanza F, et al. A multicenter, randomized, double-blind comparison of roxatidine with ranitidine in the treatment of patients with uncomplicated benign gastric ulcer disease: The Multicenter Roxatidine Cooperative Study Group. Clin Ther 1995; **17**: 467-478（ランダム）

63) Brazer SR, Tyor MP, Pancotto FS, et al. Randomized, double-blind comparison of famotidine with ranitidine in treatment of acute, benign gastric ulcer disease: community-based study coupled with a patient registry. Dig Dis Sci 1989; **34**: 1047-1052（ランダム）

64) Cochran KM, Cockel R, Crowe J, et al. Comparison of 40 mg famotidine nightly and 150 mg ranitidine b.d.: ulcer healing and symptom relief in benign gastric ulcer. Aliment Pharmacol Ther 1989; **3**: 461-470（ランダム）

65) Di Mario F, Battaglia G, Naccarato R, et al. Comparison of 150 mg nizatidine BID or 300 mg at bedtime, and 150 mg ranitidine BID in the treatment of gastric ulcer: an 8-week randomized, double-blind multicentre study. Hepatogastroenterology 1990; **37** (Suppl 2): 62-65（ランダム）

66) Cerlek S, Papa B, Katicic M, et al. Pirenzepin in gastric and duodenal ulcer: a double-blind trial. J Int Med Res 1981; **9**: 148-151（ランダム）

67) Lam SK, Lau WY, Lai CL, et al. Efficacy of sucralfate in corpus, prepyloric, and duodenal ulcer-associated gastric ulcers: a double-blind, placebo-controlled study. Am J Med 1985; **79**: 24-31（ランダム）

68) Agrawal NM, Saffouri B, Kruss DM, et al. Healing of benign gastric ulcer: a placebo-controlled comparison of two dosage regimens of misoprostol, a synthetic analog of prostaglandin E1. Dig Dis Sci 1985; **30**: 164S-170S（ランダム）

69) Rachmilewitz D, Chapman JW, Nicholson PA. A multicenter international controlled comparison of two dosage regimens of misoprostol with cimetidine in treatment of gastric ulcer in outpatients. Dig Dis Sci 1986; **31**: 75S-80S（ランダム）

70) 芦沢真六，白川和夫，崎田隆夫．セルベックス-カプセル（E-0671）の胃潰瘍に対する治療効果—プログルミドとの多施設二重盲検比較試験．Progress in Medicine 1983; **3**: 1169-1191（ランダム）

71) Ishimori A, Yamagata S. Therapeutic effect of pirenzepine dihydrochloride on gastric ulcer evaluated by a double-blind controlled clinical study: phase Ⅲ study. Arzneimittelforschung 1982; **32**: 556-565（ランダム）

72) 滝野辰郎，児玉　正，岡野　均．胃潰瘍に対する MN-1695〔2,4-diamino-6-c(2,5-dichlorophenyl)-s-triazine maleate〕の臨床評価—ゲファルナートを対照薬とした多施設二重盲検群間比較試験．臨床医薬 1987; **3**: 199-228（ランダム）

73) 名尾良憲，平沢　堯，本田利男．消化性潰瘍治療剤 SU-88 の胃潰瘍に対する二重盲検法による臨床的評価．臨床成人病 1982; **12**: 1893-1903（ランダム）

74) OPC-12759 研究会．胃潰瘍に対する Proamipide（OPC-12759）の薬効評価—多施設二重盲検比較試験による塩酸セトラキサートとの比較．臨床成人病 1989; **19**: 1265-1291（ランダム）

75) 崎田隆夫，中村孝司，石川　誠．胃潰瘍に対するミソプロストール（SC-29333）の臨床評価—塩酸セトラキサートを対照薬とした多施設二重盲検比較試験．臨床評価 1986; **14**: 757-791（ランダム）

76) 三好秋馬，松尾　裕，三輪　剛．胃潰瘍に対する Z-103 の臨床的有用性の検討—塩酸セトラキサートを対照薬とした多施設二重盲検試験．薬理と治療 1992; **20**: 199-223（ランダム）

77) KU-54 研究会．胃潰瘍に対する KU-54 と Cetraxate との二重盲検比較試験—多施設における検討．医学と

薬学 1984; **12**: 487-539（ランダム）
78) 三好秋馬, 岡部治弥, 三輪　剛, ほか. 胃潰瘍に対するエグアレンナトリウムの臨床評価(改訂版)―塩酸セトラキサートを対照薬とした多施設二重盲検群間比較試験. 薬理と治療 1999; **27**: 837-852（ランダム）
79) 三好秋馬, 常岡健二, 竹内　正. 胃潰瘍に対する OU-1308 の臨床評価―塩酸セトラキサートを対照薬とした多施設二重盲検比較試験. 臨床医薬 1986; **2**: 185-209（ランダム）
80) 三好秋馬, 谷内　昭, 佐藤勝巳. 胃潰瘍に対する TA903 の薬効評価―多施設二重盲検試験による塩酸セトラキサートとの比較. Progress in Medicine 1986; **6**: 2273-2295（ランダム）
81) 三好秋馬, 谷内　昭, 松尾　裕. 胃潰瘍に対する TA-2711 の臨床評価―塩酸セトラキサートを対照薬とした多施設二重盲検試験による検討. Progress in Medicine 1991; **11**: 1326-1346（ランダム）

BQ 4-2 (1) 初期治療【十二指腸潰瘍】

十二指腸潰瘍に対する非除菌治療（初期治療）において，酸分泌抑制薬と防御因子増強薬の併用療法は有用か？

回答

- PPI と防御因子増強薬の併用によっても潰瘍治癒の上乗せ効果は得られないため，PPI の単独投与を行う．
- H_2RA と防御因子増強薬の併用によって潰瘍治癒の上乗せ効果が得られる．
  - シメチジンとアルジオキサ

解説

十二指腸潰瘍に対する非除菌治療（初期治療）において，酸分泌抑制薬と防御因子増強薬の併用療法は有用かについて，「消化性潰瘍診療ガイドライン 2015（改訂第 2 版）」以降に新たな文献報告はなかった．

PPI と防御因子増強薬の併用療法に関して，ランソプラゾールと防御因子増強薬との併用では潰瘍治癒の上乗せ効果はない[1]．

H_2RA と防御因子増強薬などとの併用療法に関して，防御因子増強薬との併用療法では，シメチジンとアルジオキサとの併用では潰瘍治癒の上乗せ効果がある[2]．抗コリン薬との併用療法では，シメチジンとチキジウム臭化物との併用[3]，ラニチジン塩酸塩とプロパンテリン臭化物との併用[4]では潰瘍治癒の上乗せ効果はない．

文献

1) 宮原 透，勝 健一，山中桓夫．消化性潰瘍に対する Lansoprazole 単独投与と粘膜防御因子増強薬併用投与の比較検討．薬理と治療 1997; **25**: 2557-2568（非ランダム）
2) アランタ再発予防研究会．消化性潰瘍に対するアルジオキサとシメチジン併用療法に関する臨床的検討（第 2 報）—十二指腸潰瘍に対する治癒効果および再発予防効果．診療と新薬 1987; **24**: 1001-1015（非ランダム）
3) 小林節雄，西岡利夫，関口利和．消化器系運動機能亢進治療剤チアトンとシメチジンとの併用による十二指腸潰瘍の治療に対する臨床効果—シメチジン単独療法との比較検討．医学と薬学 1986; **16**: 1349-1365（非ランダム）
4) Agrawal BK, Suman A, Kumar A, et al. Combination of anticholinergic agent and H2 receptor antagonist in duodenal ulcer treatment: a randomized, double blind multicenter study. Indian J Gastroenterol 1993; **12**: 89-91（ランダム）

CQ 4-2

(1) 初期治療【十二指腸潰瘍】

十二指腸潰瘍に対する非除菌治療（初期治療）にどのような薬剤を推奨するか？

推 奨

1) 第一選択薬
- PPI（オメプラゾール，ランソプラゾール，ラベプラゾールナトリウム，エソメプラゾールマグネシウム水和物）およびボノプラザン（VPZ）のいずれかを第一選択薬とすることを推奨する．

 【推奨の強さ：**強**（合意率 100％），エビデンスレベル：**A**】

2) 第一選択薬として PPI およびボノプラザン（VPZ）を選択できない場合
- H₂RA（シメチジン，ラニチジン塩酸塩，ファモチジン，ロキサチジン酢酸エステル塩酸塩，ニザチジン，ラフチジン）のいずれかを投与することを推奨する．

 【推奨の強さ：**強**（合意率 100％），エビデンスレベル：**B**】

- 選択的ムスカリン受容体拮抗薬（ピレンゼピン塩酸塩水和物）もしくは一部の防御因子増強薬（スクラルファート，ミソプロストール）のいずれかを投与することを提案する．

 【推奨の強さ：**弱**（合意率 100％），エビデンスレベル：**B**】

解説

　現在，消化性潰瘍に対する初期治療は H. pylori 除菌治療が第一選択であるため，除菌治療によらない十二指腸潰瘍の初期治療の対象は H. pylori 除菌治療の適応がない場合に限定される．「消化性潰瘍診療ガイドライン 2015（改訂第 2 版）」以降，カリウムイオン競合型酸分泌抑制薬（potassium-competitive acid blocker：P-CAB）であるボノプラザン（VPZ）に関する文献報告があった．

　十二指腸潰瘍に対する非除菌治療（初期治療）の第一選択薬として PPI およびボノプラザン（VPZ）を，PPI およびボノプラザン（VPZ）を選択できない場合には H₂RA を推奨する．以下，各薬剤群毎にその根拠となった文献報告などを紹介する．

1. PPI（オメプラゾール，ランソプラゾール，ラベプラゾールナトリウム，エソメプラゾールマグネシウム水和物）およびボノプラザン（VPZ）

　プラセボとの比較では，ランソプラゾールとラベプラゾールナトリウムが有意に潰瘍治癒率が高い[1,2]．H₂RA との比較では，投与初期には H₂RA よりも PPI のほうが潰瘍治療率が高い傾向にあり，これは PPI によって速やかに潰瘍治癒が得られるという特性を表している[3〜9]．最終評価の時点（6 週）で，PPI が H₂RA より潰瘍治癒率が高いという報告[2〜4,7,9〜11]と，差がみられないという報告[5,8]とがある．メタアナリシスでは H₂RA より PPI のほうが有意に潰瘍治癒率が高いと報告されている[12]．PPI 間での比較では，オメプラゾールとランソプラゾール，オメプラゾールとラベプラゾールナトリウムとの間には潰瘍治癒率に差はみられない[13,14]．なお，ボノプラザ

ン (VPZ) はランソプラゾールに対する非劣性は検証されなかった[15]が，ボノプラザン (VPZ) 20mg 群の治癒率は臨床的に十分な有効性が認められ，かつ他の酸関連疾患でランソプラゾールに対する非劣性が検証されていることから，十二指腸潰瘍が効能・効果として申請され，承認を受けている (参考 URL：PMDA 審議結果報告書 http://www.pmda.go.jp/drugs/2014/P201400173/400256000_22600AMX01389_A100_1.pdf).

(補足) エソメプラゾールマグネシウム水和物は国内での臨床試験は実施されていないが，エソメプラゾールマグネシウム水和物がオメプラゾールのラセミ体構造のS体のみを抽出して結合した光学異性体であること，エソメプラゾールマグネシウム水和物が胃酸関連疾患の代表的疾患である逆流性食道炎に対する臨床効果が確認されたことなどから，十二指腸潰瘍については新たな臨床試験を実施せず，効能・効果として申請され，承認を受けている (参考 URL：PMDA 審議結果報告書 http://www.info.pmda.go.jp/shinyaku/P201100115/670227000_22300AMX00598000_A100_1.pdf).

以上から，十二指腸潰瘍に対する非除菌治療 (初期治療) は，PPI (オメプラゾール，ランソプラゾール，ラベプラゾールナトリウム，エソメプラゾールマグネシウム水和物) およびボノプラザン (VPZ) のいずれかを第一選択薬とすることを推奨する．

2. H_2RA (シメチジン，ラニチジン塩酸塩，ファモチジン，ロキサチジン酢酸エステル塩酸塩，ニザチジン，ラフチジン)

1日複数回 (2〜4回) 投与の場合，一部の防御因子増強薬 (スクラルファート，ミソプロストール) との比較では，シメチジンやラニチジン塩酸塩とスクラルファート (4g/日) との間には潰瘍治癒率に差はみられない[16〜21]．シメチジンとミソプロストールとの間には潰瘍治癒率に差はみられない[22]．その他の防御因子増強薬との比較では，シメチジン，ファモチジン，ラニチジン塩酸塩，ロキサチジン酢酸エステル塩酸塩はゲファルナートよりも潰瘍治癒率が高い[23〜26]．H_2RA 間での比較では，H_2RA 間では潰瘍治癒率に差はみられない[27〜29]．

1日1回就寝前投与の場合，プラセボとの比較では，シメチジンとラニチジン塩酸塩が有意に潰瘍治癒率が高い[2,30]．H_2RA 間での比較：H_2RA 間では潰瘍治癒率に差はみられない[31〜41]．

1日複数回 (2〜4回) 投与と1日1回就寝前投与との比較において，1日複数回 (2〜4回) 投与と1日1回就寝前投与では，投与方法の違いによる潰瘍治癒率の差はみられない[42〜46]．

以上から，第一選択薬として PPI およびボノプラザン (VPZ) を選択できない場合，H_2RA (シメチジン，ラニチジン塩酸塩，ファモチジン，ロキサチジン酢酸エステル塩酸塩，ニザチジン，ラフチジン) のいずれかを投与することを推奨する．

3. 選択的ムスカリン受容体拮抗薬 (ピレンゼピン塩酸塩水和物)

H_2RA との比較では，ピレンゼピン塩酸塩水和物はシメチジンとの間には潰瘍治癒率に差はみられない[47]．防御因子増強薬との比較では，ピレンゼピン塩酸塩水和物はゲファルナートより有意に潰瘍治癒率が高い[48]．

以上から，第一選択薬として PPI およびボノプラザン (VPZ) を選択できない場合，選択的ムスカリン受容体拮抗薬 (ピレンゼピン塩酸塩水和物) を投与することを提案する．

4. 防御因子増強薬

1）一部の防御因子増強薬（スクラルファート，ミソプロストール）

スクラルファートについて，プラセボとの比較では，スクラルファート（3.6～4g/日）が有意に潰瘍治癒率が高い[49~51]．H₂RAとの比較では，スクラルファート（4g/日）はシメチジンやラニチジン塩酸塩との間には潰瘍治癒率に差はみられない[16~21]．

ミソプロストールについて，プラセボとの比較では，ミソプロストールが有意に潰瘍治癒率が高い[52]．H₂RAとの比較では，ミソプロストールはシメチジンとの間には潰瘍治癒率に差はみられない[22]．

2）その他の防御因子増強薬

プラセボとの比較では十二指腸潰瘍治癒効果に関するエビデンスに乏しい．選択的ムスカリン受容体拮抗薬（ピレンゼピン塩酸塩水和物）との比較では，ゲファルナートはピレンゼピン塩酸塩水和物よりも潰瘍治癒率が低い[48]．H₂RAとの比較では，ゲファルナートはシメチジン，ファモチジン，ラニチジン塩酸塩，ロキサチジン酢酸エステル塩酸塩よりも潰瘍治癒率が低い[23~26]．

以上から，第一選択薬としてPPIおよびボノプラザン（VPZ）を選択できない場合，一部の防御因子増強薬（スクラルファート，ミソプロストール）のいずれかを投与することを提案する．

文献

1) Cloud ML, Enas N, Humphries TJ, et al. Rabeprazole in treatment of acid peptic diseases: results of three placebo-controlled dose-response clinical trials in duodenal ulcer, gastric ulcer, and gastroesophageal reflux disease (GERD): The Rabeprazole Study Group. Dig Dis Sci 1998; **43**: 993-1000（ランダム）
2) Lanza F, Goff J, Scowcroft C, et al. Double-blind comparison of lansoprazole, ranitidine, and placebo in the treatment of acute duodenal ulcer: Lansoprazole Study Group. Am J Gastroenterol 1994; **89**: 1191-1200（ランダム）
3) Breiter JR, Riff D, Humphries TJ. Rabeprazole is superior to ranitidine in the management of active duodenal ulcer disease: results of a double-blind, randomized North American study. Am J Gastroenterol 2000; **95**: 936-942（ランダム）
4) Delle Fave G, Annibale B, Franceschi M, et al. Omeprazole versus famotidine in the short-term treatment of duodenal ulcer disease. Aliment Pharmacol Ther 1992; **6**: 469-478（ランダム）
5) E3810研究会．十二指腸潰瘍に対するE3810の臨床的有用性の検討—多施設二重盲検によるFamotidineとの比較．臨床評価 1993; **21**: 361-382（ランダム）
6) Hotz J, Kleinert R, Grymbowski T, et al. Lansoprazole versus famotidine: efficacy and tolerance in the acute management of duodenal ulceration. Aliment Pharmacol Ther 1992; **6**: 87-95（ランダム）
7) Lauritsen K, Rune SJ, Bytzer P, et al. Effect of omeprazole and cimetidine on duodenal ulcer: a double-blind comparative trial. N Engl J Med 1985; **312**: 958-961（ランダム）
8) Omeprazole研究会．プロトンポンプインヒビターOmeprazole Omeprazole（OPZ）の十二指腸潰瘍に対する臨床的有用性の検討—多施設二重盲検法によるFamotidine（FAM）との比較．薬理と治療 1988; **16**: 563-582（ランダム）
9) 竹本忠良，並木正義，後藤由夫．十二指腸潰瘍に対するLansoprazole（AG-1749）の臨床的有用性の検討—多施設二重盲検法によるFamotidineとの比較．臨床成人病 1991; **21**: 613-631（ランダム）
10) Classen M, Dammann HG, Domschke W, et al. Omeprazole heals duodenal, but not gastric ulcers more rapidly than ranitidine: results of two German multicentre trials. Hepatogastroenterology 1985; **32**: 243-245（ランダム）
11) Barbara L, Blasi A, Cheli R, et al. Omeprazole vs. ranitidine in the short-term treatment of duodenal ulcer: an Italian multicenter study. Hepatogastroenterology 1987; **34**: 229-232（ランダム）
12) Poynard T, Lemaire M, Agostini H. Meta-analysis of randomized clinical trials comparing lansoprazole with ranitidine or famotidine in the treatment of acute duodenal ulcer. Eur J Gastroenterol Hepatol 1995; **7**: 661-665（メタ）
13) Chang FY, Chiang CY, Tam TN, et al. Comparison of lansoprazole and omeprazole in the short-term management of duodenal ulcers in Taiwan. J Gastroenterol Hepatol 1995; **10**: 595-601（ランダム）
14) Dekkers CP, Beker JA, Thjodleifsson B, et al. Comparison of rabeprazole 20 mg versus omeprazole 20 mg in the treatment of active duodenal ulcer: a European multicentre study. Aliment Pharmacol Ther 1999; **13**:

(1) 初期治療【十二指腸潰瘍】

179-186（ランダム）

15) Miwa H, Uedo N, Watari J, et al. Randomised clinical trial: efficacy and safety of vonoprazan vs. lansoprazole in patients with gastric or duodenal ulcers - results from two phase 3, non-inferiority randomised controlled trials. Aliment Pharmacol Ther 2017; **45**: 240-252（ランダム）
16) Rey JF, Legras B, Verdier A, et al. Comparative study of sucralfate versus cimetidine in the treatment of acute gastroduodenal ulcer: randomized trial with 667 patients. Am J Med 1989; **86**: 116-121（ランダム）
17) Agrawal BK, Prasad RN, Kumar P. A comparative therapeutic trial of sucralfate and ranitidine in initial healing and relapse rate of duodenal ulcer. J Assoc Physicians India 1990; **38** (Suppl 1): 720-722（ランダム）
18) Archimandritis A, Charitopoulos N, Diamantis T, et al. Comparison of sucralfate and ranitidine twice daily in duodenal ulcer treatment: a multicenter randomized double-blind study. J Clin Gastroenterol 1991; **13**: 380-383（ランダム）
19) Garcia-Paredes J, Diaz Rubio M, Llenas F, et al. Comparison of sucralfate and ranitidine in the treatment of duodenal ulcers. Am J Med 1991; **91**: 64S-67S（ランダム）
20) Glise H, Carling L, Hallerback B, et al. Treatment of acute duodenal ulcer: a Swedish multicenter study. Scand J Gastroenterol Suppl 1987; **127**: 61-66（ランダム）
21) Pop P, Nikkels RE, Thys O, et al. Comparison of sucralfate and cimetidine in the treatment of duodenal and gastric ulcers: a multicenter study. Scand J Gastroenterol Suppl 1983; **83**: 43-47（ランダム）
22) 崎田隆夫，中村孝司，石川　誠．十二指腸潰瘍に対するミソプロストール（SC-29333）の臨床評価—シメチジンを対照薬とした多施設二重盲検比較試験．臨床評価 1986; **14**: 793-826（ランダム）
23) Ranitidine臨床研究班．二重盲検法によるRanitidineの臨床的有用性の検討（第2報）—十二指腸潰瘍を対象として．臨床成人病 1983; **13**: 333-351（ランダム）
24) 国崎忠彦，三浦邦彦，八尾恒良．十二指腸潰瘍に対するFPF1002（シメチジン）の臨床評価—多施設二重盲検試験．臨牀と研究 1983; **60**: 1365-1380（ランダム）
25) 三好秋馬，宮崎　保，谷内　昭．十二指腸潰瘍に対するTZU-0460の有用性の検討—Gefarnateを対照薬とした多施設二重盲検試験．診療と新薬 1985; **22**: 1091-1110（ランダム）
26) 三好秋馬，三輪　剛，武藤　弘．十二指腸潰瘍に対するFamotidineの臨床評価—ゲファルナートを対照とした二重盲検法による検討．診療と新薬 1983; **20**: 2089-2108（ランダム）
27) 三好秋馬，松尾　裕，岩崎有良．十二指腸潰瘍に対するZL-101（Nizatidine）の臨床的有用性の検討—シメチジンを対照薬とした多施設二重盲検試験．薬理と治療 1989; **17**: 393-415（ランダム）
28) 三好秋馬，谷内　昭，吉田　豊．TZU-0460の十二指腸潰瘍に対する有用性の検討—cimetidineを対照薬とした多施設二重盲検試験．診療と新薬 1985; **22**: 2919-2939（ランダム）
29) 松尾　裕，三好秋馬，三輪　剛，ほか．十二指腸潰瘍に対するFRG-8813（Lafutidine）の臨床的有用性の検討—ファモチジンを対照薬とした多施設二重盲検比較試験．臨床医薬 1998; **14**: 2103-2119（ランダム）
30) Braverman AJ. Dose validation and study design criteria in current cimetidine studies. Clin Ther 1986; **8** (Suppl A): 49-56（ランダム）
31) Alcalá-Santaella R, Guardia J, Pajares J, et al. A multicenter, randomized, double-blind study comparing a daily bedtime administration of famotidine and ranitidine in short-term treatment of active duodenal ulcer. Digestion 1989; **42**: 79-85（ランダム）
32) Arcidiacono R, Benvestito V, Bonomo GM, et al. Comparison between ranitidine 150 mg b.d. and ranitidine 300 mg nocte in the treatment of duodenal ulcer. Int J Clin Pharmacol Ther Toxicol 1986; **24**: 381-384（ランダム）
33) Bovero E, Poletti M, Boero A, et al. Nizatidine in the short-term treatment of duodenal ulcer: an Italian Multicenter Study. Hepatogastroenterology 1987; **34**: 269-271（ランダム）
34) Castelli G, Squassante L, Uleri S, et al. Different dosage regimens of ranitidine in the short-term therapy of duodenal ulcer: a multicentre trial. Int J Clin Pharmacol Res 1991; **11**: 41-49（ランダム）
35) Celle G, Savarino V, Picciotto A, et al. A single-blind pilot study comparing standard and half bedtime doses of ranitidine in the short-term healing of duodenal ulcer. J Clin Gastroenterol 1990; **12**: 255-259（ランダム）
36) Dobrilla G, De Pretis G, Piazzi L, et al. Comparison of once-daily bedtime administration of famotidine and ranitidine in the short-term treatment of duodenal ulcer: a multicenter, double-blind, controlled study. Scand J Gastroenterol Suppl 1987; **134**: 21-28（ランダム）
37) Farley A, Levesque D, Pare P, et al. A comparative trial of ranitidine 300 mg at night with ranitidine 150 mg twice daily in the treatment of duodenal and gastric ulcer. Am J Gastroenterol 1985; **80**: 665-668（ランダム）
38) Lee FI, Booth SN, Cochran KM, et al. Single night-time doses of 40 mg famotidine or 800 mg cimetidine in the treatment of duodenal ulcer. Aliment Pharmacol Ther 1989; **3**: 505-512（ランダム）
39) Pace F, Colombo E, Ferrara A, et al. Nizatidine and ranitidine in the short-term treatment of duodenal ulcer: a cooperative double-blind study of once-daily bedtime administration. Am J Gastroenterol 1988; **83**:

643-645(ランダム)

40) Simon B, Dammann HG, Jakob G, et al. Famotidine versus ranitidine for the short-term treatment of duodenal ulcer. Digestion 1985; **32** (Suppl 1): 32-37(ランダム)
41) 森賀本幸,三好秋馬,谷内　昭.FRG-8813(Lafutidine)の1日1回投与による十二指腸潰瘍に対する2用量比較試験.臨床医薬 1995; **11**: 23-34(ランダム)
42) Kildebo S, Aronsen O, Bernersen B, et al. Cimetidine, 800 mg at night, in the treatment of duodenal ulcers. Scand J Gastroenterol 1985; **20**: 1147-1150(ランダム)
43) Ranitidine 臨床研究班.二重盲検法によるRanitidineの1日1回300mg就寝前投与法の臨床的有用性の検討(第2報)—十二指腸潰瘍を対象として.臨床成人病 1986; **16**: 1087-1101(ランダム)
44) 三好秋馬,松尾　裕,森　治樹.十二指腸潰瘍に対するZL-101(Nizatidine)1日1回就寝前投与法の検討—二重盲検法による1日2回投与法との比較.薬理と治療 1989; **17**: 437-455(ランダム)
45) 三好秋馬,谷内　昭,矢花　剛.十二指腸潰瘍を対象としたFamotidine就寝前1回投与法の検討—二重盲検法による1日2回投与法との比較.内科宝函 1987; **34**: 405-417(ランダム)
46) 三好秋馬,田中恒男,谷内　昭.十二指腸潰瘍に対するCimetidine 1日1回就寝前投与法の検討—二重盲検法による1日4回投与法との比較.薬理と治療 1987; **15**: 4091-4107(ランダム)
47) Jaup BH, Cronstedt J, Dotevall G, et al. Pirenzepine versus cimetidine in duodenal ulcer treatment: a clinical and microbiological study. Scand J Gastroenterol 1985; **20**: 183-188(ランダム)
48) 山形敏一,石森　章,佐藤勝己.Pirenzepine dihydrochlorideの十二指腸潰瘍に対する多施設二重盲検比較試験.臨床成人病 1984; **14**: 435-454(ランダム)
49) Lam SK, Lau WY, Lai CL, et al. Efficacy of sucralfate in corpus, prepyloric, and duodenal ulcer-associated gastric ulcers: a double-blind, placebo-controlled study. Am J Med 1985; **79**: 24-31(ランダム)
50) Martin F, Farley A, Gagnon M, et al. Short-term treatment with sucralfate or cimetidine in gastric ulcer: preliminary results of a controlled randomized trial. Scand J Gastroenterol Suppl 1983; **83**: 37-41(ランダム)
51) Martin F. Sucralfate suspension 1 g four times per day in the short-term treatment of active duodenal ulcer. Am J Med 1989; **86**: 104-107(ランダム)
52) Bright-Asare P, Sontag SJ, Gould RJ, et al. Efficacy of misoprostol (twice daily dosage) in acute healing of duodenal ulcer: a multicenter double-blind controlled trial. Dig Dis Sci 1986; **31**: 63S-67S(ランダム)

BQ 4-3 (2) 維持療法【胃潰瘍】

胃潰瘍の非除菌治療において維持療法は必要か？

回答

● 除菌治療によらない胃潰瘍治療において，維持療法は治癒後の再発抑制に必要である．

解説

現在，消化性潰瘍に対する初期治療は *H. pylori* 除菌治療が第一選択であり，さらに除菌治療により有意に潰瘍再発が抑制されることが明らかであるため，除菌治療によらない潰瘍の維持療法の対象は限定される．「消化性潰瘍診療ガイドライン2015（改訂第2版）」以降に新たな文献報告はなかった．除菌治療によらない胃潰瘍の再発予防効果に対してプラセボを対照としたRCTが多数検討されており[1〜14]，いずれの報告も胃潰瘍の再発抑制に効果が認められ，エビデンスの質が高く評価できる（エビデンスレベルA）．Hentschelらは，治癒した胃潰瘍112例のうち，108例をシメチジン400 mgとプラセボとの二重盲検比較試験へ登録し，1年後に評価が可能であった84例を検討した．その結果，シメチジン治療群の86％が1年後の潰瘍再発抑制効果を示し，プラセボ群の45％より有意に高い非再発率であった（図1）[1]．これを含め，プラセボを対照

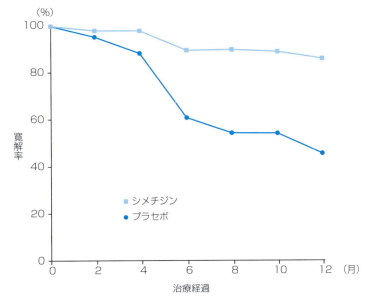

図1 胃潰瘍の再発予防におけるシメチジンの効果
(Hentschel E, et al. Gut 1983; 24: 853-856 [1] より許諾を得て転載)

とした多くのRCTにて維持療法は胃潰瘍治癒後の再発抑制に効果が認められた[1〜14]．以上より，H. pylori 除菌治療を行わない場合には，胃潰瘍の初期治療で潰瘍が治癒したのちに，再発を抑制するために維持療法を行うことは必要である．

文献

1) Hentschel E, Schütze K, Weiss W, et al. Effect of cimetidine treatment in the prevention of gastric ulcer relapse: a one year double blind multicentre study. Gut 1983; **24**: 853-856（ランダム）
2) Barr GD, Kang JY, Canalese J, et al. A two-year prospective controlled study of maintenance cimetidine and gastric ulcer. Gastroenterology 1983; **85**: 100-104（ランダム）
3) Classen M, Bethge H, Brunner G, et al. Effect of sucralfate on peptic ulcer recurrence: a controlled double-blind multicenter study. Scand J Gastroenterol 1983; **18** (Suppl 83): 61-68（ランダム）
4) 増田久之，佐藤　誠，井上修一，ほか．胃潰瘍の再発防止に対する二重盲検比較試験による臨床的薬効評価—胃潰瘍再発に対するスクラルフェートの作用．臨床と研究 1983; **60**: 2265-2272（ランダム）
5) Kinloch JD, Pearson AJ, Woolf IL, et al. The effect of cimetidine on the maintenance of healing of gastric ulceration. Postgrad Med J 1984; **60**: 665-667（ランダム）
6) Marks IN, Wright JP, Girdwood AH, et al. Maintenance therapy with sucralfate reduces rate of gastric ulcer recurrence. Am J Med 1985; **79**: 32-35（ランダム）
7) Piper DW, Pym BM, Toy S, et al. The effect of maintenance cimetidine therapy on the medical, social and economic aspects of patients with chronic gastric ulcers: a placebo-controlled prospective study. Med J Aust 1986; **145**: 400-403（ランダム）
8) Jorde R, Burhol PG, Hansen T. Ranitidine 150 mg at night in the prevention of gastric ulcer relapse. Gut 1987; **28**: 460-463（ランダム）
9) Marks IN, Girdwood AH, Wright JP, et al. Nocturnal dosage regimen of sucralfate in maintenance treatment of gastric ulcer. Am J Med 1987; **83**: 95-98（ランダム）
10) Blum AL, Bethge H, Bode JC, et al. Sucralfate in the treatment and prevention of gastric ulcer: multicentre double blind placebo controlled study. Gut 1990; **31**: 825-830（ランダム）
11) The European Cooperative Roxatidine Study Group. Roxatidine acetate as maintenance treatment for peptic ulcer disease. Clin Ther 1991; **13**: 47-57（ランダム）
12) Berlin RG, Root JK, Cook TJ. Nocturnal therapy with famotidine for 1 year is effective in preventing relapse of gastric ulcer. Aliment Pharmacol Ther 1991; **5**: 161-171（ランダム）
13) Battaglia G. Risk Factors of relapse in gastric ulcer: a one-year, double-blind, comparative study of nizatidine versus placebo. Ital J Gastroenterol 1994; **26** (Suppl 1): 19-22（ランダム）
14) Sue SO, Dawson DM, Brown JA, et al. Effectiveness of ranitidine 150 mg at bedtime as maintenance therapy for healed gastric ulcers. Clin Ther 1996; **18**: 1175-1183（ランダム）

BQ 4-4 (2) 維持療法【胃潰瘍】

胃潰瘍に対する非除菌治療（維持療法）にどのような薬剤を推奨するか？

回答

● 胃潰瘍に対する非除菌治療の維持療法には H_2RA やスクラルファートを選択する．

解説

「消化性潰瘍診療ガイドライン 2015（改訂第 2 版）」以降に新たな文献報告はなかった．除菌治療によらない胃潰瘍の再発予防効果に対してプラセボを対照とした RCT が多数検討されており，エビデンスの質が高く評価できる（エビデンスレベル A）．Hentschel ら[1]は，治癒した胃潰瘍 112 例のうち，108 例をシメチジン 400 mg とプラセボとの二重盲検比較試験へ登録し，1 年後に評価が可能であった 84 例を検討した．その結果，シメチジン治療群の 86％が 1 年後の潰瘍再発抑制効果を示し，プラセボ群の 45％より有意に高い非再発率であった．これを含め，プラセボを対照とした RCT にて胃潰瘍の再発抑制に効果が認められた薬剤は，シメチジン 400 mg[1〜3]，同 800 mg[4]，ラニチジン塩酸塩 150 mg[5,6]，ファモチジン 20 mg[7]，ロキサチジン酢酸エステル塩酸塩 75 mg[8]，ニザチジン 150 mg[9]，スクラルファート 2 g[10〜13]，同 3 g[11]，同 4 g[14]である．

ボノプラザンは PPI より効果発現が早く，強力な酸分泌抑制作用を有する薬剤であるため，消化性潰瘍の治療薬としてその使用頻度が近年増加している．Miwa ら[15]は胃潰瘍の初期治療において，ボノプラザンの潰瘍治癒促進効果はランソプラゾールと同程度であることを報告している．しかしながら，胃潰瘍に対する維持療法におけるボノプラザンの再発予防効果に関する文献報告はなかった．

以上より，胃潰瘍に対する非除菌治療（維持療法）において，その有効性がプラセボを対照とした RCT によって証明された薬剤は H_2RA やスクラルファートであり，維持療法にはこれらの薬剤を選択する（表 1）．

表 1 プラセボ対照の比較試験で胃潰瘍の再発抑制に効果の認められた薬剤とその用量

シメチジン	400 mg[1〜3]，800 mg[4]
ラニチジン塩酸塩	150 mg[5,6]
ファモチジン	20 mg[7]
ロキサチジン酢酸エステル塩酸塩	75 mg[8]
ニザチジン	150 mg[9]
スクラルファート	2 g[10〜13]，3 g[11]，4 g[14]

文献

1) Hentschel E, Schütze K, Weiss W, et al. Effect of cimetidine treatment in the prevention of gastric ulcer relapse: a one year double blind multicentre study. Gut 1983; **24**: 853-856（ランダム）
2) Kinloch JD, Pearson AJ, Woolf IL, et al. The effect of cimetidine on the maintenance of healing of gastric ulceration. Postgrad Med J 1984; **60**: 665-667（ランダム）
3) Piper DW, Pym BM, Toy S, et al. The effect of maintenance cimetidine therapy on the medical, social and economic aspects of patients with chronic gastric ulcers: a placebo-controlled prospective study. Med J Aust 1986; **145**: 400-403（ランダム）
4) Barr GD, Kang JY, Canalese J, et al. A two-year prospective controlled study of maintenance cimetidine and gastric ulcer. Gastroenterology 1983; **85**: 100-104（ランダム）
5) Jorde R, Burhol PG, Hansen T. Ranitidine 150 mg at night in the prevention of gastric ulcer relapse. Gut 1987; **28**: 460-463（ランダム）
6) Sue SO, Dawson DM, Brown JA, et al. Effectiveness of ranitidine 150 mg at bedtime as maintenance therapy for healed gastric ulcers. Clin Ther 1996; **18**: 1175-1183（ランダム）
7) Berlin RG, Root JK, Cook TJ. Nocturnal therapy with famotidine for 1 year is effective in preventing relapse of gastric ulcer. Aliment Pharmacol Ther 1991; **5**: 161-171（ランダム）
8) The European Cooperative Roxatidine Study Group. Roxatidine acetate as maintenance treatment for peptic ulcer disease. Clin Ther 1991; **13**: 47-57（ランダム）
9) Battaglia G. Risk Factors of relapse in gastric ulcer: a one-year, double-blind, comparative study of nizatidine versus placebo. Ital J Gastroenterol 1994; **26** (Suppl 1): 19-22（ランダム）
10) Classen M, Bethge H, Brunner G, et al. Effect of sucralfate on peptic ulcer recurrence: a controlled double-blind multicenter study. Scand J Gastroenterol 1983; **18** (Suppl 83): 61-68（ランダム）
11) Marks IN, Wright JP, Girdwood AH, et al. Maintenance therapy with sucralfate reduces rate of gastric ulcer recurrence. Am J Med 1985; **79**: 32-35（ランダム）
12) Marks IN, Girdwood AH, Wright JP, et al. Nocturnal dosage regimen of sucralfate in maintenance treatment of gastric ulcer. Am J Med 1987; **83**: 95-98（ランダム）
13) Blum AL, Bethge H, Bode JC, et al. Sucralfate in the treatment and prevention of gastric ulcer: multicentre double blind placebo controlled study. Gut 1990; **31**: 825-830（ランダム）
14) 増田久之，佐藤　誠，井上修一，ほか．胃潰瘍の再発防止に対する二重盲検比較試験による臨床的薬効評価―胃潰瘍再発に対するスクラルフェートの作用．臨床と研究 1983; **60**: 2265-2272（ランダム）
15) Miwa H, Uedo N, Watari J, et al. Randomised clinical trial: efficacy and safety of vonoprazan vs. lansoprazole in patients with gastric or duodenal ulcers - results from two phase 3, non-inferiority randomised controlled trials. Aliment Pharmacol Ther 2017; **45**: 240-252（ランダム）

BQ 4-5 　　　　　　　　　　　　　　　　　　　　　　　　(2) 維持療法【胃潰瘍】

胃潰瘍に対する非除菌治療（維持療法）において，酸分泌抑制薬と防御因子増強薬の併用療法は有用か？

> **回答**
> ● PPIと防御因子増強薬の併用によって胃潰瘍再発に対する上乗せ効果は得られない．

解説

　胃潰瘍に対する非除菌治療（維持療法）において，PPIと防御因子増強薬との併用療法についての文献は初版時に1つ報告されているのみで，「消化性潰瘍診療ガイドライン2015（改訂第2版）」以降に新たな文献報告はなかった．また，H_2RAおよびボノプラザンと防御因子増強薬の併用療法についての文献報告はなかった．初版時の文献のエビデンスレベルは高くなく，その有用性についても明らかな差は出ていない（エビデンスレベルC）．塚本ら[1]は活動性胃潰瘍に対してオメプラゾール20 mg/日の単独療法（n＝65例）とこれに加えてレバミピド300 mg/日との併用療法（n＝86例）の2群に無作為に割り付けを行った．内視鏡的治癒確認後，オメプラゾール単独群36例，レバミピド併用群44例の維持療法による1年間の累積再発率を検討した結果，その再発率は単独群47％，併用群36％であり，両群に有意な差を認めていない．

文献

1) 塚本純久, 後藤秀実, 長谷　智, ほか. プロトンポンプ阻害剤による胃潰瘍の内科的治療における防御因子増強剤レバミピド併用の意義—超音波内視鏡による治癒過程の観察と再発率の検討. 臨床成人病 1994; **24**: 1497-1503（ランダム）

BQ 4-6

(2) 維持療法【胃潰瘍】

胃潰瘍に対する非除菌治療（維持療法）の期間はどのくらい必要か？

> **回答**
> ● 維持療法は 1 年までの有効性が示されているため，この期間は治療が必要である．

解説

　胃潰瘍に対する非除菌治療（維持療法）の期間について，「消化性潰瘍診療ガイドライン 2015（改訂第 2 版）」以降に新たな文献報告はなかった．除菌治療によらない胃潰瘍の再発予防効果に対してプラセボを対照とした RCT が多数検討されており，エビデンスの質が高く評価できる（エビデンスレベル A）．胃潰瘍に対する維持療法の期間に関しては，ほとんどの文献が 6 ヵ月[1〜3]から 1 年[4〜14]までの報告であり，1 年間の比較では多くの RCT にて有意な差が認められている（図 1）．しかし，1 年を超える長期有効性の報告はなく，長期観察が行われていても次第に脱落例が多くなり，有意差が得られにくくなっていると考えられる．

　以上より，維持療法は 1 年までの有効性が示されているため，この期間は維持療法が必要である．

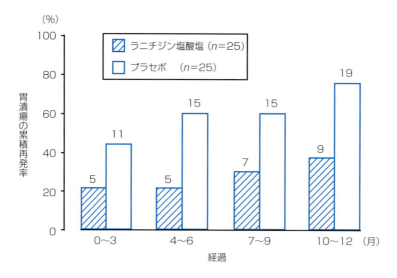

図 1　ラニチジン塩酸塩とプラセボにおける胃潰瘍の累積再発率の比較
ラニチジン塩酸塩群における胃潰瘍再発率はプラセボ群と比較して有意に低く（$p<0.01$），1 年間の累積再発率はそれぞれ 36%，76% であった．
（Jorde R, et al. Gut 1987; 28: 460-463 [9] より許諾を得て転載）

■ 文献 ■

1) Classen M, Bethge H, Brunner G, et al. Effect of sucralfate on peptic ulcer recurrence: a controlled double-blind multicenter study. Scand J Gastroenterol 1983; **18** (Suppl 83): 61-68（ランダム）
2) Marks IN, Wright JP, Girdwood AH, et al. Maintenance therapy with sucralfate reduces rate of gastric ulcer recurrence. Am J Med 1985; **79**: 32-35（ランダム）
3) Marks IN, Girdwood AH, Wright JP, et al. Nocturnal dosage regimen of sucralfate in maintenance treatment of gastric ulcer. Am J Med 1987; **83**: 95-98（ランダム）
4) Hentschel E, Schütze K, Weiss W, et al. Effect of cimetidine treatment in the prevention of gastric ulcer relapse: a one year double blind multicentre study. Gut 1983; **24**: 853-856（ランダム）
5) Barr GD, Kang JY, Canalese J, et al. A two-year prospective controlled study of maintenance cimetidine and gastric ulcer. Gastroenterology 1983; **85**: 100-104（ランダム）
6) 増田久之，佐藤　誠，井上修一，ほか．胃潰瘍の再発防止に対する二重盲検比較試験による臨床的薬効評価―胃潰瘍再発に対するスクラルフェートの作用．臨床と研究 1983; **60**: 2265-2272（ランダム）
7) Kinloch JD, Pearson AJ, Woolf IL, et al. The effect of cimetidine on the maintenance of healing of gastric ulceration. Postgrad Med J 1984; **60**: 665-667（ランダム）
8) Piper DW, Pym BM, Toy S, et al. The effect of maintenance cimetidine therapy on the medical, social and economic aspects of patients with chronic gastric ulcers: a placebo-controlled prospective study. Med J Aust 1986; **145**: 400-403（ランダム）
9) Jorde R, Burhol PG, Hansen T. Ranitidine 150 mg at night in the prevention of gastric ulcer relapse. Gut 1987; **28**: 460-463（ランダム）
10) Blum AL, Bethge H, Bode JC, et al. Sucralfate in the treatment and prevention of gastric ulcer: multicentre double blind placebo controlled study. Gut 1990; **31**: 825-830（ランダム）
11) The European Cooperative Roxatidine Study Group. Roxatidine acetate as maintenance treatment for peptic ulcer disease. Clin Ther 1991; **13**: 47-57（ランダム）
12) Berlin RG, Root JK, Cook TJ. Nocturnal therapy with famotidine for 1 year is effective in preventing relapse of gastric ulcer. Aliment Pharmacol Ther 1991; **5**: 161-171（ランダム）
13) Battaglia G. Risk Factors of relapse in gastric ulcer: a one-year, double-blind, comparative study of nizatidine versus placebo. Ital J Gastroenterol 1994; **26** (Suppl 1): 19-22（ランダム）
14) Sue SO, Dawson DM, Brown JA, et al. Effectiveness of ranitidine 150 mg at bedtime as maintenance therapy for healed gastric ulcers. Clin Ther 1996; **18**: 1175-1183（ランダム）

BQ 4-7　　　(2) 維持療法【胃潰瘍】

胃潰瘍に対する非除菌治療において，維持療法中に内視鏡検査は必要か？

回答

- 胃潰瘍の非除菌治療における維持療法中は胃潰瘍再発や胃癌の早期発見のため，内視鏡による定期観察が必要である．

解説

　胃潰瘍に対する非除菌治療において，維持療法中に内視鏡検査は必要かについて，「消化性潰瘍診療ガイドライン 2015（改訂第2版）」以降に新たな文献報告はなかった．熊ら[1]はシメチジンの投与で治癒し，治療を終了した胃潰瘍 65 例，十二指腸潰瘍 33 例の経過について検討した．潰瘍歴別では初発群に比して再発群で再発率が高い傾向を示し，潰瘍数別では単発群に比して多発群で有意に再発率が高かった．治療終了時の病期別では S2 期に比して S1 期で有意差をもって再発率が高かったが，病期別に関係なく多くは 2 年以内に再発が認められた．さらに，S1 期では維持療法の有無にかかわらず，ほとんどが再発を認めたが，S2 期では 6.1 ヵ月以上維持療法を行った群で再発率が最も低率であった．胃潰瘍治療において初期治療後も少なくとも 6 ヵ月以上の維持療法を行い，S2 期の治癒を確認し，治療終了後も症状の有無に関係なく，6 ヵ月～1 年に 1 回程度，定期的に内視鏡検査を行い，潰瘍再発の早期発見に努めることが重要であると報告している．

　胃潰瘍の非除菌治療における維持療法中は *H. pylori* の持続感染が認められるため，胃潰瘍の治癒後も潰瘍再発や胃癌発生のリスクが残存する．そのため，治療終了後も症状の有無に関係なく，胃潰瘍再発や胃癌の早期発見に努めることは重要であり，内視鏡による定期観察が必要である．

文献

1) 熊　英治郎，中川　均，海沼滋典，ほか．消化性潰瘍の内視鏡的治癒判定とその予後─消化性潰瘍治療終了後の経過．Progress of Digestive Endoscopy（消化器内視鏡の進歩）1989; **34**: 19-24（横断）

BQ 4-8

(2) 維持療法【十二指腸潰瘍】

十二指腸潰瘍の非除菌治療において維持療法は必要か？

> **回答**
> ● 除菌治療によらない十二指腸潰瘍治療において，維持療法は治癒後の再発抑制に必要である．

解説

現在，消化性潰瘍に対する初期治療は $H.\ pylori$ 除菌治療が第一選択であり，さらに除菌治療により有意に潰瘍再発が抑制されることが明らかであるため，除菌治療によらない潰瘍の維持療法の対象は限定される．「消化性潰瘍診療ガイドライン2015（改訂第2版）」以降に新たな文献報告はなかった．除菌治療によらない十二指腸潰瘍の再発予防効果に対してプラセボを対照としたRCTが多数検討されており[1～11]，エビデンスの質が高く評価できる（エビデンスレベルA）．Sontagらは，十二指腸潰瘍370例をシメチジン400mg（1日2回分割投与群83例，1日1回投与群67例），同600mg（1日2回分割投与群150例）とプラセボ（70例）との二重盲検比較試験へ登録し，1年後の再発率を検討した．その結果，シメチジン治療群のいずれもがプラセボ群より有意に1年後の潰瘍再発抑制効果を示した[1]．これを含め，プラセボを対照としたRCTにて維持療法は十二指腸潰瘍治癒後の再発抑制に効果が認められた[1～11]．

以上より，$H.\ pylori$ 除菌治療を行わない場合には，十二指腸潰瘍の初期治療で潰瘍が治癒したのちは，再発を抑制するために維持療法を行うことは必要である（図1）．

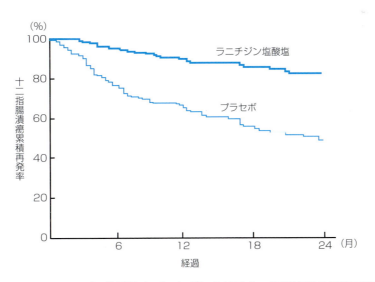

図1 ラニチジン塩酸塩とプラセボにおける十二指腸潰瘍の累積再発率の比較

ラニチジン塩酸塩群とプラセボ群における2年間の比較では，ラニチジン塩酸塩は十二指腸潰瘍の再発を有意に抑制した（$p<0.001$）．
(Ruszniewski P, et al. Gut 1993; 34: 1662-1665 [4] より許諾を得て転載)

文献

1) Sontag S, Graham DY, Belsito A, et al. Cimetidine, cigarette smoking, and recurrence of duodenal ulcer. N Engl J Med 1984; **311**: 689-693（ランダム）
2) Palmer RH, Frank WO, Karlstadt R. Maintenance therapy of duodenal ulcer with H2-receptor antagonists: a meta-analysis. Aliment Pharmacol Ther 1990; **4**: 283-294（メタ）
3) Van Deventer GM, Elashoff JD, Reedy TJ, et al. A randomized study of maintenance therapy with ranitidine to prevent the recurrence of duodenal ulcer. N Engl J Med 1989; **320**: 1113-1119（ランダム）
4) Ruszniewski P, Slama A, Pappo M, et al. Two year maintenance treatment of duodenal ulcer disease with ranitidine 150 mg: a prospective multicentre randomised study. Gut 1993; **34**: 1662-1665（ランダム）
5) Jensen DM, Cheng S, Kovacs TO, et al. A controlled study of ranitidine for the prevention of recurrent hemorrhage from duodenal ulcer. N Engl J Med 1994; **330**: 382-386（ランダム）
6) Texter EC Jr, Navab F, Mantell G, et al. Maintenance therapy of duodenal ulcer with famotidine. A multicenter United States study. Am J Med 1986; **81**: 25-32（ランダム）
7) The European Cooperative Roxatidine Study Group. Roxatidine acetate as maintenance treatment for peptic ulcer disease. Clin Ther 1991; **13**: 47-57（ランダム）
8) Cerulli MA, Cloud ML, Offen WW, et al. Nizatidine as maintenance therapy of duodenal ulcer disease in remission. Scand J Gastroenterol 1987; **22** (Suppl 136): 79-83（ランダム）
9) Classen M, Bethge H, Brunner G, et al. effect of sucralfate on peptic ulcer recurrence: a controlled double-blind multicenter study. Scand J Gastroenterol 1983; **18** (Suppl 83): 61-68（ランダム）
10) Goh KL, Boonyapisit S, Lai KH, et al. Prevention of duodenal ulcer relapse with omeprazole 20 mg daily: a randomized double-blind, placebo-controlled study. J Gastroenterol Hepatol 1995; **10**: 92-97（ランダム）
11) Lanza F, Goff J, Silvers D, et al. Prevention of duodenal ulcer recurrence with 15 mg lansoprazole: a double-blind placebo-controlled study: The Lansoprazole Study Group. Dig Dis Sci 1997; **42**: 2529-2536（ランダム）

BQ 4-9　　　　　　　　　　　　　　　　　　　　　　(2) 維持療法【十二指腸潰瘍】

十二指腸潰瘍に対する非除菌治療（維持療法）にはどのような薬剤を推奨するか？

回答

● 十二指腸潰瘍の非除菌治療において維持療法には PPI，H_2RA，スクラルファートを選択する．

解説

「消化性潰瘍診療ガイドライン 2015（改訂第 2 版）」以降に新たな文献報告はなかった．除菌治療によらない十二指腸潰瘍の再発予防効果に対してプラセボを対照とした RCT が多数実施されており，エビデンスの質が高く評価できる（エビデンスレベル A）．Sontag らは，十二指腸潰瘍 370 例をシメチジン 400 mg（1 日 2 回分割投与群 83 例，1 日 1 回投与群 67 例），同 600 mg（1 日 2 回分割投与群 150 例）とプラセボ（70 例）との二重盲検比較試験へ登録し，1 年後の再発率を検討した．その結果，シメチジン治療群のいずれもがプラセボ群より有意に 1 年後の潰瘍再発抑制効果を示した[1]．これを含め，プラセボを対照とした RCT にて十二指腸潰瘍の再発抑制に効果が認められた薬剤は，シメチジン 400 mg [1,2]，同 600 mg [1]，ラニチジン塩酸塩 150 mg [2〜5]，ファモチジン 20 mg [2,6]，同 40 mg [2,6]，ロキサチジン酢酸エステル塩酸塩 75 mg [7]，ニザチジン 150 mg [2,8]，スクラルファート 2 g [9]，オメプラゾール 20 mg [10]，ランソプラゾール 15 mg [11] である．

ボノプラザンは PPI より効果発現が早く，強力な酸分泌抑制作用を有する薬剤であるため，消化性潰瘍の治療薬としてその使用頻度が近年増加している．Miwa ら [12] は十二指腸潰瘍の初期治療において，ボノプラザンの潰瘍治癒促進効果はランソプラゾールと同程度であることを報告している．しかしながら，十二指腸潰瘍に対する維持療法におけるボノプラザンの再発予防効果に関する文献報告はなかった．

以上より，十二指腸潰瘍に対する非除菌治療（維持療法）において，その有効性がプラセボを対照とした RCT によって証明された薬剤は PPI，H_2RA，スクラルファートであり，維持療法にはこれらを選択する（表 1）．なお，維持療法としての PPI の使用は保険適用外である．

表 1　プラセボ対照の比較試験で十二指腸潰瘍の再発抑制に効果の認められた薬剤とその用量

薬剤	用量
シメチジン	400 mg [1,2]，600 mg [1]
ラニチジン塩酸塩	150 mg [2〜5]
ファモチジン	20 mg [2,6]，40 mg [2,6]
ロキサチジン酢酸エステル塩酸塩	75 mg [7]
ニザチジン	150 mg [2,8]
スクラルファート	2 g [9]
オメプラゾール	20 mg [10]
ランソプラゾール	15 mg [11]

文献

1) Sontag S, Graham DY, Belsito A, et al. Cimetidine, cigarette smoking, and recurrence of duodenal ulcer. N Engl J Med 1984; **311**: 689-693（ランダム）
2) Palmer RH, Frank WO, Karlstadt R. Maintenance therapy of duodenal ulcer with H2-receptor antagonists: a meta-analysis. Aliment Pharmacol Ther 1990; **4**: 283-294（メタ）
3) Van Deventer GM, Elashoff JD, Reedy TJ, et al. A randomized study of maintenance therapy with ranitidine to prevent the recurrence of duodenal ulcer. N Engl J Med 1989; **320**: 1113-1119（ランダム）
4) Ruszniewski P, Slama A, Pappo M, et al. Two year maintenance treatment of duodenal ulcer disease with ranitidine 150 mg: a prospective multicentre randomised study. Gut 1993; **34**: 1662-1665（ランダム）
5) Jensen DM, Cheng S, Kovacs TO, et al. A controlled study of ranitidine for the prevention of recurrent hemorrhage from duodenal ulcer. N Engl J Med 1994; **330**: 382-386（ランダム）
6) Texter EC Jr, Navab F, Mantell G, et al. Maintenance therapy of duodenal ulcer with famotidine. A multicenter United States study. Am J Med 1986; **81**: 25-32（ランダム）
7) The European Cooperative Roxatidine Study Group. Roxatidine acetate as maintenance treatment for peptic ulcer disease. Clin Ther 1991; **13**: 47-57（ランダム）
8) Cerulli MA, Cloud ML, Offen WW, et al. Nizatidine as maintenance therapy of duodenal ulcer disease in remission. Scand J Gastroenterol 1987; **22** (Suppl 136): 79-83（ランダム）
9) Classen M, Bethge H, Brunner G, et al. effect of sucralfate on peptic ulcer recurrence: a controlled double-blind multicenter study. Scand J Gastroenterol 1983; **18** (Suppl 83): 61-68（ランダム）
10) Goh KL, Boonyapisit S, Lai KH, et al. Prevention of duodenal ulcer relapse with omeprazole 20 mg daily: a randomized double-blind, placebo-controlled study. J Gastroenterol Hepatol 1995; **10**: 92-97（ランダム）
11) Lanza F, Goff J, Silvers D, et al. Prevention of duodenal ulcer recurrence with 15 mg lansoprazole: a double-blind placebo-controlled study: The Lansoprazole Study Group. Dig Dis Sci 1997; **42**: 2529-2536（ランダム）
12) Miwa H, Uedo N, Watari J, et al. Randomised clinical trial: efficacy and safety of vonoprazan vs. lansoprazole in patients with gastric or duodenal ulcers - results from two phase 3, non-inferiority randomised controlled trials. Aliment Pharmacol Ther **45**: 240-252, 2017（ランダム）

BQ 4-10 (2) 維持療法【十二指腸潰瘍】

十二指腸潰瘍に対する非除菌治療（維持療法）において，酸分泌抑制薬と防御因子増強薬の併用療法は有用か？

回答

- PPIと防御因子増強薬の併用によって十二指腸潰瘍再発に対する上乗せ効果は得られないため，PPIあるいはH_2RAの単剤（単独）治療を行う．

解説

　酸分泌抑制薬と防御因子増強薬の併用療法について，「消化性潰瘍診療ガイドライン2015（改訂第2版）」以降に新たな文献報告はなかった．よって，初版および改訂第2版と同様に十二指腸潰瘍の非除菌治療（維持療法）において，PPIあるいはH_2RAの単剤（単独）治療を行う．

文献

（なし）

BQ 4-11

(2) 維持療法【十二指腸潰瘍】

十二指腸潰瘍に対する非除菌治療（維持療法）の期間はどのくらい必要か？

> **回答**
> ● 維持療法は 2 年までの有効性が示されているため，この期間は治療が必要である．

解説

十二指腸潰瘍に対する非除菌治療（維持療法）の期間について，「消化性潰瘍診療ガイドライン 2015（改訂第2版）」以降に新たな文献報告はなかった．除菌治療によらない十二指腸潰瘍の再発予防効果に対してプラセボを対照とした RCT が多数検討されており，エビデンスの質が高く評価できる（エビデンスレベル A）．十二指腸潰瘍に対する維持療法の期間に関しては，多くは6ヵ月[1]，1年[2〜4]，2年[5〜7]までの RCT があり，これらの比較では有意な差が認められている（「BQ 4-8」の図1参照）．しかし，2年を超える長期の有効性に関する報告はなく，これ以上の長期観察が行われていても次第に脱落例が多くなり，有意差が得られにくくなっていると考えられる．

以上より，十二指腸潰瘍に対する維持療法の期間は2年までの有効性が示されているため，この期間は維持療法が必要である．

文献

1) Classen M, Bethge H, Brunner G, et al. effect of sucralfate on peptic ulcer recurrence: a controlled double-blind multicenter study. Scand J Gastroenterol 1983; **18** (Suppl 83): 61-68（ランダム）
2) Sontag S, Graham DY, Belsito A, et al. Cimetidine, cigarette smoking, and recurrence of duodenal ulcer. N Engl J Med 1984; **311**: 689-693（ランダム）
3) Texter EC Jr, Navab F, Mantell G, et al. Maintenance therapy of duodenal ulcer with famotidine: a multicenter United States study. Am J Med 1986; **81**: 25-32（ランダム）
4) The European Cooperative Roxatidine Study Group. Roxatidine acetate as maintenance treatment for peptic ulcer disease. Clin Ther 1991; **13**: 47-57（ランダム）
5) Cerulli MA, Cloud ML, Offen WW, et al. Nizatidine as maintenance therapy of duodenal ulcer disease in remission. Scand J Gastroenterol 1987; **22** (Suppl 1369): 79-83（ランダム）
6) Van Deventer GM, Elashoff JD, Reedy TJ, et al. A randomized study of maintenance therapy with ranitidine to prevent the recurrence of duodenal ulcer. N Engl J Med 1989; **320**: 1113-1119（ランダム）
7) Ruszniewski P, Slama A, Pappo M, et al. Two year maintenance treatment of duodenal ulcer disease with ranitidine 150 mg: a prospective multicentre randomised study. Gut 1993; **34**: 1662-1665（ランダム）

BQ 4-12　(2) 維持療法【十二指腸潰瘍】

十二指腸潰瘍に対する非除菌治療において，維持療法中に内視鏡検査は必要か？

> **回答**
> ● 十二指腸潰瘍の非除菌治療における維持療法中は十二指腸潰瘍再発や胃癌の早期発見のため，内視鏡による定期観察が必要である．

解説

　十二指腸潰瘍に対する非除菌治療において，維持療法中に内視鏡検査は必要かについて「消化性潰瘍診療ガイドライン2015（改訂第2版）」以降に新たな文献報告はなかった．熊ら[1]はシメチジンの投与で治癒し，治療を終了した胃潰瘍65例，十二指腸潰瘍33例の経過について検討した．治療終了時の病期別ではS2期に比してS1期で有意差をもって再発率が高かったが，病期別に関係なく多くは2年以内に再発が認められた．さらに，S1期では維持療法の有無にかかわらず，ほとんどが再発を認めたが，S2期では6.1ヵ月以上維持療法を行った群で再発率が最も低率であった．十二指腸潰瘍治療において初期治療後も少なくとも6ヵ月以上の維持療法を行い，S2期の治癒を確認し，治療終了後も症状の有無に関係なく，6ヵ月～1年に1回程度，定期的に内視鏡検査を行い，潰瘍再発の早期発見に努めることが重要であると報告している．

　十二指腸潰瘍の非除菌治療における維持療法中はH. pyloriの持続感染が認められるため，潰瘍の治癒後も潰瘍再発や胃癌発生のリスクが残存する．そのため，治療終了後も症状の有無に関係なく，十二指腸潰瘍再発や胃癌の早期発見に努めることは重要であり，内視鏡による定期観察が必要である．

文献

1) 熊　英治郎, 中川　均, 海沼滋典, ほか. 消化性潰瘍の内視鏡的治癒判定とその予後―消化性潰瘍治療終了後の経過. Progress of Digestive Endoscopy（消化器内視鏡の進歩）1989; **34**: 19-24（横断）

第5章
薬物性潰瘍

BQ 5-1　(1) NSAIDs 潰瘍（低用量アスピリン含む）【疫学・病態】

NSAIDs 服用者では，消化性潰瘍，上部消化管出血のリスクは高まるか？

回答
- NSAIDs 服用により，消化性潰瘍，上部消化管出血のリスクは明らかに高まる．

解説

「消化性潰瘍診療ガイドライン 2015（改訂第 2 版）」以降に新たな文献報告はなかった．

NSAIDs 服用による消化性潰瘍リスクに関して，海外のメタアナリシスでの潰瘍のリスクは NSAIDs（−）/H. pylori（−）のリスクを 1 とすると，オッズ比は H. pylori（+）では 18.1，NSAIDs（+）では 19.4，NSAIDs（+）/H. pylori（+）では 61.1 と著明に増大する[1]．

上部消化管出血のリスクは前述の報告では NSAIDs（−）/H. pylori（−）のリスクを 1 とすると，オッズ比は H. pylori（+）では 1.79，NSAIDs（+）では 4.85，NSAIDs（+）/H. pylori（+）では 6.13 であった[1]．日本のケースコントロール研究でも，上部消化管出血のリスクは，オッズ比が H. pylori（+）では 5.4，NSAIDs（+）では 4.1，NSAIDs（+）/H. pylori（+）では 10.4 であった[2]．以上のように海外，日本の報告ともに NSAIDs と H. pylori は相加的に上部消化管出血のリスクを高める．さらに 2010 年に発表されたメタアナリシスにおいても，一般的な NSAIDs の上部消化管出血，穿孔に対する相対危険度は非内服者に比して 4.5 倍と示された[3]．

2018 年に大規模疫学レセプトデータベースを利用した本邦におけるケースコントロール研究が報告され，消化性潰瘍および上部消化管出血のリスク（オッズ比）は，コントロール群と比較して，NSAIDs 服用例では 1.45，1.76 とリスクが高いことが示された[4]．

文献

1) Huang JQ, Sridhar S, Hunt RH. Role of *Helicobacter pylori* infection and non-steroidal anti-inflammatory drugs in peptic ulcer disease: a meta-analysis. Lancet 2002; **359**: 14-22（メタ）
2) Sakamoto C, Sugano K, Ota S, et al. Case-control study on the association of upper gastrointestinal bleeding and nonsteroidal anti-inflammatory drugs in Japan, Eur J Clin Pharmacol 2006; **62**: 765-772（ケースコントロール）
3) Massó González EL, Patrignani P, Tacconelli S, et al. Variability among nonsteroidal antiinflammatory drugs in risk of upper gastrointestinal bleeding. Arthritis Rheum 2010; **62**: 1592-1601（メタ）
4) Sugisaki N, Iwakiri R, Tsuruoka N, et al. A case-control study of the risk of upper gastrointestinal mucosal injuries in patients prescribed concurrent NSAIDs and antithrombotic drugs based on data from the Japanese national claims database of 13 million accumulated patients. J Gastroenterol 2018; **53**: 1253-1260（ケースコントロール）

(1) NSAIDs 潰瘍(低用量アスピリンを含む)【疫学・病態】

BQ 5-2

NSAIDs 潰瘍および消化管出血の発生頻度はどれほどか？

回答

● 酸分泌抑制薬で予防治療がされていない場合の胃潰瘍の発生頻度は 10〜15％，十二指腸潰瘍の発生頻度は 3％，消化管出血の発生頻度は約 1％である．

解説

NSAIDs 起因性胃・十二指腸潰瘍の発生率に関する海外からのメタアナリシスでは，1 週間以上の NSAIDs 投与による NSAIDs 起因性胃・十二指腸潰瘍の発生率は，胃潰瘍が 14.2％，十二指腸潰瘍が 5.4％である(表 1)[1]．一方，低用量アスピリン(LDA)服用者を対象とした観察研究では，投与後 3 ヵ月目には胃・十二指腸潰瘍が 10.7％で認められた[2]．消化性潰瘍歴のある高リスク患者における COX-2 選択的阻害薬の内服時は 3.7〜24.1％の消化性潰瘍の再発，あるいは消化性潰瘍合併症の報告がある[3]．本邦の NSAIDs 服用者の胃・十二指腸潰瘍の発生率は，胃潰瘍が 10〜15％，十二指腸潰瘍が 2％に認められた[4,5]．また，3 ヵ月以上の LDA 内服虚血性心疾患患者では，胃・十二指腸潰瘍が 12.4〜18.8％で認められた[6,7]．

COX-2 選択的阻害薬と NSAIDs との比較試験では，消化管出血の頻度は NSAIDs で 0.42〜1.7％，COX-2 選択的阻害薬では 0.26〜0.76％である[8]．海外での報告では，約 4 年間の LDA 内服で消化管出血の頻度は 1.1％である[9,10]．日本での多施設共同の症例対照研究では，上部消化管出血リスクのオッズ比は NSAIDs 服用者で 7.6，LDA 服用者で 7.7 である[11]．また，日本の急性心筋梗塞，2 型糖尿病を対象とした大規模なランダム化研究において，1〜4 年の LDA 服用による消化管出血の発生頻度は 0.4〜0.95％であった[12,13]．

表1 内視鏡による NSAIDs 潰瘍の発生頻度

	報告年	胃潰瘍	十二指腸潰瘍
海外 RCT 20 論文[1]			
平均	1982〜2002	14.2％	5.4％
範囲		3.4〜48.6％	0〜26.7％
日本			
塩川ら[4]	1996	15％	2％
矢島ら[5]	2006	10％	0％

文献

1) Rostom A, Dube C, Wells G, et al. Prevention of NSAID-induced gastroduodenal ulcers. Cochrane Database Syst Rev 2002; (4): CD002296 (メタ)
2) Yeomans ND, Lanas AI, Talley NJ, et al. Prevalence and incidence of gastroduodenal ulcers during treatment with vascular protective doses of aspirin. Aliment Pharmacol Ther 2005; **22**: 795-801 (横断)
3) Scheiman JM, Yeomans ND, Talley NJ, et al. Prevention of ulcers by esomeprazole in at-risk patients using non-selective NSAIDs and COX-2 inhibitors. Am J Gastroenterol 2006; **101**: 701-710 (ランダム)
4) 塩川優一．非ステロイド性抗炎症剤による上部消化管傷害に関する疫学調査．リウマチ 1991; 31: 96-111 (横

断)
5) 矢島弘嗣,山尾純一,宮内義純.NSAIDs 長期服用患者における胃粘膜傷害の発症状況に関する疫学調査. Therapeutic Research 2006; 27: 1211-1217（横断）
6) Nema H, Kato M, Katsurada T, et al. Endoscopic survey of low-dose-aspirin-induced gastroduodenal mucosal injuries in patients with ischemic heart disease. J Gastroenterol Hepatol 2008; **23**: S234-S236（横断）
7) Shiotani A, Sakakibara T, Yamanaka Y, et al. Upper gastrointestinal ulcer in Japanese patients taking low-dose aspirin. J Gastroenterol 2009; **44**: 126-131（横断）
8) Chen YF, Jobanputra P, Barton P, et al. Cyclooxygenase-2 selective non-steroidal anti-inflammatory drugs (etodolac, meloxicam, celecoxib, rofecoxib, etoricoxib, valdecoxib and lumiracoxib) for osteoarthritis and rheumatoid arthritis: a systematic review and economic evaluation. Health Technol Assess 2008; **12**: 1-278, （メタ）
9) Juul-Möller S, Edvardsson N, Jahnmatz B, et al. Double-blind trial of aspirin in primary prevention of myocardial infarction in patients with stable chronic angina pectoris: The Swedish Angina Pectoris Aspirin Trial (SAPAT) Group. Lancet 1992; **340**: 1421-1425（ランダム）
10) Hansson L, Zanchetti A, Carruthers SG, et al. Effects of intensive blood-pressure lowering and low-dose aspirin in patients with hypertension: principal results of the Hypertension Optimal Treatment (HOT) randomised trial. HOT Study Group. Lancet 1998; **351**: 1755-1762（ランダム）
11) Sakamoto C, Sugano K, Ota S, et al. Case-control study on the association of upper gastrointestinal bleeding and nonsteroidal anti-inflammatory drugs in Japan. Eur J Clin Pharmacol 2006; **62**: 765-772（ケースコントロール）
12) Yasue H, Ogawa H, Tanaka H, et al. Effects of aspirin and trapidil on cardiovascular events after acute myocardial infarction: Japanese Antiplatelets Myocardial Infarction Study (JAMIS) Investigators. Am J Cardiol 1999; **83**: 1308-1313（ランダム）
13) Ogawa H, Nakayama M, Morimoto T, et al; Japanese Primary Prevention of Atherosclerosis With Aspirin for Diabetes (JPAD) Trial Investigators. Low-dose aspirin for primary prevention of atherosclerotic events in patients with type 2 diabetes: a randomized controlled trial. JAMA 2008; **300**: 2134-2141（ランダム）

BQ 5-3 (1) NSAIDs潰瘍（低用量アスピリン含む）【疫学・病態】

NSAIDs潰瘍の発生時期はいつか？

回答

● NSAIDsの服用中は潰瘍発生のリスクは継続するが，特に投与3ヵ月以内の発生リスクが高い．

解説

NSAIDs潰瘍の発症時期をNSAIDs起因性消化管出血の時期からみてみると，NSAIDs起因性消化管出血のリスクは，NSAIDs内服開始から1ヵ月以内で7.6（6.0～9.5），1ヵ月から3ヵ月以内で7.3（4.0～13.2），3ヵ月から1年以内で2.6（1.6～4.1），1年以降で2.5（1.8～3.4）である（図1）[1,2]．

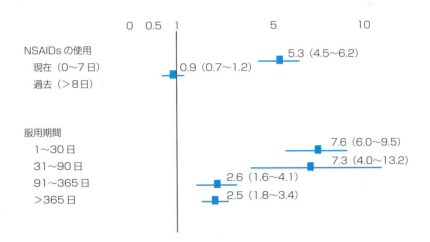

図1　NSAIDs起因性消化管出血のリスク
（Lanas A, et al. Gut 2006; 55: 1731-1738 [1] より許諾を得て転載）

文献

1) Lanas A, García-Rodríguez LA, Arroyo MT, et al; Asociación Española de Gastroenterología. Risk of upper gastrointestinal ulcer bleeding associated with selective cyclo-oxygenase-2 inhibitors, traditional non-aspirin non-steroidal anti-inflammatory drugs, aspirin and combinations. Gut 2006; **55**: 1731-1738（ケースコントロール）

2) Hernández-Díaz S, Rodríguez LA. Association between nonsteroidal anti-inflammatory drugs and upper gastrointestinal tract bleeding/perforation: an overview of epidemiologic studies published in the 1990s. Arch Intern Med 2000; **160**: 2093-2099（メタ）

BQ 5-4 （1）NSAIDs 潰瘍（低用量アスピリン含む）【疫学・病態】

NSAIDs による上部消化管傷害における症状は何か？

回答

- NSAIDs 服用中には出血などの合併症を有することが多く，消化管出血を起こす場合でも無症状の割合が高い．

解説

NSAIDs による上部消化管傷害における症状について，「消化性潰瘍診療ガイドライン 2015（改訂第 2 版）」以降に新たな文献報告はなかった．NSAIDs 潰瘍の特徴は，発生部位が幽門前庭部に多いこと，多発傾向があること，比較的浅い潰瘍が多いこと，出血・狭窄などの合併症を有する頻度が比較的高いことである[1]．一般的に消化性潰瘍では上腹部痛などの自覚症状を有することが多いが，NSAIDs 潰瘍の半分近くは自覚症状を欠いている（図 1）[2]．また，NSAIDs 使用者では内視鏡的な粘膜傷害を認めなくても，30％近くにディスペプシア症状を有する[3～5]．NSAIDs 使用者に対しては，定期的な内視鏡観察や貧血のモニタリングなどで，早期に NSAIDs 潰瘍の発症に注意する必要がある．

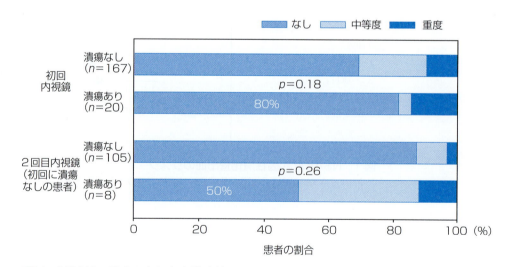

図 1　NSAIDs 潰瘍の有無と自覚症状
（Yeomans ND, et al. Aliment Pharmacol Ther 2005; 22: 795-801 [2] より許諾を得て転載）

文献

1) Mizokami Y, Narushima K, Shiroishi T, et al. Non-*Helicobacter pylori* ulcer disease in rheumatoid arthritis patients receiving long-term NSAID therapy. J Gastroenterol 2000; **35**: S38-S41（ケースコントロール）
2) Yeomans ND, Lanas AI, Talley NJ, et al. Prevalence and incidence of gastroduodenal ulcers during treatment with vascular protective doses of aspirin. Aliment Pharmacol Ther 2005; **22**: 795-801（横断）

3) Ofman JJ, Maclean CH, Straus WL, et al. Meta-analysis of dyspepsia and nonsteroidal antiinflammatory drugs. Arthritis Rheum 2003; **49**: 508-518（メタ）
4) Wolfe F, Kong SX, Watson DJ. Gastrointestinal symptoms and health related quality of life in patients with arthritis. J Rheumatol 2000; **27**: 1373-1378（コホート）
5) Thiefin G, Schaeverbeke T, Barthelemy P, et al. Upper gastrointestinal symptoms in patients treated with nonsteroidal anti-inflammatory drugs: prevalence and impact: the COMPLAINS study. Eur J Gastroenterol Hepatol 2010; **22**: 81-87（横断）

BQ 5-5　(1) NSAIDs潰瘍（低用量アスピリン含む）【疫学・病態】

NSAIDs潰瘍はH. pylori関連の潰瘍と発生部位，個数，深さが異なるか？

回答

- 発生部位はNSAIDs潰瘍では胃幽門部，H. pylori関連潰瘍では胃角部から胃体部に多い．NSAIDsでは浅い胃潰瘍が多発する傾向がある．

解説

　NSAIDs潰瘍とH. pylori関連潰瘍の相違について，「消化性潰瘍診療ガイドライン2015（改訂第2版）」以降に新たな文献報告はなかった．H. pyloriとNSAIDsは，胃・十二指腸潰瘍の互いに独立した二大成因である．NSAIDs服用者でH. pylori感染のない症例の多くは純粋なNSAIDs潰瘍である．かつては，NSAIDs使用者の多くがH. pylori感染者であったが[1]，H. pylori感染率の低下に伴い，純粋なNSAIDs潰瘍の比率が増加している[2]．一般臨床ではNSAIDs内服中に胃・十二指腸潰瘍を認めた場合には，NSAIDs潰瘍として対応している[3]．H. pylori潰瘍および純粋なNSAIDs潰瘍の発生部位には特徴がある（図1）[4]．H. pyloriに関連した胃潰瘍では胃角部から胃体部に発生し，NSAIDsや低用量アスピリンに関連する胃潰瘍は幽門部に発生する傾向がある．また，NSAIDs服用者では不整で浅い潰瘍が幽門部を中心に多発する傾向がある[5]．H. pylori陽性のNSAIDs使用者に発生する胃潰瘍は，幽門部と胃体部のどちらにも発生して，H. pylori潰瘍とNSAIDs潰瘍の両者の特徴を併せ持つ[6]．

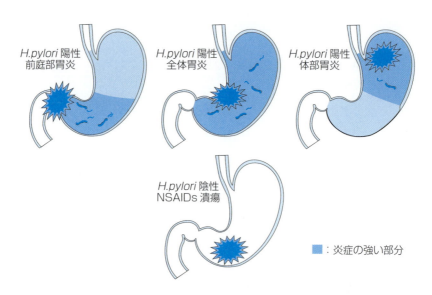

図1　H. pylori潰瘍とNSAIDs潰瘍の発生部位

(1) NSAIDs 潰瘍(低用量アスピリンを含む)【疫学・病態】

文献

1) Nishikawa K, Sugiyama T, Kato M. Non-*Helicobacter pylori* and non-NSAID peptic ulcer disease in the Japanese population. Eur J Gastroenterol Hepatol 2000; **12**: 1-6(ケースコントロール)
2) Nagasue T, Nakamura S, Kochi S, et al. Time trends of the impact of *Helicobacter pylori* infection and nonsteroidal anti-inflammatory drugs on peptic ulcer bleeding in Japanese patients. Digestion 2015; **91**: 37-41(横断)
3) Graham DY. Nonsteroidal anti-inflammatory drugs, *Helicobacter pylori*, and ulcers: where we stand. Am J Gastroenterol 1996; **91**: 2080-2086
4) Mizokami Y, Narushima K, Shiraishi T, et al. Non-*Helicobacter pylori* ulcer disease in rheumatoid arthritis patients receiving long-term NSAID therapy. J Gastroenterol 2000; **35** (Suppl 12): 38-41(ケースコントロール)
5) 溝上裕士, 谷田慶俊, 西村正二, ほか. 慢性関節リウマチ患者における上部消化管病変の内視鏡学的検討について. Gastroenterological Endoscopy 1986; **28**: 2297-2303(横断)
6) Kim Y, Yokoyama S, Watari J, et al. Endoscopic and clinical features of gastric ulcers in Japanese patients with or without *Helicobacter pylori* infection who were using NSAIDs or low-dose aspirin. J Gastroenterol 2012; **47**: 904-911(ケースコントロール)

BQ 5-6　(1) NSAIDs潰瘍（低用量アスピリン含む）【疫学・病態】

NSAIDs潰瘍とびらんの違いは何か？

回答

- 内視鏡的に粘膜欠損の大きさが3〜5mm未満をびらん，それ以上を潰瘍とすることが多い．

解説

　潰瘍とびらんの違いについて，「消化性潰瘍診療ガイドライン2015（改訂第2版）」以降に新たな文献報告はなかった．病理組織学的には粘膜筋板までの粘膜欠損をびらん，粘膜筋板を越える粘膜欠損を潰瘍と定義している．NSAIDs潰瘍の予防試験を対象としたシステマティックレビューでは，内視鏡的に3mm以上の大きさの粘膜欠損を潰瘍と定義された論文が最も多く，次は5mm以上の大きさの粘膜欠損を潰瘍と定義している[1]．したがって，内視鏡的に粘膜欠損の大きさが3〜5mm未満をびらん，それ以上を潰瘍とするのが一般的である．

文献

1) Yeomans ND, Naesdal J. Systematic review: ulcer definition in NSAID ulcer prevention trials. Aliment Pharmacol Ther 2008; **27**: 465-472（メタ）

BQ 5-7　(1) NSAIDs 潰瘍（低用量アスピリン含む）【疫学・病態】

NSAIDs 潰瘍のリスク因子は何か？

回答

● 出血性潰瘍既往歴，消化性潰瘍既往歴，高用量 NSAIDs や NSAIDs の併用者，抗凝固薬・抗血小板薬や糖質ステロイド，ビスホスホネートの併用者，高齢者，重篤な合併症を有する者が主なリスク因子である．

解説

「消化性潰瘍診療ガイドライン 2015（改訂第 2 版）」以降に新たな文献報告はなかった．NSAIDs 潰瘍の高リスク因子としては，消化管出血を伴った潰瘍既往歴があげられる．中等度のリスク因子としては高齢者，潰瘍の既往，糖質ステロイドの併用，高用量 NSAIDs や 2 種類以上の NSAIDs 使用者，抗凝固・抗血小板作用のある薬剤の併用，*H. pylori* 陽性者，重篤な全身疾患を有する者，ビスホスホネートの併用があげられる[1〜6]．これらの因子が増えるほど，消化管出血のリスクが高くなる[7]．NSAIDs 潰瘍の既往者に，NSAIDs を再投与する場合には，NSAIDs 潰瘍の再発に細心の注意を払う必要がある．

文献

1) Gabriel SE, Jaakkimainen L, Bombardier C. Risk for serious gastrointestinal complications related to use of nonsteroidal anti-inflammatory drugs: a meta-analysis. Ann Intern Med 1991; **115**: 787-796（メタ）
2) García Rodríguez LA, Jick H. Risk of upper gastrointestinal bleeding and perforation associated with individual non-steroidal anti-inflammatory drugs. Lancet 1994; **343**: 769-772（ケースコントロール）
3) Silverstein FE, Graham DY, Senior JR, et al. Misoprostol reduces serious gastrointestinal complications in patients with rheumatoid arthritis receiving nonsteroidal anti-inflammatory drugs: a randomized, double-blind, placebo-controlled trial. Ann Intern Med 1995; **123**: 241-249（ランダム）
4) Huang JQ, Sridhar S, Hunt RH. Role of *Helicobacter pylori* infection and non-steroidal anti-inflammatory drugs in peptic-ulcer disease: a meta-analysis. Lancet 2002; **359**: 14-22（メタ）
5) Boers M, Tangelder MJ, van Ingen H, et al. The rate of NSAID-induced endoscopic ulcers increases linearly but not exponentially with age: a pooled analysis of 12 randomised trials. Ann Rheum Dis 2007; **66**: 417-418（メタ）
6) Etminan M, Lévesque L, Fitzgerald JM, et al. Risk of upper gastrointestinal bleeding with oral bisphosphonates and non steroidal anti-inflammatory drugs: a case-control study. Aliment Pharmacol Ther 2009; **29**: 1188-1192（ケースコントロール）
7) Koch M, Dezi A, Tarquini M, et al. Prevention of non-steroidal anti-inflammatory drug-induced gastrointestinal mucosal injury: risk factors for serious complications. Dig Liver Dis 2000; **32**: 138-151（横断）

BQ 5-8 (1) NSAIDs 潰瘍（低用量アスピリン含む）【疫学・病態】

NSAIDs の種類により潰瘍（出血）発生率に差があるか？

回答
● NSAIDs 潰瘍（出血）の発生率は薬物の種類により差がある．

解説

NSAIDs 潰瘍と出血などの合併症の薬剤種類によるリスクの違いについては，4編のメタアナリシスが報告されている[1〜4]．

潰瘍発生に関しては，COX-2 選択的阻害薬と非選択的 NSAIDs と比較したシステマティックレビューによると，COX-2 選択的阻害薬は明らかに非選択的 NSAIDs に比べ，潰瘍発生率が減少している[1]．

出血などの合併症に関しては，12件の研究で14種類の NSAIDs における出血性，穿孔性潰瘍の各薬物間でのリスクがメタアナリシスから示されている．この結果，相対危険度はイブプロフェンを1とすると3倍から5倍，最高では11倍に及んでいた[1]．2010年に発表されたシステマティックレビューにおいて，上部消化管出血のリスクの検討では薬剤投与がないコントロール群と比較した相対危険度が非選択的 NSAIDs で 4.5 倍，COX-2 選択的阻害薬で 1.88 倍であった．さらに各 NSAIDs において差があり，セレコキシブ 1.42 倍，イブプロフェン 2.23 倍，ジクロフェナク 3.61 倍，ピロキシカム 8.0 倍，ketorolac は 14.54 倍であった[3]（図1）．また 2012 年

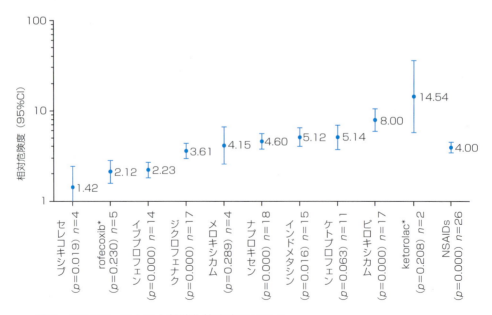

図1　NSAIDs による上部消化管出血のリスク
(Massó González EL, et al. Arthritis Rheum 2010; 62: 1592-1601 [3] より許諾を得て転載)

(1) NSAIDs 潰瘍（低用量アスピリンを含む）【疫学・病態】

にも NSAIDs 種類別の穿孔性潰瘍や消化管出血などの合併症リスクに関するメタアナリシスが報告されて，16 種類の NSAIDs の相対危険度が 1.4〜18.5 まで種類によってリスクの差があることが示された[4]．

文献

1) Hooper L, Brown TJ, Elliott R, et al. The effectiveness of five strategies for the prevention of gastrointestinal toxicity induced by non-steroidal anti-inflammatory drugs: systematic review. BMJ 2004; **329**: 948（メタ）
2) García Rodríguez LA. Non-steroidal anti-inflammatory drugs, ulcers and risk: a collaborative meta-analysis. Semin Arthritis Rheum 1997; **26** (6 Suppl 1): 16-20（メタ）
3) Massó González EL, Patrignani P, Tacconelli S, et al. Variability among nonsteroidal antiinflammatory drugs in risk of upper gastrointestinal bleeding. Arthritis Rheum 2010; **62**: 1592-1601（メタ）
4) Castellsague J, Riera-Guardia N, Calingaert B, et al. Individual NSAIDs and upper gastrointestinal complications: a systematic review and meta-analysis of observational studies (the SOS project). Drug Saf 2012; **35**: 1127-1146（メタ）

BQ 5-9　(1) NSAIDs潰瘍(低用量アスピリン含む)【疫学・病態】

NSAIDsの投与量により潰瘍(出血)発生率に差があるか？

回答
● NSAIDs潰瘍(出血)の発生率はNSAIDsの投与量に依存する．

解説

　NSAIDsの投与量による潰瘍や出血の発生率に関する報告は，以下に示すように欧米の報告が中心であり，潰瘍発生率より消化管出血や穿孔性潰瘍などの潰瘍合併症の検討が多い．

　5件の研究で3種類のNSAIDsにおける出血性，穿孔性潰瘍の用量による相対危険度がメタアナリシスから示されている．この結果，用量依存性に相対危険度が上昇し傷害のリスクが増加していた[1]（図1）．

　2010年の報告でも低用量より高用量で出血，穿孔のリスクが増加していた[2]．2012年のメタアナリシスで，穿孔性潰瘍，消化管出血などの潰瘍合併症に関するリスクについて8種類のNSAIDsの低用量と高用量での相対危険度が報告された．多くの薬剤で低用量と比較し高用量で相対危険度が2〜3倍まで上昇した．この報告での低用量と高用量のカットオフ値はジクロフェナック75〜100 mg/日，セレコキシブ200 mg/日，インドメタシン50〜100 mg/日などであった[3]．

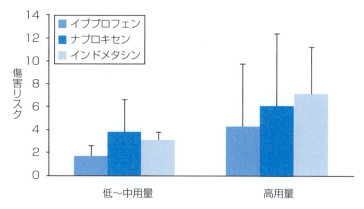

図1　NSAIDsの投与量による傷害リスクの比較
(García Rodríguez LA. Semin Arthritis Rheum 1997; 26 (6 Suppl 1): 16-20 [1] より許諾を得て転載)

文献
1) García Rodríguez LA. Non-steroidal anti-inflammatory drugs, ulcers and risk: a collaborative meta-analysis. Semin Arthritis Rheum 1997; **26** (6 Suppl 1): 16-20（メタ）
2) Massó González EL, Patrignani P, Tacconelli S, et al. Variability among nonsteroidal antiinflammatory drugs in risk of upper gastrointestinal bleeding. Arthritis Rheum 2010; **62**: 1592-1601（メタ）
3) Castellsague J, Riera-Guardia N, Calingaert B, et al. Individual NSAIDs and upper gastrointestinal complications: a systematic review and meta-analysis of observational studies (the SOS project). Drug Saf 2012; **35**: 1127-1146（メタ）

BQ 5-10　(1) NSAIDs 潰瘍（低用量アスピリン含む）【疫学・病態】

NSAIDs の経口投与と坐薬で潰瘍（出血）発生率に差があるか？

回答
- NSAIDs 経口投与と坐薬では潰瘍発生率に差がない．

解説

「消化性潰瘍診療ガイドライン 2015（改訂第 2 版）」以降に新たな文献報告はなかった．

坐薬の吸収経路は中・下直腸静脈から内腸骨静脈を経由して下大静脈へいたる．このため経直腸投与では経口投与に比して吸収速度が速く，血中濃度も高いとされている[1]．前田らはNSAIDs の経口投与，経直腸投与のいずれにおいてもコントロール群に比して胃粘膜プロスタグランジン量は低下すると報告している[2]．長期投与例において，インドメタシンの経口薬と坐薬で胃潰瘍の発生率はおのおの 15.2％，16.7％と差がなかったとの報告がある[3]．

健常ボランティアにナプロキセンを経口投与した群と坐薬で投与した群で粘膜傷害度を検討した成績では，28 日以内では経口投与のほうが Modified Lanza score が高かったが，長期的な結果については不明であり，また潰瘍発生率も示されていない[4]．

いずれの結果からも潰瘍発生に関して，坐薬で発生率が減少するとはいえない．

出血性潰瘍合併に関して，NSAIDs の経口投与と坐薬の発生率の違いに関する報告は検索されなかった．

文献

1) Holt LP, Hawkins CF. Indomethacin: studies of absorption and of the use of indomethacin suppositories. Br Med J 1965; **1** (5446): 1354-1356（非ランダム）
2) 前田　淳，川村雅枝，中井呈子，ほか．坐薬による胃病変の内視鏡および病態生理学的検討．Progress of Digestive Endoscopy（消化器内視鏡の進歩）2006; **28**: 24-28（非ランダム）
3) 溝上裕士，白石貴久，大坪十四哉，ほか．NSAIDs 長期投与慢性関節リウマチ患者における胃潰瘍についての臨床的検討．臨床リウマチ 1998; **10**: 130-141（ケースシリーズ）
4) Lipscomb GR, Rees WD. Gastric mucosal injury and adaptation to oral and rectal administration of naproxen. Aliment Pharmacol Ther 1996; **10**: 133-138（非ランダム）

BQ 5-11　(1) NSAIDs 潰瘍（低用量アスピリン含む）【疫学・病態】

NSAIDs の単剤投与と多剤投与で潰瘍（出血）発生率に差があるか？

回答
- NSAIDs 潰瘍（出血）の発生は多剤投与により増加する．

解説

　NSAIDs の多剤併用での消化性潰瘍，出血リスクに関して，非アスピリン NSAIDs の多剤併用の報告は検索されなかった．NSAIDs とアスピリンの併用，COX-2 選択的阻害薬とアスピリンの併用のリスクの検討では，相対危険度が NSAIDs 5.3，アスピリン 3.9，NSAIDs とアスピリン併用で 12.7 とリスクが上昇し，COX-2 選択的阻害 1，アスピリン 3.6，COX-2 選択的阻害とアスピリン併用で 14.5 とリスクが上昇した[1]．

　2018 年に大規模疫学レセプトデータベースを利用した本邦におけるケースコントロール研究が報告された．消化性潰瘍および上部消化管出血のリスク（オッズ比）は，コントロール群と比較して，NSAIDs，COX-2 選択的阻害薬，LDA，抗血小板薬，抗凝固薬の多剤服用により，それぞれ 1 剤（1.38，1.74），2 剤（2.48，3.95），3 剤以上（4.52，7.77）とリスクが上昇した[2]．

文献

1) Lanas A, García-Rodríguez LA, Arroyo MT, et al. Risk of upper gastrointestinal ulcer bleeding associated with selective cyclo-oxygenase-2 inhibitors, traditional non-aspirin non-steroidal anti-inflammatory drugs, aspirin and combinations. Gut 2006; **55**: 1731-1738（ケースコントロール）
2) Sugisaki N, Iwakiri R, Tsuruoka N, et al. A case-control study of the risk of upper gastrointestinal mucosal injuries in patients prescribed concurrent NSAIDs and antithrombotic drugs based on data from the Japanese national claims database of 13 million accumulated patients. J Gastroenterol 2018; **53**: 1253-1260（ケースコントロール）

(2) 非選択的 NSAIDs 潰瘍【治療】

BQ 5-12

H. pylori 除菌治療で NSAIDs 潰瘍の治癒率は高まるか？

回答

● 潰瘍治癒前は，NSAIDs 服用に伴い発症した潰瘍に対する *H. pylori* 除菌は，治癒率を高めない．

解説

「消化性潰瘍診療ガイドライン 2015（改訂第 2 版）」以降に新たな文献報告はなかった．
NSAIDs 継続投与下での潰瘍治癒率は，*H. pylori* 感染の有無に影響されないとされている[1]．さらに *H. pylori* 除菌は NSAIDs 潰瘍治療に影響を与えないとする報告が多い（表 1）[2,3]．治癒が遷延するとの報告[4] もあるが，少なくとも治癒を促進するとの報告はなく推奨できない．

表 1　NSAIDs 潰瘍の 8 週治癒率への除菌治療の影響

報告年	報告者		治癒例数 / 総例数（治癒率%）		有意差
			除菌 + PPI	PPI	
1996	Porro [2]	ALL	28/35（80）	28/35（88）	なし
		GU	16/21（76）	16/21（90）	なし
		DU	12/14（86）	12/14（91）	なし
1998	Chan [3]	ALL	77/93（83）	88/102（86）	なし
		GU	31/43（72）	46/55（84）	なし
		DU	39/43（90）	37/40（92）	なし
			除菌	PPI	
1998	Hawkey [4]	ALL	39/44（89）	37/37（100）	なし
		GU	15/21（72）	20/20（100）	あり（$p = 0.006$）
		DU	26/26（100）	20/20（100）	なし

ALL：全潰瘍，GU：胃潰瘍，DU：十二指腸潰瘍

文献

1) Agrawal NM, Campbell DR, Safdi MA, et al. Superiority of lansoprazole vs ranitidine in healing nonsteroidal anti-inflammatory drug-associated gastric ulcers: results of a double-blind, randomized, multicenter study: NSAID-Associated Gastric Ulcer Study Group. Arch Intern Med 2000; **160**: 1455-1461（ランダム）
2) Bianchi Porro G, Parente F, Imbesi V, et al. Role of *Helicobacter pylori* in ulcer healing and recurrence of gastric and duodenal ulcers in longterm NSAID users: response to omeprazole dual therapy. Gut 1996; **39**: 22-26（ランダム）
3) Chan FK, Sung JJ, Suen R, et al. Does eradication of *Helicobacter pylori* impair healing of nonsteroidal anti-inflammatory drug associated bleeding peptic ulcers? a prospective randomized study. Aliment Pharmacol Ther 1998; **12**: 1201-1205（ランダム）
4) Hawkey CJ, Tulassay Z, Szczepanski L, et al. Randomised controlled trial of *Helicobacter pylori* eradication in patients on non-steroidal anti-inflammatory drugs: HELP NSAIDs study. Lancet 1998; **352**: 1016-1021（ランダム）

CQ 5-1

(2) 非選択的 NSAIDs 潰瘍【治療】

NSAIDs 潰瘍の治療はどのように行うべきか？

推奨

- NSAIDs は中止し，抗潰瘍薬の投与を推奨する．
【推奨の強さ：**強**（合意率 100%），エビデンスレベル：**A**】
- NSAIDs 中止が不可能な場合，第一選択薬として PPI を推奨する．
【推奨の強さ：**強**（合意率 100%），エビデンスレベル：**A**】

解説

1. NSAIDs の中止による治癒率

NSAIDs 内服中にみられる胃潰瘍，十二指腸潰瘍は NSAIDs 中止のみで高率に治癒する（胃潰瘍の治癒率；4週：47〜61%，8週：90%，十二指腸潰瘍の治癒率；4週：42%[1,2]）．NSAIDs の中止または継続によるラニチジン塩酸塩 300 mg/日投与での4週治癒率は，胃潰瘍では有意差がなかったが，十二指腸潰瘍では中止により有意に治癒率が上昇した[2]．ラニチジン塩酸塩 300 mg/日投与での他の報告では，胃潰瘍，十二指腸潰瘍ともに4週治癒率では差がなかったが，8週治癒率は NSAIDs 中止により上昇した[3]．

2. NSAIDs 継続投与下での治癒率

プロスタグランジン（PG）製剤であるミソプロストール 800 μg/日投与での胃潰瘍，十二指腸潰瘍の治癒率はプラセボに比して有意に高率であった[4]．ミソプロストールの副作用として，下痢が問題とされており，800 μg/日の投与では 11.4%，400 μg/日でも 8.4% で下痢の副作用が報告されている[5]．

NSAIDs 継続投与下での PPI と H_2RA（オメプラゾール 20 mg，40 mg/日 vs. ラニチジン塩酸塩 300 mg/日[6]，ランソプラゾール 15 mg，30 mg/日 vs. ラニチジン塩酸塩 300 mg/日[7,8]）の8週間投与での潰瘍治療効果を比較した RCT を用いた独自でメタアナリシスを行った結果では，PPI が H_2RA より胃潰瘍の治癒率が有意に高いことが示された[6〜9]（$p<0.001$）（図1）．

PPI と PG 製剤（オメプラゾール 20 mg，40 mg/日 vs. ミソプロストール 800 μg/日[5]）の8週での胃潰瘍治癒効果の比較検討では，潰瘍治癒率がオメプラゾール 20 mg/日で 87%，ミソプロストール 800 μg/日で 73% と有意に PPI で治療効果が高かった（$p=0.004$）．また同様に8週での十二指腸潰瘍治療効果の検討でも，潰瘍治癒率がオメプラゾール 20 mg/日で 93%，40 mg/日で 89%，ミソプロストール 800 μg/日で 77% と有意に PPI で治療効果が高かった（$p<0.001$）．

ボノプラザンの胃潰瘍，十二指腸潰瘍治療効果に関する2件の第Ⅲ相試験の RCT をまとめた報告がある．この報告の消化性潰瘍の患者背景で NSAIDs/LDA 服用例も含まれており（胃潰瘍で 10%，十二指腸で 8.1%），ボノプラザン（20 mg）のランソプラゾール（30 mg）に対する非劣性が示されている[10]．現時点ではボノプラザンの NSAIDs 潰瘍治療効果に関するエビデンスがほとんどなく，今後早急に RCT でエビデンスの蓄積が望まれる．

(2) 非選択的 NSAIDs 潰瘍【治療】

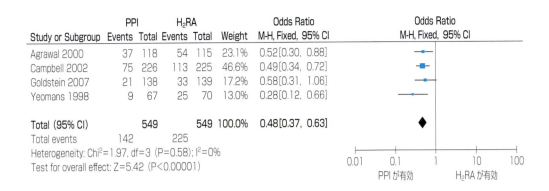

図1 NSAIDs 継続下での PPI と H₂RA の潰瘍治療効果の比較（メタアナリシス）

文献

1) Jaszewski R, Graham DY, Stromatt SC. Treatment of nosteroidal antiinflammatory drug-induced gastric ulcers with misoprostol: a double-blind multicenter study. Dig Dis Sci 1992; **37**: 1820-1824（ランダム）
2) Tildesley G, Ehsanullah RS, Wood JR. Ranitidine in the treatment of gastric and duodenal ulcers associated with non-steroidal anti-inflammatory drugs. Br J Rheumatol 1993; **32**; 474-478（ランダム）
3) Lancaster-Smith MJ, Jaderberg ME, Jackson DA. Ranitidine in the treatment of non-steroidal anti-inflammatory drug associated gastric and duodenal ulcers. Gut 1991; **32**: 252-255（ランダム）
4) Roth S, Agrawal N, Mahowald M, et al. Misoprostol heals gastroduodenal injury in patients with rheumatoid arthritis receiving aspirin. Arch Intern Med 1989; **149**: 775-779（ランダム）
5) Hawkey CJ, Karrasch JA, Szczepañski L, et al. Omeprazole compared with misoprostol for ulcers associated with nonsteroidal antiinflammatory drugs: Omeprazole versus Misoprostol for NSAID-induced Ulcer Management (OMNIUM) Study Group. N Engl J Med 1998; **338**: 727-734（ランダム）
6) Yeomans ND, Tulassay Z, Juhász L, et al. A comparison of omeprazole with ranitidine for ulcers associated with nonsteroidal antiinflammatory drugs: Acid Suppression Trial: Ranitidine versus Omeprazole for NSAID-associated Ulcer Treatment (ASTRONAUT) Study Group. N Engl J Med 1998; **338**: 719-726（ランダム）
7) Agrawal NM, Campbell DR, Safdi MA, et al. Superiority of lansoprazole vs ranitidine in healing nonsteroidal anti-inflammatory drug-associated gastric ulcers: results of a double-blind, randomized, multicenter study: NSAID-Associated Gastric Ulcer Study Group. Arch Intern Med 2000; **160**: 1455-1461（ランダム）
8) Campbell DR, Haber MM, Sheldon E, et al. Effect of *H. pylori* status on gastric ulcer healing in patients continuing nonsteroidal anti-inflammatory therapy and receiving treatment with lansoprazole or ranitidine. Am J Gastroenterol 2002, **97**: 2208-2214（ランダム）
9) Goldstein JL, Johanson JF, Hawkey CJ, et al. Clinical trial: healing of NSAID-associated gastric ulcers in patients continuing NSAID therapy: a randomized study comparing ranitidine with esomeprazole. Aliment Pharmacol Ther 2007; **15**: 1101-1111（ランダム）
10) Miwa H, Uedo N, Watari J, et al. Randomised clinical trial: efficacy and safety of vonoprazan vs. lansoprazole in patients with gastric or duodenal ulcers - results from two phase 3, non-inferiority randomised controlled trials. Aliment Pharmacol Ther 2017; **45**: 240-252（ランダム）

CQ 5-2

(2) 非選択的 NSAIDs 潰瘍【予防】

NSAIDs 投与患者で *H. pylori* 陽性の場合，潰瘍予防として除菌治療を推奨するか？

推奨

- NSAIDs 投与開始予定例（NSAID-naïve）では，潰瘍発生予防目的の *H. pylori* 除菌は行うよう推奨する．

【推奨の強さ：**強**（合意率 100％），エビデンスレベル：**A**】

解説

　NSAIDs 投与患者で *H. pylori* 陽性の場合の潰瘍予防としての除菌治療の有効性に関するメタアナリシスが 2005 年と 2012 年に 2 編報告されている[1,2]．いずれの報告でも，NSAIDs 投与例の全体での除菌治療による潰瘍発生予防効果の検討と，NSAIDs 開始予定者（NSAID-naïve）と NSAIDs 投与中の症例での潰瘍発生予防効果の検討のサブ解析が行われている．NSAIDs 投与例の全体では，除菌治療を行った群では行わなかったプラセボ群と比較し有意に潰瘍発生率が低下していた．NSAIDs 開始予定者（NSAID-naïve）ではその傾向が顕著で，除菌治療で有意に潰瘍発生を抑制したが，NSAIDs 投与中の症例では除菌治療を行ってもプラセボと比較して有意な潰瘍発生の抑制は認められなかった（図 1，図 2）．以上のように 2 編のメタアナリシスでほぼ同様の結果が示され，NSAIDs 開始予定者（NSAID-naïve）での除菌治療が潰瘍予防に有用なのは明らかであるが，NSAIDs 投与中の症例では除菌治療の有効性は示されていない．NSAIDs 投与中の症例で除菌治療と PPI（オメプラゾール 20 mg/日）の潰瘍予防効果を比較した RCT では，PPI が除菌治療よりも有意に潰瘍発生を抑制し有効であると報告されている[3]．

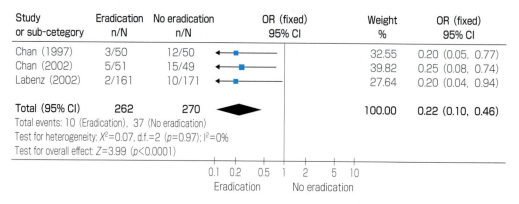

図 1 NSAIDs 開始予定者（NSAID-naïve）での除菌治療とプラセボの潰瘍抑制効果の比較
(Tang CL, et al. Helicobacter 2012; 17: 286-296 [2] より許諾を得て転載)

(2) 非選択的 NSAIDs 潰瘍【予防】

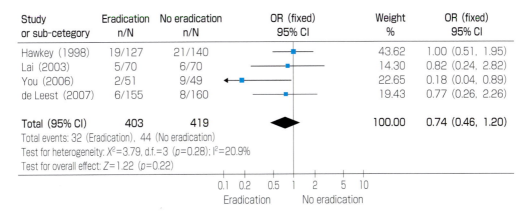

図2 NSAIDs 投与中の症例での除菌治療とプラセボの潰瘍抑制効果の比較
(Tang CL, et al. Helicobacter 2012; 17: 286-296 [2] より許諾を得て転載)

文献

1) Vergara M, Catalan M, Gisbert JP, et al. Meta-analysis: role of *Helicobacter pylori* eradication in the prevention of peptic ulcer in NSAID users. Aliment Pharmacol Ther 2005; **21**: 1411-1418（メタ）
2) Tang CL, Ye F, Liu W, et al. Eradication of *Helicobacter pylori* infection reduces the incidence of peptic ulcer disease in patients using nonsteroidal anti-inflammatory drugs: a meta-analysis. Helicobacter 2012; **17**: 286-296（メタ）
3) Chan FK, Chung SC, Suen BY, et al. Preventing recurrent upper gastrointestinal bleeding in patients with *Helicobacter pylori* infection who are taking low-dose aspirin or naproxen. N Engl J Med 2001; **344**: 967-973（ランダム）

CQ 5-3

(2) 非選択的 NSAIDs 潰瘍【予防】

潰瘍既往歴がない患者における NSAIDs 潰瘍発生予防治療は有用か？

> **推 奨**
>
> ● NSAIDs 潰瘍の発生予防は潰瘍既往歴がない患者においても必要であり，PPI による予防を行うよう提案する．
>
> 【推奨の強さ：**弱**（合意率 100%），エビデンスレベル：**A**】
> (NSAIDs 服用例での潰瘍一次予防に PPI は保険適用外)

解説

　NSAIDs が 3 週間以上投与されている例での予防に関するシステマティックレビュー（約 64% の study が潰瘍既往なし）では，出血などの潰瘍合併症の予防は PG 製剤，症状を有する胃潰瘍，十二指腸潰瘍の予防には PPI，PG 製剤，内視鏡的な胃潰瘍，十二指腸潰瘍の予防には PPI，PG 製剤および H_2RA が有効と示されている[1]．

　潰瘍既往のない例の一次予防効果において，PG 製剤（ミソプロストール 800 μg/日）[2]，PPI（オメプラゾール 20 mg/日）[3] では NSAIDs 短期投与での胃潰瘍，十二指腸潰瘍への予防効果を認めるが，H_2RA（ラニチジン塩酸塩 300 mg/日）では胃潰瘍より十二指腸潰瘍に効果を認めた[4]．NSAIDs の 3 ヵ月以上長期投与例での一次予防効果は，PG 製剤（ミソプロストール 400～800 μg/日）[5]，PPI（オメプラゾール 20 mg，40 mg/日）[3] および高用量 H_2RA（ファモチジン 80 mg/日）[6] などの RCT やメタアナリシスでの有用性が報告されているが，潰瘍の既往歴の記載がないものもある．

　Scally らのメタアナリシスによれば，PPI は UGIB 予防効果が，PG や H_2RA に比べ有意に優れており，その効果は NSAIDs 服用例でも同様である[7]．したがって，UGIB 予防のためにも PPI を第一に推奨する．

　およそ 97% が消化性潰瘍既往のない関節リウマチと変形性関節疾患の患者対象において，エソメプラゾール 20～40 mg 投与下での非選択的 NSAIDs（イブプロフェン 1,800 mg/日，ナプロキセン 750 mg/日）と COX-2 選択的阻害薬（セレコキシブ 200 mg/日）の消化性潰瘍合併リスクに関しての RCT が報告された．その結果 LDA と PSL の有無にかかわらず，非選択的 NSAIDs と比較し COX-2 選択的阻害薬で有意に消化性潰瘍合併リスクが低下することが示されている[8]．

　潰瘍既往のない症例が 90% 含まれる対象において，レバミピド 300 mg/日での予防試験で，12 週間の観察において胃潰瘍，十二指腸潰瘍の発症抑制効果はミソプロストール 600 μg/日と同等であることが示されている[9]．

　なお，本 CQ で有効性が示された薬剤はすべて NSAIDs 潰瘍の一次予防における投薬は，保険適用となっていない．

(2) 非選択的 NSAIDs 潰瘍【予防】

文献

1) Hooper L, Brown TJ, Elliott R, et al. The effectiveness of five strategies for the prevention of gastrointestinal toxicity induced by non-steroidal anti-inflammatory drugs: systematic review. BMJ 2004; **329**: 948（メタ）
2) Bocanegra TS, Weaver AL, Tindall EA, et al. Diclofenac/misoprostol compared with diclofenac in the treatment of osteoarthritis of the knee or hip: a randomized, placebo controlled trial. Arthrotec Osteoarthritis Study Group. J Rheumatol 1998; **25**: 1602-1611（ランダム）
3) Bianchi Porro G, Lazzaroni M, Petrillo M, et al. Prevention of gastroduodenal damage with omeprazole in patients receiving continuous NSAIDs treatment: a double blind placebo controlled study. Ital J Gastroenterol Hepatol 1998; **30**: 43-47（ランダム）
4) Robinson M, Mills RJ, Euler AR. Ranitidine prevents duodenal ulcers associated with non-steroidal anti-inflammatory drug therapy. Aliment Pharmacol Ther 1991; **5**: 143-150（ランダム）
5) Koch M. Non-steroidal anti-inflammatory drug gastropathy: clinical results with misoprostol. Ital J Gastroenterol Hepatol 1999; **31** (Suppl 1): S54-S62（メタ）
6) Taha AS, Hudson N, Hawkey CJ, et al. Famotidine for the prevention of gastric and duodenal ulcers caused by nonsteroidal antiinflammatory drugs. N Engl J Med 1996; **334**: 1435-1439（ランダム）
7) Scally B, Emberson JR, Spata E, et al. Effects of gastroprotectant drugs for the prevention and treatment of peptic ulcer disease and its complications: a meta-analysis of randomised trials. Lancet Gastroenterol Hepatol 2018; **3**: 231-241（メタ）
8) Yeomans ND, Graham DY, Husni ME, et al. Randomised clinical trial: gastrointestinal events in arthritis patients treated with celecoxib, ibuprofen or naproxen in the PRECISION trial. Aliment Pharmacol Ther 2018; **47**: 1453-1463（ランダム）
9) Kim JH, Park SH, Cho CS, et al. Preventive efficacy and safety of rebamipide in nonsteroidal anti-inflammatory drug-induced mucosal toxicity. Gut Liver 2014; **8**: 371-379（ランダム）

CQ 5-4

(2) 非選択的 NSAIDs 潰瘍【予防】

潰瘍既往歴，出血性潰瘍既往歴がある患者が NSAIDs を服用する場合，再発予防はどうするか？

推奨

- 潰瘍既往歴のある患者の NSAIDs 潰瘍の予防には，PPI を推奨し，ボノプラザンを提案する．　【推奨の強さ：**弱**（合意率 100%），エビデンスレベル：**B**】
- 出血性潰瘍既往歴のある患者の NSAIDs 出血性潰瘍の再発予防には，COX-2 選択的阻害薬に PPI 併用を推奨する．
　【推奨の強さ：**強**（合意率 100%），エビデンスレベル：**B**】

解説

　PG 製剤（ミソプロストール 400〜800μg/日）の有効性はメタアナリシスで示されており[1,2]，また潰瘍既往例のある対象での RCT で PG 製剤（ミソプロストール 800μg/日）と PPI（ランソプラゾール 15mg/日，30mg/日）との直接比較が検討され，胃潰瘍再発予防効果は PG 製剤が PPI より有意に高く，胃十二指腸潰瘍再発予防効果は両者の間で有意差は認めなかった[3]．しかし，ミソプロストールの副作用として，下痢が問題とされており，800μg/日の投与では 11.4%，400μg/日でも 8.4% で下痢の副作用が報告されている[4]．また，メタアナリシスが行われ，ミソプロストールの副作用の下痢はプラセボと比較し相対危険度が用量依存性に増加し，PG 製剤では PPI と比較し服用の drop out が多いことが報告されている[2]．

　高用量 H_2RA（ファモチジン 80mg/日）[5,6] での RCT やメタアナリシス[2] により NSAIDs 潰瘍予防効果が示されている．

　予防効果の head to head comparisons のメタアナリシスでは，胃潰瘍では PPI とミソプロストールで有意差なし，十二指腸潰瘍では PPI がミソプロストールに勝っている[2]．PPI の NSAIDs 潰瘍二次予防効果は本邦からの RCT が 2012 年に 2 編報告されている[8,9]．潰瘍既往を有する例での 24 週観察において，プラセボ（防御因子増強薬）に比してランソプラゾール 15mg の潰瘍再発予防効果が報告されている[8]．また，潰瘍再発の高リスク患者での 24 週観察において，プラセボに比してエソメプラゾール 20mg の高い潰瘍再発予防効果が報告されている[9]．また，ハイリスク群における COX-2 選択的阻害薬投与の検討で，NSAIDs による出血性潰瘍が治癒した直後から，全員に 200mg×2/日のセレコキシブを投与し，併用薬としてエソメプラゾール 20mg×2/日またはプラセボ割り付けた検討がなされた．13ヵ月の累積出血性潰瘍の再発率は，エソメプラゾール併用群 0%，プラセボ群 8.9%（$p=0.0004$）と，出血性潰瘍再発の予防効果はエソメプラゾール併用群で有意に高かった[10]．これらの RCT のメタアナリシスを独自に行った結果，PPI の高い潰瘍再発予防効果が示された[8〜10]（図 1）．潰瘍既往例での PPI と PG 製剤（オメプラゾール 20mg/日 vs. ミソプロストール 400μg/日），PPI と H_2RA（オメプラゾール 20mg/日 vs. ラニチジン塩酸塩 300mg/日）との比較試験 RCT でも PPI の潰瘍再発予防効果が有意に高かった[4,11]．Scally らのメタアナリシスによれば，PPI は UGIB 予防効果が，PG や H_2RA に比べ有意に優れており，その効果は NSAIDs 服用例でも同様である[7]．したがって，

(2) 非選択的 NSAIDs 潰瘍【予防】

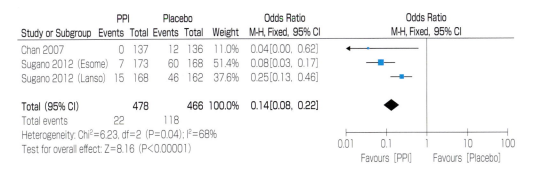

図1 NSAIDs 潰瘍二次予防に関する PPI の潰瘍再発予防効果に関するメタアナリシス

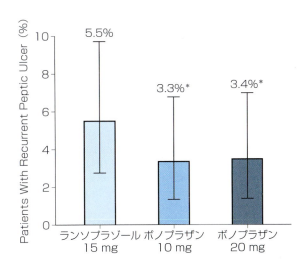

図2 ランソプラゾール 15mg とボノプラザン 10mg，20mg 併用での NSAIDs 潰瘍再発率の比較検討
(Mizokami Y, et al. Gut 2018; 67: 1042-1051 [12] より許諾を得て転載）

UGIB 予防のためにも PPI を第一に推奨する．

　潰瘍既往者で，ボノプラザン（10 mg，20 mg）の NSAIDs 潰瘍再発予防効果に関して PPI（ランソプラゾール 15 mg）との比較試験が報告された．この報告では，24週以内での潰瘍再発率はボノプラザン 20 mg，10 mg，ランソプラゾール 15 mg で，それぞれ 3.4%，3.3%，5.5% であり，また出血性潰瘍合併再発率もボノプラザンの PPI（ランソプラゾール 15 mg）に対する非劣性が示された [12]（図2）．今後ボノプラザンの RCT やメタアナリシスが必要である．

　レバミピド 300 mg/日での予防試験で，12週間の観察において胃潰瘍，十二指腸潰瘍の発症抑制効果はミソプロストール 600 μg/日と同等であることが示されているが，潰瘍や出血の既往の有無について症例数が示されていない [13]．

■ 文献 ■

1) Koch M. Non-steroidal anti-inflammatory drug gastropathy: clinical results with misoprostol. Ital J Gastroenterol Hepatol 1999; **31** (Suppl 1): S54-S62（メタ）
2) Rostom A, Dube C, Wells CA, et al. Prevention of NSAID-induced gastroduodenal utcers. Cochrane Database Syst Rev 2002; (4): CD002296（メタ）
3) Graham DY, Agrawal NM, Lukasik NL, et al; NSAID -Associated Gastric Ulcer Prevention Study Group. Ulcer prevention in long-term users of nonsteroidal anti-inflammatory drugs: results of a double-blind, randomized, multicenter, active- and placebo-controlled study of misoprostol vs lansoprazole. Arch Intern Med 2002; **162**: 169-175（ランダム）
4) Hawkey CJ, Karrasch JA, Szczepanski L, et al. Omeprazole compared with misoprostol for ulcers associated with nonsteroidal antiinflammatory drugs: Omeprazole versus Misoprostol for NSAID-induced Ulcer Management (OMNIUM) Study Group. N Engl J Med 1998; **338**: 727-734（ランダム）
5) Taha AS, Hudson N, Hawkey CJ, et al. Famotidine for the prevention of gastric and duodenal ulcers caused by nonsteroidal antiinflammatory drugs. N Engl J Med 1996; **334**: 435-1439（ランダム）
6) Hudson N, Taha AS, Russell RI, et al. Famotidine for healing and maintenance in nonsteroidal anti-inflammatory drug-associated gastroduodenal ulceration. Gastroenterology 1997; **112**: 1817-1822（ランダム）
7) Scally B, Emberson JR, Spata E, et al. Effects of gastroprotectant drugs for the prevention and treatment of peptic ulcer disease and its complications: a meta-analysis of randomised trials. Lancet Gastroenterol Hepatol 2018; **3**: 231-241（メタ）
8) Sugano K, Kontani T, Katsuo S, et al. Lansoprazole for secondary prevention of gastric or duodenal ulcers associated with long-term non-steroidal anti-inflammatory drug (NSAID) therapy: results of a prospective, multicenter, double-blind, randomized, double-dummy, active-controlled trial. J Gastroenterol 2012; **47**: 540-552（ランダム）
9) Sugano K, Kinoshita Y, Miwa H, et al; Esomeprazole NSAID Preventive Study Group. Randomised clinical trial: esomeprazole for the prevention of nonsteroidal anti-inflammatory drug-related peptic ulcers in Japanese patients. Aliment Pharmacol Ther 2012; **36**: 115-125（ランダム）
10) Chan FK, Wong VW, Suen BY, et al. Combination of a cyclo-oxygenase-2 inhibitor and a proton-pump inhibitor for prevention of recurrent ulcer bleeding in patients at very high risk: a double-blind, randomised trial. Lancet 2007; **369**: 1621-1626（ランダム）
11) Yeomans ND, Tulassay Z, Juhasz L, et al. A comparison of omeprazole with ranitidine for ulcers associated with nonsteroidal antiinflammatory drugs: Acid Suppression Trial: Ranitidine versus Omeprazole for NSAID-associated Ulcer Treatment (ASTRONAUT) Study Group. N Engl J Med 1998; **338**: 719-726（ランダム）
12) Mizokami Y, Oda K, Funao N, et al. Vonoprazan prevents ulcer recurrence during long-term NSAID therapy: randomised, lansoprazole-controlled non-inferiority and single-blind extension study. Gut 2018; **67**: 1042-1051（ランダム）
13) Park SH, Cho CS, Lee OY, et al. Comparison of prevention of NSAID-induced gastrointestinal complications by rebamipide and misoprostol: a randomized, multicenter, controlled trial-STORM STUDY. J Clin Biochem Nutr 2007; **40**: 148-155（ランダム）

(2) 非選択的 NSAIDs 潰瘍【予防】

CQ 5-5

(2) 非選択的 NSAIDs 潰瘍【予防】

高用量 NSAIDs，抗血栓薬，糖質ステロイド，ビスホスホネートの併用者，高齢者および重篤な合併症を有する患者において，NSAIDs 潰瘍予防はどのように行うべきか？

推 奨

- 糖質ステロイド，抗血栓薬併用例では，NSAIDs 潰瘍予防に COX-2 選択的阻害薬の使用を推奨する．

  【推奨の強さ：**強**（合意率 100％），エビデンスレベル：**B**】

- 高齢者および重篤な合併症を有する患者では，NSAIDs 潰瘍予防に PPI を推奨する．　　　　　【推奨の強さ：**強**（合意率 100％），エビデンスレベル：**A**】
  （NSAIDs 服用例での潰瘍一次予防に PPI は保険適用外）

解説

薬剤併用による出血リスクについて，114,835 例での大規模疫学研究が報告された．この結果，非選択的 NSAIDs と糖質ステロイド，抗凝固薬，抗血小板薬併用によって出血性潰瘍のリスクが過剰に増加するが，COX-2 選択的阻害薬では併用によるリスクは増加しないことが示された[1]．

およそ 97％が消化性潰瘍既往がない関節リウマチと変形性関節疾患の患者対象において，エソメプラゾール 20〜40 mg 投与下での非選択的 NSAIDs（イブプロフェン 1,800 mg/日，ナプロキセン 750 mg/日）と COX-2 選択的阻害薬（セレコキシブ 200 mg/日）の消化性潰瘍合併リスクに関しての RCT が報告された．その結果 PSL の併用においても，非選択的 NSAIDs と比較し COX-2 選択的阻害薬で有意に消化性潰瘍合併リスクが低下することが示されているが PSL 併用例の割合が約 5％程度と少ないデータである[2]．

高齢者での潰瘍出血などの合併症予防については，PPI[3]，PG 製剤[4]での効果が示されている．Scally らのメタアナリシスによれば，PPI は UGIB 予防効果が，PG や H₂RA に比べ有意に優れており，その効果は NSAIDs 服用例でも同様である[5]．したがって，UGIB 予防のためにも PPI を第一に推奨する．

ボノプラザンに関しては，現在までに NSAIDs[6]と LDA[7]での潰瘍再発予防効果と出血性潰瘍合併予防に関しての有効性が RCT で報告されている．今後ボノプラザンの，NSAIDs と抗血栓薬や PSL 併用，高齢者などのハイリスク例での RCT によるエビデンスが望まれる．

NSAIDs と LDA の併用者の消化性潰瘍予防に関しては，CQ 5-14，CQ 5-15 を参照されたい．

なお，本 CQ で有効性が示された薬剤はすべて NSAIDs 潰瘍の一次予防における投薬は，保険適用となっていない．

文献

1) Masclee GM, Valkhoff VE, Coloma PM, et al. Risk of upper gastrointestinal bleeding from different drug combinations. Gastroenterology 2014; **147**: 784-792（ケースコントロール）
2) Yeomans ND, Graham DY, Husni ME, et al. Randomised clinical trial: gastrointestinal events in arthritis

patients treated with celecoxib, ibuprofen or naproxen in the PRECISION trial. Aliment Pharmacol Ther 2018; **47**: 1453-1463（ランダム）
3) Vonkeman HE, Fernandes RW, van der Palen J, et al. Proton-pump inhibitors are associated with a reduced risk for bleeding and perforated gastroduodenal ulcers attributable to non-steroidal anti-inflammatory drugs: a nested case-control study. Arthritis Res Ther 2007; **9**: R52（ケースコントロール）
4) Koch M, Deiz A, Tarquini M, et al. Prevention of non-steroidal anti-inflammatory drug-induced gastrointestinal mucosal injury: risk factors for serious complications. Digest Liver Dis 2000; **32**: 138-151（ランダム）
5) Scally B, Emberson JR, Spata E, et al. Effects of gastroprotectant drugs for the prevention and treatment of peptic ulcer disease and its complications: a meta-analysis of randomised trials. Lancet Gastroenterol Hepatol 2018; **3**: 231-241（メタ）
6) Mizokami Y, Oda K, Funao N, et al. Vonoprazan prevents ulcer recurrence during long-term NSAID therapy: randomised, lansoprazole-controlled non-inferiority and single-blind extension study. Gut 2018; **67**: 1042-1051（ランダム）
7) Kawai T, Oda K, Funao N, et al. Vonoprazan prevents low-dose aspirin-associated ulcer recurrence: randomised phase 3 study. Gut 2018; **67**: 1033-1041（ランダム）

BQ 5-13 (3) 選択的 NSAIDs（COX-2 選択的阻害薬）潰瘍

NSAIDs は心血管イベントを増加させるか？

> **回答**
> ● NSAIDs は一般に心血管イベントを増加させるが，心血管イベントのリスクは薬の種類，用量によって異なる．

解説

　COX-2 選択的阻害薬は，一般に心血管イベントを増加させることが知られている．Hammad らの 28 万人を対象とした大規模調査では，COX-2 選択的阻害薬使用群は，使用していないコントロール群に比べて心血管イベントの発生率が高く，ハザード比 2.11（95%CI 1.04〜4.26）と報告している[1]．一方，COX-2 選択的阻害薬の種類によって，心血管イベントのリスクの評価が報告によって異なる．これに対して，従来の非選択的 NSAIDs 服用者における心血管イベントの発生率は，コントロール群（非服用者）に比べてハザード比 2.24（95%CI 1.13〜4.42）とリスクが有意に高いという論文[1]がある一方，ハザード比 1.47（95%CI 0.76〜2.84）と統計学的に有意差はないという報告[2]もある．この評価の違いは，様々な種類の非選択的 NSAIDs を区別せずに総じて評価したためと考えられ，個別に評価すると心血管イベントのリスクは各薬剤によって異なる．最近報告された，850 万人の新規 NSAIDs 服用者，約 8,000 例の急性心筋梗塞（AMI）発症例を対象としたコホート内症例対照研究では，過去（184 日以上服用なし）の NSAIDs 服用者の AMI 発症リスクを 1 として 28 種類の NSAIDs 現服用者のオッズ比を報告した[3]（図 1）．本研究では，ナプロキセンの服用により AMI 発症リスクが増加するとしており，心血管イベントへの影響が少ないとするこれまでの報告[4]と異なる結果を示している．これに関しては，本研究内でのナプロキセン 1 日投与量が規定量（500 mg）の 1.2 倍より多い症例が 80%（204/255）含まれていたことが関係していると考えられる．本研究でも 1 日投与量が規定量の 1.2 倍以下のグループでは AMI 発症リスクの増加は認めていなかった．

　また，セレコキシブとナプロキセン，イブプロフェン（すべての対象がエソメプラゾール 20〜40 mg/日を併用）による心血管イベント死を比較した大規模 RCT（各群約 8,000 例）では，セレコキシブとナプロキセンの比較でイベント発生率に有意差は認めず（2.3% vs. 2.5%，adjusted ハザード比 0.93，95%CI 0.76〜1.13），出血などの消化管関連リスクは有意に低下する（1.1% vs. 1.5%，adjusted ハザード比 0.71，95%CI 0.54〜0.93）と報告した[5]．本研究でも，セレコキシブとナプロキセンの 1 日投与量は 200 mg と 750 mg であり，ナプロキセンの規定量を超えていた．さらに，出血性潰瘍治癒後にアスピリン（80 mg/日）とエソメプラゾール（20 mg/日）に，セレコキシブ（200 mg/日）もしくはナプロキセン（1,000 mg/日）を追加した RCT（各群 256 例）[6]でも，18 ヵ月の観察期間で，セレコキシブ群とナプロキセン群で心血管イベント発生率に有意差は認めず（4.4% vs. 5.5%，$p=0.543$），消化管出血再発リスクはセレコキシブ群で低かった（5.6% vs. 12.3%，$p=0.008$）とあり，高用量のナプロキセンは，セレコキシブと同程度の心血管イベントを引き起こす可能性がある．

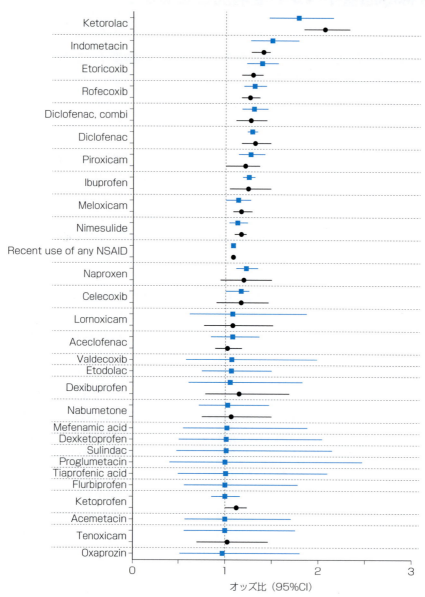

図1 NSAIDs別AMI発症リスクの検討
(Masclee GMC, et al. PLoS One 2018; 13: e0204746 [3] より引用)

(3) 選択的 NSAIDs（COX-2 選択的阻害薬）潰瘍

文献

1) Hammad TA, Graham DJ, Staffa JA, et al. Onset of acute myocardial infarction after use of non-steroidal anti-inflammatory drugs. Pharmacoepidemiol Drug Saf 2008; **17**: 315-321（コホート）
2) Vaithianathan R, Hockey PM, Moore TJ, et al. Iatrogenic effects of COX-2 inhibitors in the US population: findings from the Medical Expenditure Panel Survey. Drug Saf 2009; **32**: 335-343（コホート）
3) Masclee GMC, Straatman H, Arfè A, et al. Risk of acute myocardial infarction during use of individual NSAIDs: A nested case-control study from the SOS project. PLoS One 2018; **13**: e0204746（ケースコントロール）
4) Lanza FL, Chan FK, Quigley EM; Practice Parameters Committee of the American College of Gastroenterology. Guidelines for prevention of NSAID-related ulcer complications. Am J Gastroenterol 2009; **104**: 728-738（ガイドライン）
5) Nissen SE, Yeomans ND, Solomon DH, et al. Cardiovascular Safety of Celecoxib, Naproxen, or Ibuprofen for Arthritis. N Engl J Med 2016; **375**: 2519-2529（ランダム）
6) Chan FKL, Ching JYL, Tse YK, et al. Gastrointestinal safety of celecoxib versus naproxen in patients with cardiothrombotic diseases and arthritis after upper gastrointestinal bleeding (CONCERN): an industry-independent, double-blind, double-dummy, randomised trial. Lancet 2017; **389**: 2375-2382（ランダム）

CQ 5-6

(3) 選択的 NSAIDs（COX-2 選択的阻害薬）潰瘍

NSAIDs 潰瘍発生予防に COX-2 選択的阻害薬は有用か？

推奨

- NSAIDs 潰瘍発症の予防に COX-2 選択的阻害薬の使用を推奨する．
【推奨の強さ：**強**（合意率 100％），エビデンスレベル：**A**】

解説

　COX-2 選択的阻害薬による消化性潰瘍の発症について NSAIDs やプラセボ群を対照とした RCT が多数検討されており，エビデンスの質が高く評価できる（エビデンスレベル A）．
　欧米では，COX-2 選択的阻害薬（セレコキシブ[1,2]，rofecoxib[3,4]，valdecoxib[5,6]，luminacoxib[7,8]，etoricoxib[9]）は炎症の抑制に関しては従来の NSAIDs と同等でありながら胃潰瘍や十二指腸潰瘍の発症率は低率であること，胃潰瘍および十二指腸潰瘍の出血率に関しても，PPI と NSAIDs の併用群と COX-2 選択的阻害薬単独群とを比較するとほぼ同程度の再出血率であり，COX-2 選択的阻害薬の出血予防効果が証明されている[10,11]．2012 年以降の報告では，COX-2 選択的阻害薬単独群と NSAIDs 単独群での比較した検討はみられなかったが，COX-2 選択的阻害薬と NSAIDs に PPI を併用した報告がある．NSAIDs 単独群に比べ，NSAIDs と PPI の併用群，COX-2 選択的阻害薬単独群，PPI と COX-2 選択的阻害薬の併用群は胃・十二指腸潰瘍の発症率，潰瘍による出血率，潰瘍による穿孔の発症率が低いことが報告されている（NSAIDs と PPI の併用群，COX-2 選択的阻害薬と PPI の併用群では潰瘍の発症率，潰瘍による出血率，潰瘍による穿孔の発症率に差は認められなかった）[12]．また，消化性潰瘍に伴う重篤な合併症の検討があり，低用量アスピリン服用患者におけるセレコキシブとエソメプラゾール併用の内服群の潰瘍発症率，および出血を含む潰瘍合併症は対照群のナプロキセンとエソメプラゾール内服群と比較し有意に少なく，消化性潰瘍に伴う重篤な合併症の予防になることが確認されている（$p=0.008$）[13]．欧米における 2010 年までに発表された COX-2 選択的阻害薬と NSAIDs の上部消化性潰瘍の発症頻度を検討した報告（無作為比較試験）を集積し，胃潰瘍・十二指腸潰瘍に分類して独自にメタアナリシスを行うと，胃潰瘍および十二指腸潰瘍の発症率はともに COX-2 選択的阻害薬のほうが低い結果であった（図 1）[1~5,7,14~19]．また，穿孔，閉塞，消化管出血などの重篤な潰瘍合併症の発症リスクも低いため，疼痛管理において消化性潰瘍の発症の予防を考慮すると COX-2 選択的阻害薬の使用を推奨する（図 2）[20~27]．
　一方，日本では健常ボランティアを対象とし，セレコキシブとロキソプロフェンを 2 週間投与して胃・十二指腸潰瘍の発症の有無を内視鏡を用いて評価した RCT では，セレコキシブはロキソプロフェンに比べて有意に潰瘍発症が少なかったと報告されている[28]．また，日本人の関節リウマチ患者と変形性関節症患者を対象としたセレコキシブとロキソプロフェンの有効性と副作用を比較したレビューでは，両薬剤で有効性（疼痛緩和効果）は同等であり，消化管イベントにおいてセレコキシブはロキソプロフェンと比較し有意に低かった（$p=0.039$）と述べている[29]．なお，日本での報告は「消化性潰瘍診療ガイドライン 2015（改訂第 2 版）」以降に新たな文献報告はなかったが，2013 年までに COX-2 選択的阻害薬と NSAIDs の潰瘍発症頻度を検討した報告

(3) 選択的 NSAIDs（COX-2 選択的阻害薬）潰瘍

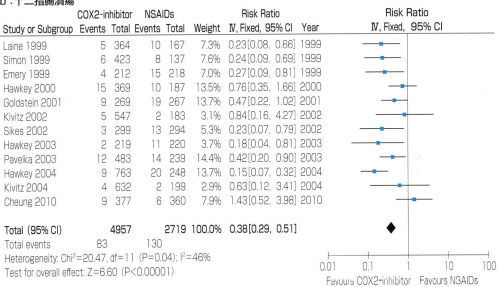

図1 欧米における COX-2 選択的阻害薬と NSAIDs の潰瘍発症率の比較

（無作為比較試験）を集積し，独自にメタアナリシスを行うと，欧米と同様に胃・十二指腸潰瘍の発症率は COX-2 選択的阻害薬のほうが低い結果であった（図3）[28,29]．

以上より，NSAIDs 潰瘍発症の予防に COX-2 選択的阻害薬は有用であり，消化管潰瘍の発症率のみでなく，潰瘍に伴う穿孔，閉塞，出血などの重篤な潰瘍合併症の予防にも有用である．

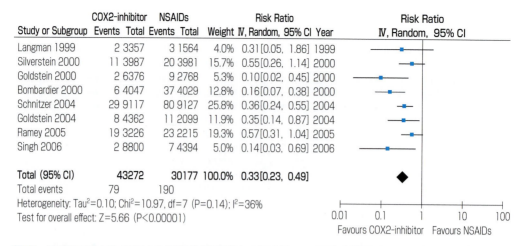

図2 欧米における COX-2 選択的阻害薬と NSAIDs の重篤な潰瘍合併症（穿孔，閉塞，出血）の比較

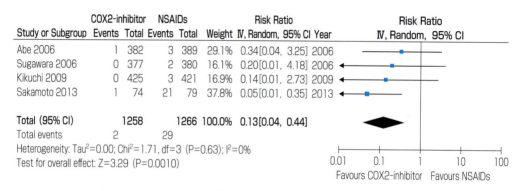

図3 日本における COX-2 選択的阻害薬と NSAIDs の潰瘍発症率の比較

文献

1) Emery P, Zeidler H, Kvien TK, et al. Celecoxib versus diclofenac in long-term management of rheumatoid arthritis: randomized double-blind comparison. Lancet 1999; **354**: 2106-2111（ランダム）

2) Goldstein JL, Correa P, Zhao WW, et al. Reduced incidence of gastroduodenal ulcers with celecoxib, a novel cyclooxygenase-2 inhibitor, compared to naproxen in patients with arthritis. Am J Gastroenterol 2001; **96**: 1019-1027（ランダム）

3) Laine L, Harper S, Simon T, et al. A randomized trial comparing the effect of rofecoxib, a cyclooxygenase 2-specific inhibitor, with that of ibuprofen on the gastroduodenal mucosa of patients with osteoarthritis: Rofecoxib Osteoarthritis Endoscopy Study Group. Gastroenterology 1999; **117**: 776-783（ランダム）

4) Hawkey CJ, Laine L, Simon T, et al. Incidence of gastroduodenal ulcers in patients with rheumatoid arthritis after 12 weeks of rofecoxib, naproxen, or placebo: a multicentre, randomised, double blind study. Gut 2003; **52**: 820-826（ランダム）

5) Pavelka K, Recker DP, Verburg KM. Valdecoxib is as effective as diclofenac in the management of rheumatoid arthritis with a lower incidence of gastroduodenal ulcers: results of a 26-week trial. Rheumatology 2003; **42**: 1207-1215（ランダム）

6) Goldstein JL, Eisen GM, Agrawal N, et al. Reduced incidence of upper gastrointestinal ulcer complications with the COX-2 selective inhibitor, valdecoxib. Aliment Pharmacol Ther 2004; **20**: 527-538（ランダム）

7) Hawkey CC, Svoboda P, Fiedorowicz-Fabrycy IF, et al. Gastroduodenal safety and tolerability of lumiracoxib compared with Ibuprofen and celecoxib in patients with osteoarthritis. J Rheumatol 2004; **31**: 1804-1810（ランダム）

(3) 選択的NSAIDs（COX-2選択的阻害薬）潰瘍

8) Hawkey CJ, Weinstein WM, Stricker K, et al. Clinical trial: comparison of the gastrointestinal safety of lumiracoxib with tradional nonselective nonsteroidal anti inflammatory drugs early after the initation of treatment: findings from the Therapeutic Arthritis Research and Gastrointetinal Event Trial. Aliment Pharmacol Ther 2008; **27**: 838-845（コホート）

9) Hunt RH, Harper S, Watson DJ, et al. The gastrointestinal safety of the COX-2 selective inhibitor etoricoxib assessed by both endoscopy and analysis of upper gastrointestinal events. Am J Gastroenterol 2003; **98**: 1725-1733（ランダム）

10) Lai KC, Chu KM, Hui WM, et al. Celecoxib compared with lansoprazole and naproxen to prevent gastrointestinal ulcer complications. Am J Med 2005; **118**: 1271-1278（ランダム）

11) Chan FK, Hung LC, Suen BY, et al. Celecoxib versus diclofenac and omeprazole in the risk of recurrent ulcer bleeding in patients with arthritis. N Engl J Med 2002; **347**: 2104-2110（ランダム）

12) Bakhriansyah M, Souverein PC, de Boer A, et al. Gastrointestinal toxicity among patients taking selective COX-2 inhibitors or conventional NSAIDs, alone or combined with proton pump inhibitors: a case-control study. Pharmacoepidemiol Drug Saf 2017; **26**: 1141-1148（コホート）

13) Chan FKL, Ching JYL, Tse YK, et al. Gastrointestinal safety of celecoxib versus naproxen in patients with cardiothrombotic diseases and arthritis after upper gastrointestinal bleeding (CONCERN): an industry-independent, double-blind, double-dummy, randomised trial. Lancet 2017; **389**: 2375-2382（ランダム）

14) Simon LS, Weaver AL, Graham DY, et al. Anti-inflammatory and upper gastrointestinal effects of celecoxib in rheumatoid arthritis: a randomized controlled trial. JAMA 1999; **282**: 1921-1928（ランダム）

15) Hawkey C, Laine L, Simon T, et al. Comparison of the effect of rofecoxib (a cyclooxygenase 2 inhibitor), ibuprofen, and placebo on the gastroduodenal mucosa of patients with osteoarthritis: a randomized, double-blind, placebo-controlled trial: the Rofecoxib Osteoarthritis Endoscopy Multinational Study Group. Arthritis Rheum 2000; **43**: 370-377（ランダム）

16) Sikes DH, Agrawal NM, Zhao WW, et al. Incidence of gastroduodenal ulcers associated with valdecoxib compared with that of ibuprofen and diclofenac in patients with osteoarthritis. Eur J Gastroenterol Hepatol 2002; **14**: 1101-1111（ランダム）

17) Kivitz A, Eisen G, Zhao WW, et al. Randomized placebo-controlled trial comparing efficacy and safety of valdecoxib with naproxen in patients with osteoarthritis. J Fam Pract 2002; **51**: 530-537（ランダム）

18) Kivitz AJ, Nayiager S, Schimansky T, et al. Reduced incidence of gastroduodenal ulcers associated with lumiracoxib compared with ibuprofen in patients with rheumatoid arthritis. Aliment Pharmacol Ther 2004; **19**: 1189-1198（ランダム）

19) Cheung R, Cheng TT, Dong Y, et al. Incidence of gastroduodenal ulcers during treatment with celecoxib or diclofenac: pooled results from three 12-week trials in Chinese patients with osteoarthritis or rheumatoid arthritis. Int J Rheum Dis. 2010; **13**: 151-157（ランダム）

20) Goldstein JL, Eisen GM, Agrawal N, et al. Reduced incidence of upper gastrointestinal ulcer complications with the COX-2 selective inhibitor, valdecoxib. Aliment Pharmacol Ther 2004; **20**: 527-538（ランダム）

21) Langman MJ, Jensen DM, Watson DJ, et al. Adverse upper gastrointestinal effects of rofecoxib compared with NSAIDs. JAMA 1999; **282**: 1929-1933（ランダム）

22) Ramey DR, Watson DJ, Yu C, et al. The incidence of upper gastrointestinal adverse events in clinical trials of etoricoxib vs non-selective NSAIDs: an updated combined analysis. Curr Med Res Opin 2005; **21**: 715-722（ランダム）

23) Silverstein FE, Faich G, Goldstein JL, et al. Gastrointestinal toxicity with celecoxib vs nonsteroidal anti-inflammatory drugs for osteoarthritis and rheumatoid arthritis: the CLASS study: a randomized controlled trial: Celecoxib Long-term Arthritis Safety Study. JAMA 2000; **284**: 1247-1255（ランダム）

24) Bombardier C, Laine L, Reicin A, et al. Comparison of upper gastrointestinal toxicity of rofecoxib and naproxen in patients with rheumatoid arthritis: VIGOR Study Group. N Engl J Med 2000; **343**: 1520-1528（ランダム）

25) Goldstein JL, Silverstein FE, Agrawal NM, et al. Reduced risk of upper gastrointestinal ulcer complications with celecoxib, a novel COX-2 inhibitor. Am J Gastroenterol 2000; **95**: 1681-1690（ランダム）

26) Schnitzer TJ, Burmester GR, Mysler E, et al. Comparison of lumiracoxib with naproxen and ibuprofen in the Therapeutic Arthritis Research and Gastrointestinal Event Trial (TARGET), reduction in ulcer complications: randomised controlled trial. Lancet 2004; **364**: 665-674（ランダム）

27) Singh G, Fort JG, Goldstein JL, et al; SUCCESS-I Investigators. Celecoxib versus naproxen and diclofenac in osteoarthritis patients: SUCCESS-I Study. Am J Med 2006; **119**: 255-266（ランダム）

28) Sakamoto C, Kawai T, Nakamura S, et al. Comparison of gastroduodenal ulcer incidence in healthy Japanese subjects taking celecoxib or loxoprofen evaluated by endoscopy: a placebo-controlled, double-blind 2-week study. Aliment Pharmacol Ther 2013; **37**: 346-354（ランダム）

29) Sakamoto C, Soen S. Efficacy and safety of the selective cyclooxygenase-2 inhibitor celecoxib in the treatment of rheumatoid arthritis and osteoarthritis in Japan. Digestion 2011; **83**: 108-123（メタ）

CQ 5-7

(3) 選択的 NSAIDs（COX-2 選択的阻害薬）潰瘍

COX-2 選択的阻害薬服用時に潰瘍発生予防治療は必要か？

推奨

● 胃十二指腸潰瘍既往歴のない患者では潰瘍予防薬の併用は必要ないが，胃十二指腸潰瘍や潰瘍出血の既往歴がある患者では PPI による潰瘍発生予防治療を行うことを推奨する．

【推奨の強さ：**強**（合意率 100%），エビデンスレベル：**B**】

解説

COX-2 選択的阻害薬の単独使用時とプラセボ使用時の胃十二指腸潰瘍の発症のリスクを比較した RCT（健常者含む）では，単独使用時の胃十二指腸潰瘍の発生率は 0〜6.0% である[1〜6]．それらの RCT を使用したメタアナリシスでは，COX-2 選択的阻害薬単独群とプラセボ群で，胃十二指腸潰瘍の発症率に有意な差は認めなかった[1〜6]（図 1）．ただし，COX-2 選択的阻害薬内服時における H. pylori 感染の胃十二指腸潰瘍の発症への影響は明らかではない．

一方で，COX-2 選択的阻害薬の単独使用時と PPI 併用時の比較で，PPI の併用が胃十二指腸潰瘍の発症率を有意に抑制するという報告がある[7]．また，胃十二指腸潰瘍出血の既往のある対象者では，COX-2 選択的阻害薬の単独使用群よりも PPI 併用群のほうが潰瘍出血を有意に抑制するという報告がある[8]．ネットワークメタアナリシスでは，COX-2 選択的阻害薬＋PPI 併用群が，COX-2 選択的阻害薬の単独使用群や従来の NSAIDs＋PPI 併用群などと比較して，上部消化管粘膜傷害の発症を有意に抑制すると報告されている[9]．

このことから，COX-2 選択的阻害薬内服時には胃十二指腸潰瘍発症に対するリスクの増加はないものの，PPI の併用により胃十二指腸潰瘍の発症や潰瘍出血の発症率は有意に抑制される．

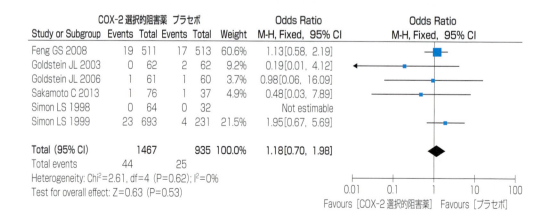

図 1 COX-2 選択的阻害薬とプラセボ使用時の胃十二指腸潰瘍発生リスクの比較

(3) 選択的 NSAIDs（COX-2 選択的阻害薬）潰瘍

そのため，特に胃十二指腸潰瘍および潰瘍出血の既往のある高リスク患者では，COX-2 選択的阻害薬内服時には潰瘍発生予防薬として PPI を併用することが推奨される．ただし，ボノプラザンを併用した際の COX-2 選択的阻害薬内服時における胃十二指腸潰瘍や潰瘍出血の予防効果は明らかではない．

文献

1) Simon LS, Lanza FL, Lipsky PE, et al. Preliminary study of the safety and efficacy of SC-58635, a novel cyclooxygenase 2 inhibitor: efficacy and safety in two placebo-controlled trials in osteoarthritis and rheumatoid arthritis, and studies of gastrointestinal and platelet effects. Arthritis Rheum 1998; **41**: 1591-1602（ランダム）
2) Simon LS, Weaver AL, Graham DY, et al. Anti-inflammatory and upper gastrointestinal effects of celecoxib in rheumatoid arthritis: a randomized controlled trial. JAMA 1999; **282**: 1921-1928（ランダム）
3) Goldstein JL, Kivitz AJ, Verburg KM, et al. A comparison of the upper gastrointestinal mucosal effects of valdecoxib, naproxen and placebo in healthy elderly subjects. Aliment Pharmacol Ther 2003; **18**: 125-132（ランダム）
4) Goldstein JL, Aisenberg J, Lanza F, et al. A multicenter, randomized, double-blind, active-comparator, placebo-controlled, parallel-group comparison of the incidence of endoscopic gastric and duodenal ulcer rates with valdecoxib or naproxen in healthy subjects aged 65 to 75 years. Clin Ther 2006; **28**: 340-351（ランダム）
5) Feng GS, Ma JL, Wong BC, et al. Celecoxib-related gastroduodenal ulcer and cardiovascular events in a randomized trial for gastric cancer prevention. World J Gastroenterol 2008; **14**: 4535-4539（ランダム）
6) Sakamoto C, Kawai T, Nakamura S, et al. Comparison of gastroduodenal ulcer incidence in healthy Japanese subjects taking celecoxib or loxoprofen evaluated by endoscopy: a placebo-controlled, double-blind 2-week study. Aliment Pharmacol Ther 2013; **37**: 346-354（ランダム）
7) Scheiman JM, Yeomans ND, Talley NJ, et al. Prevention of ulcers by esomeprazole in at-risk patients using non-selective NSAIDs and COX-2 inhibitors. Am J Gastroenterol 2006; **101**: 701-710（ランダム）
8) Chan FK, Wong VW, Suen BY, et al. Combination of a cyclo-oxygenase-2 inhibitor and a proton-pump inhibitor for prevention of recurrent ulcer bleeding in patients at very high risk: a double-blind, randomised trial. Lancet 2007; **369**: 1621-1626（ランダム）
9) Yuan JQ, Tsoi KK, Yang M, et al. Systematic review with network meta-analysis: comparative effectiveness and safety of strategies for preventing NSAID-associated gastrointestinal toxicity. Aliment Pharmacol Ther 2016; **43**: 1262-1275（メタ）

CQ 5-8

(4) 低用量アスピリン(LDA)潰瘍【治療】

低用量アスピリン (LDA) 潰瘍の治療はどのように行うべきか？

> **推 奨**
>
> ● LDAは可能な限り休薬せずにLDA潰瘍をPPIで治療することを推奨する．
> 【推奨の強さ：**強**（合意率100%），エビデンスレベル：**A**】

解説

　LDA内服投与中に消化性潰瘍出血を認めた症例において，内視鏡的止血治療後にPPI（パントプラゾール40mg/日）の加療にLDA継続もしくはプラセボ投与におけるRCTにおいて，30日後の消化性潰瘍再出血率に有意差は認められていない（図1）[1]．一方で，本試験における30日後の全死亡率を比較検討したところ，LDA継続投与群1.3%，プラセボ群9.0%でありLDA継続投与群はプラセボ群と比較して死亡率を有意に低下させている．さらに，56日後の全死亡率においてもLDA継続投与群1.3%，プラセボ群12.9%でありLDA継続投与群はプラセボ群と比較して全死亡率を有意に低下させている．LDA継続投与はPPIを併用することで消化性潰瘍再出血の増加は認められず，全死亡率を有意に低下させている[1]．一方，LDA潰瘍の治療をエソメプラゾール40mg/日単独群とLDA継続投与にエソメプラゾール40mg/日併用した群における8週後の消化性潰瘍治癒率は，エソメプラゾール40mg/日単独群が82.5%，LDA継続投

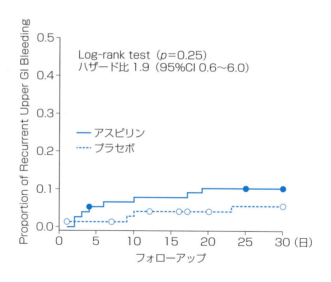

図1 PPI併用投与におけるLDA継続投与群とプラセボ群の消化性潰瘍再出血率の検討

ランダム試験において，消化性潰瘍出血を認めた場合のPPI（パントプラゾール40mg/日）の併用投与における30日以内の消化管再出血率はLDA継続投与群とプラセボ群で同等であった．
(Sung JJY, et al. Ann Intern Med 2010; 152: 1-9 [1] より許諾を得て転載)

与にエソメプラゾール併用した群が81.5%と同等であるRCTが報告されている[2]. したがって，LDAは可能な限り休薬せずにLDA潰瘍をPPIで治療することを推奨する．

文献

1) Sung JJY, Lau JYW, Ching JYL, et al. Continuation of low-dose aspirin therapy in peptic ulcer bleeding. Ann Intern Med 2010; **152**: 1-9（ランダム）
2) Liu CP, Chen WC, Lai KH, et al; Formosa Acid-Related Disease (FARD) Study Group. Esomeprazole alone compared with esomeprazole plus aspirin for the treatment of aspirin-related peptic ulcers. Am J Gastroenterol 2012; **107**: 1022-1029（ランダム）

BQ 5-14

(4) 低用量アスピリン(LDA)潰瘍【予防】

低用量アスピリン(LDA)服用者では，消化性潰瘍発生率，有病率は高いか？

回答

● LDA を服用する患者は消化性潰瘍発生率，有病率が高い．

解説

「消化性潰瘍診療ガイドライン 2015（改訂第 2 版）」以降に新たな文献報告はなかった．

LDA を服用している症例における上部消化管傷害の頻度について内視鏡的な検討を行った成績では，潰瘍の頻度は約 11％ との調査がある[1]．また，消化管粘膜傷害全体としてみると非常に高率に発生しているとの報告[1,2]もある．さらに，LDA 内服 1,454 例のうち 29.2％ にびらん性胃炎を 6.5％ に消化性潰瘍を認めた横断研究[3]があり，LDA 服用者では消化性潰瘍発生率，有病率が高いと言える．

文献

1) Yeomans ND, Lanas AI, Talley NJ, et al. Prevalence and incidence of gastroduodenal ulcers during treatment with vascular protective doses of aspirin. Aliment Pharmacol Ther 2005; **22**: 795-801（ケースコントロール）
2) Niv Y, Battler A, Abuksis G, et al. Endoscopy in asymptomatic minidose aspirin consumers. Dig Dis Sci 2005; **50**: 78-80（ケースコントロール）
3) Uemura N, Sugano K, Hiraishi H, et al; MAGIC Study Group. Risk factor profiles, drug usage, and prevalence of aspirin-associated gastroduodenal injuries among high-risk cardiovascular Japanese patients: the results from the MAGIC study. J Gastroenterol 2014; **49**: 814-824（横断）

BQ 5-15 (4) 低用量アスピリン（LDA）潰瘍【予防】

低用量アスピリン（LDA）服用者では，上部消化管出血リスク，頻度は高いか？

回答

- LDA を服用する患者では上部消化管出血リスク，頻度が高い．

解説

「消化性潰瘍診療ガイドライン 2015（改訂第 2 版）」以降に新たな文献報告はなかった．

消化性潰瘍および出血を含む消化管合併症の発生率は LDA の投与により高まることが示されている[1]．日本における検討では LDA による消化管出血は NSAIDs 全般および日本での処方頻度の高いロキソプロフェンと同等であり，日本人では出血のリスクは欧米人に比して高いことが示唆され（表1）[2]．LDA 内服患者における上部消化管出血のリスクはコントロール群と比較して高い（オッズ比 1.96，95％CI 1.75〜2.19）[3]．また，LDA を長期に服用している場合，年1％の割合で消化管出血が生じる可能性を報告している[4]．さらに，メタアナリシスでの検討では LDA による消化管出血のリスクは 1.68 から 2.5 倍となっている[5〜7]．消化管出血のリスクは LDA 内服患者でコントロールと比較して増加し（オッズ比 1.55，95％CI 1.27〜1.90），LDA とクロピドグレル併用（オッズ比 1.86，95％CI 1.49〜2.31）および抗凝固薬と LDA の併用（オッズ比 1.93，95％CI 1.42〜2.61）は LDA 単独と比較して消化管出血のリスクを上昇させ，潰瘍出血の既往および長期間内服もリスクを上昇させる[8]．以上より，LDA を服用する患者は，上部消化管出血リスク，頻度は高いといえる．

文献

1) García Rodríguez LA, Hernández-Díaz S, de Abajo FJ. Association between aspirin and upper gastrointestinal complications: systemic review of epidemiologic studies. Br J Clin Pharmacol 2001; **52**: 563-571（メタ）
2) Sakamoto C, Sugano K, Ota S, et al. Case-control study on the association of upper gastrointestinal bleeding and nonsteroidal anti-inflammatory drugs in Japan. Eur J Clin Pharmacol 2006; **62**: 765-772（ケースコントロール）
3) Sugisaki N, Iwakiri R, Tsuruoka N, et al. A case-control study of the risk of upper gastrointestinal mucosal injuries in patients prescribed concurrent NSAIDs and antithrombotic drugs based on data from the Japanese national claims database of 13 million accumulated patients. J Gastroenterol 2018; **53**: 1253-1260（ケースコントロール）
4) Serrano P, Lanas A, Arroyo MT, et al. Risk of upper gastrointestinal bleeding in patients taking low-dose aspirin for the prevention of cardiovascular diseases. Aliment Pharmacol Ther 2002; **16**: 1945-1953（コホート）
5) Weisman SM, Graham DY. Evaluation of the benefits and risks of low-dose aspirin in the secondary prevention of cardiovascular and cerebrovascular events. Arch Intern Med 2002; **162**: 2197-2202（メタ）
6) Derry S, Loke YK. Risk of gastrointestinal haemorrhage with long term use of aspirin: meta-analysis. BMJ 2000; **321**: 1183-1187（メタ）
7) McQuaid KR, Laine L. Systemic review and meta-analysis of adverse events of low-dose aspirin and clopidogrel in randomized controlled trials. Am J Med 2006; **119**: 624-638（メタ）
8) Lanas A, Wu P, Medin J, et al. Low doses of acetylsaiicyiic acid increase risk of Gastrointestinal bleeding in a meta-analysis. Clin Gastroenterol Hepatol; 2011; **9**: 762-768（メタ）

表1 上部消化管出血のリスク

鎮痛薬	内服患者 ($n=175$)	コントロール群 ($n=347$)	粗オッズ比	多変量オッズ比 (95% CI)
アセトアミノフェン*	11	25	0.9	0.8 (0.3〜1.9)
アスピリン　全体	23	23	2.1	5.5 (2.5〜11.9)
regular	18	15	2.6	7.7 (3.2〜18.7)
≧325 mg/日	0	0	―	
＜325 mg/日	16	13	2.6	8.2 (3.3〜20.7)
用量不明	2	2	―	
occasional	5	8	1.3	2.0 (0.5〜8.5)
非アスピリンNSAIDs　全体	28	21	3.0	6.1 (2.7〜13.4)
regular	20	11	4.0	7.3 (2.8〜18.7)
高用量**	12	6	4.4	7.4 (2.3〜23.9)
低用量	7	3	5.2	16.8 (2.7〜104.3)
用量不明	1	2	―	
occasional	8	10	1.8	4.1 (1.2〜14.5)
ロキソプロフェン　全体	10	6	3.4	5.9 (1.5〜22.7)
regular	8	4	4.1	5.2 (1.2〜22.7)
≧180 mg/日	5	2	―	
＜180 mg/日	2	2	―	
用量不明	1	0	―	
occasional	2	2	―	
ジクロフェナク　全体	10	3	6.9	10.9 (2.5〜48.4)
regular	7	2	―	
≧750 mg/日	4	0	―	
＜750 mg/日	3	1	―	
用量不明	0	1	―	
occasional	3	1	―	

＊：1日量は内服患者で75〜800 mg，コントロール群で150〜1,350 mg
＊＊：関節リウマチの1日最小用量：ロキソプロフェンの場合≧180 mg/日，ジクロフェナクの場合≧75 mg/日，アンピロキシカムの場合≧27 mg/日，イブプロフェンの場合≧600 mg/日，エトドラクの場合≧400 mg/日，ケトプロフェンの場合≧150 mg/日，ザルトプロフェンの場合≧240 mg/日，プラノプロフェンの場合≧225 mg/日，メロキシカムの場合≧10 mg/日，ロモキシカムの場合≧12 mg/日
regular：過去7日間のうち4日以上の使用
occasional：過去7日間のうち3日以内の使用
LDAによる上部消化管出血はNSAIDs全般およびロキソプロフェンと同等である．
(Sakamoto C, et al. Eur J Clin Pharmacol 2006; 62: 765-772 [2]) を参考に作成)

BQ 5-16

(4) 低用量アスピリン(LDA)潰瘍【予防】

低用量アスピリン (LDA) 服用者における NSAIDs 投与は潰瘍発生のリスクを上げるか？

回答

● LDA と NSAIDs の併用は，出血性潰瘍を含め出血リスクを高める．

解説

消化管出血を伴った上部消化管病変で入院した症例と対照例の LDA と NSAIDs の服用状況の解析から，LDA と NSAIDs の併用における消化管出血のオッズ比は 3.8（95%CI 1.8〜7.8）（$p <0.001$）と増加していることが報告されている[1]．また，LDA 服用者における検討で，LDA と NSAIDs の併用は消化管出血の発症リスクを高めると報告している[2]．さらに，NSAIDs と LDA の併用における消化性潰瘍に伴う消化管出血の発生割合は，NSAIDs 単独投与と比較して増加している[3]．以上より，LDA と NSAIDs の併用は出血性潰瘍を含め出血リスクを高める．

文献

1) Lanas A, Bajador E, Serrano P, et al. Nitrovasodilators, low-dose aspirin, other nonsteroidal antiinflammatory drugs, and the risk of upper gastrointestinal bleeding. N Eng J Med 2000; **343**: 834-839（ケースコントロール）
2) Sørensen HT, Mellemkjaer L, Blot WJ, et al. Risk of upper gastrointestinal bleeding associated with use of low-dose aspirin. Am J Gastroenterol 2000; **95**: 2218-2224（ケースコントロール）
3) Lanas A, García-Rodríguez LA, Arroyo MT, et al; Asociación Española de Gastroenterología. Risk of upper gastrointestinal ulcer bleeding associated with selective cyclo-oxygenase-2 inhibitors, traditional non-aspirin non-steroidal anti-inflammatory drugs, aspirin and combinations. Gut 2006; **55**: 1731-1738（ケースコントロール）

CQ 5-9

(4) 低用量アスピリン (LDA) 潰瘍【予防】

低用量アスピリン (LDA) 服用者ではどのような併用薬を用いれば，消化性潰瘍発生率，有病率が低くなるか？

推奨

- LDA による消化性潰瘍の発生率，有病率の抑制には，PPI または H_2RA の併用を推奨する．　【推奨の強さ：強（合意率 100％），エビデンスレベル：A】
  (LDA 服用例での潰瘍の一次予防に PPI，H_2RA は保険適用外)
  (LDA 服用例での潰瘍の二次予防に H_2RA は保険適用外)

解説

LDA に H_2RA を併用することで消化性潰瘍のリスクを低下させるメタアナリシスが報告されている[1]．さらに，LDA に PPI 内服を併用することで消化性潰瘍のリスクを低下させるメタアナリシスが報告され（図1）[2]，PPI と H_2RA で上部消化管の潰瘍/びらんの予防を比較したメタアナリシスでは，PPI の有効性が報告されている[3]．一方で，Chan らの RCT[4] では，LDA 服用中のラベプラゾール 20mg とファモチジン 40mg の比較で，12ヵ月後の潰瘍再発頻度に有意差はみられていない．Mo らのメタアナリシス[3] を検証するため，含まれる 6 編の中国語論文をすべて調査した．それに英語論文を加え，消化性潰瘍の予防についてのメタアナリシスを行った．このシステマティックレビューは論文査読に精通した研究者が行い，中国語論文は中国語の担当者が精査した．その結果，英語論文以外も含めた 8 編で検討したところ，PPI は H_2RA と比較して消化性潰瘍の予防に有意に優れていた（相対危険度 0.34，95％CI 0.14〜0.80）（付図1 は巻

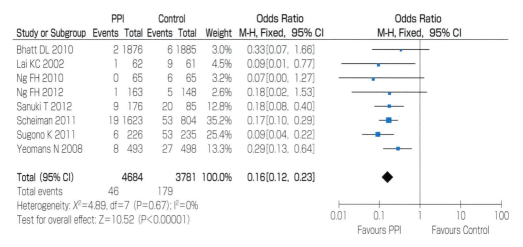

図1　LDA 潰瘍発生率の検討
PPI はプラセボ，H_2RA もしくはゲファルナートと比較して消化性潰瘍発生率の低下を認めた．
(Mo C, et al. World J Gastroenterol 2015; 21: 5382-5392 [2] より引用)

(4) 低用量アスピリン(LDA)潰瘍【予防】

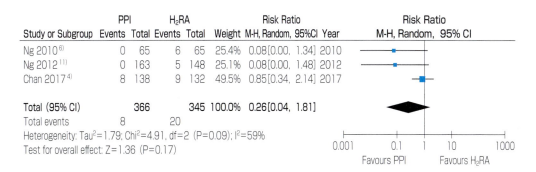

図2 LDA潰瘍発生予防におけるPPIおよびH₂RAの有効性の検討（英語論文）
PPIとH₂RAにおける消化性潰瘍発生率は同等であった．
（文献4，6，11よりメタアナリシスを施行）

末（p.193）に掲載）[4〜11]．MoらのメタアナリシスⅡ[3]に引用されている2編とChanらのRCT[4]の3編の英語論文に限定しPPIの有効性について独自にメタアナリシスを行った結果，論文数が減ると，PPIとH₂RAの消化性潰瘍の予防効果に有意差はみられなくなった（図2）．しかしながら，症例数またイベント発生総数が少なく，今後の大規模RCTの追加報告により結果は変動しうる．

以上より，LDAによる消化性潰瘍の発生率，有病率の抑制にはPPIまたはH₂RAが有用であるので推奨する．

なお，LDA服用例での潰瘍の一次予防にPPI，H₂RAは，保険適用がない．

保険適用である，「低用量アスピリン投与時における胃潰瘍または十二指腸潰瘍の再発抑制」で使用可能なPPIは，ランソプラゾール15 mg，ネキシウム20 mg，ラベプラゾール5 mg（10 mg）である．LDA服用例での潰瘍の二次予防にH₂RAは，保険適用がない．

文献

1) Tricco AC, Alateeq A, Tashkandi M, et al. Histamine H2 receptor antagonists for decreasing gastrointestinal harms in adults using acetylsalicylic acid: systematic review and meta-analysis. Open Med 2012; **6**: e109-e117（メタ）
2) Mo C, Sun G, Lu ML, et al. Proton pump inhibitors in prevention of low-dose aspirin-associated upper gastrointestinal injuries. World J Gastroenterol 2015; **21**: 5382-5392（メタ）
3) Mo C, Sun G, Wang YZ, et al. PPI versus histamine H2 receptor antagonists for prevention of upper gastrointestinal injury associated with low-dose aspirin: Systematic review and meta-analysis. PLoS One 2015; **10**: e0131558（メタ）
4) Chan FK, Kyaw M, Tanigawa T, et al. Similar efficacy of proton-pump inhibitors vs H2-receptor antagonists in reducing risk of upper gastrointestinal bleeding or ulcers in high-risk users of low-dose aspirin. Gastroenterology 2017; **152**: 105-110（ランダム）
5) Guo M, Wang J, Zou YC, et al. The clinical effect of esomeprazole in prevention of low dose aspirin induced gastric mucosal injury. Chin J Dig 2009; **29**: 481-482 (in Chinese)（ランダム）
6) Ng FH, Wong SY, Lam KF, et al. Famotidine is inferior to pantoprazole in preventing recurrence of aspirin-related peptic ulcers or erosions. Gastroenterology 2010; **138**: 82-88（ランダム）
7) Sun RR, He YQ, Li R. The effect of rabeprazole in prevention of low-dose aspirin induced gastric mucosal injury in 40 elder patients. Chin J Mod Drug 2012; **6**: 79-80 (in Chinese)（ランダム）
8) Wang YP, Wang RJ. The clinical effect of lansoprazole in prevention of low dose aspirin induced gastric mucosal injury. Strait Pharm J 2016; **24**: 114-115 (in Chinese)（ランダム）
9) Hu L, Zhou T, Xia YH. The effect of rabeprazole in prevention of low dose aspirin induced gastric mucosal injury. MMJC 2012; **14**: 100-101 (in Chinese)（ランダム）

10) Wang J, Zhou GK, Guo M, et al. The efficacy in prevention of upper gastrointestinal injury in patients of acute coronary syndrome with esomeprazole. Chin J Card Res 2012; **10**: 191-195 (in Chinese)（ランダム）
11) Ng FH, Tunggal P, Chu WM, et al. Esomeprazole compared with famotidine in the prevention of upper gastrointestinal bleeding in patients with acute coronary syndrome or myocardial infarction. Am J Gastroenterol 2012; **107**: 389-396（ランダム）

CQ 5-10

(4) 低用量アスピリン(LDA)潰瘍【予防】

低用量アスピリン（LDA）服用者ではどのような併用薬を用いれば，上部消化管出血発生率，有病率が低くなるか？

推奨

- LDA による上部消化管出血の発生率，有病率の抑制には，PPI またはボノプラザンの併用を推奨する．

【推奨の強さ：**強**（合意率 100%），エビデンスレベル：**A**】
（LDA 服用例での出血の一次，二次予防に PPI，ボノプラザンは保険適用外）

解説

　LDA に H_2RA を併用することで消化管出血のリスクを低下させるメタアナリシスが報告され[1]，PPI 服用で消化管出血のリスクを低下させるメタアナリシスも報告されている[2]．さらに，上部消化管出血のリスクの低下について PPI と H_2RA で比較したメタアナリシスでは PPI の有効性を報告している[3,4]．一方で，Chan らの RCT[5]では，LDA 服用中のラベプラゾール 20 mg とファモチジン 40 mg の比較で，12 ヵ月後の上部消化管出血の再発頻度に有意差はみられていない．Mo らのメタアナリシス[4]を検証するため，含まれる 6 編の中国語論文をすべて調査した．それに英語論文（1 件英文抄録で原語論文は調査した）を加え，上部消化管出血の予防についてのメタアナリシスを行った．このシステマティックレビューは論文査読に精通した研究者が行い，英語以外の論文は母国語の担当者が精査した．その結果，英語論文以外も含めた 13 編で検討したところ，PPI は H_2RA と比較して上部消化管出血の予防に有意に優れていた[5〜17]（相対危険度 0.27，95%CI 0.16〜0.46）（付図 2 は巻末（p.193）に掲載）．Mo らの論文[4]のメタアナリシスに引用されている英語論文 3 編に，PPI と H_2RA を比較した英語論文 3 編を加えて[5,16,18]，メタア

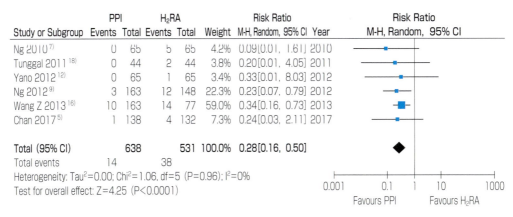

図1 LDA 上部消化管出血予防における PPI および H_2RA の有効性の検討（英語論文）
　PPI は H_2RA と比較して上部消化管出血発生率の低下を認めた．
　（文献 5, 7, 9, 12, 16, 18 よりメタアナリシスを施行）

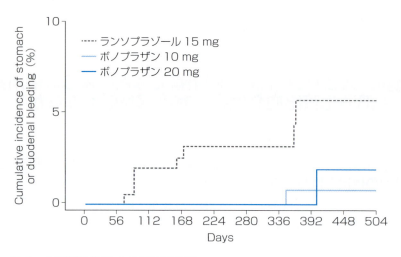

図2 上部消化管出血の累積発生率
LDA潰瘍再発抑制におけるボノプラザン10mgおよび20mg群とランソプラゾール15mg群の24週後および長期投与試験（中央値52週）において上部消化管出血頻度を検討したところ，ランソプラゾール15mg群はボノプラザン10mg群および20mg群より出血頻度が高く，ボノプラザン10mgおよび20mgの出血頻度の有意な抑制効果が示されている．
（Kawai T, et al. Gut 2018; 67: 1033-1041 [19]より許諾を得て転載）

ナリシスを行った結果，PPIはH₂RAと比較して上部消化管出血の予防に有意に優れていた[5,7,9,12,16,18]（相対危険度0.28，95％CI 0.16〜0.50）（図1）．

さらに，消化性潰瘍既往のあるLDA内服患者に対して，ランソプラゾール内服群とボノプラザン内服群で上部消化管出血の累積発生率を比較検討した論文では，ボノプラザン10mg群（log-rank test, $p=0.018$）および20mg群（$p=0.019$）はランソプラゾール群と比較して，有意に上部消化管出血発生率が低いことが報告されており，ボノプラザン10mgおよび20mgの上部消化管出血頻度の抑制効果が示されている（図2）[19]．

以上より，PPIまたはボノプラザンの併用は，LDAを服用する患者において消化管出血のリスクを低下させるので，行うよう推奨する．

なお，LDA服用例での出血の一次，二次予防にPPI，ボノプラザンは，保険適用がない．

文献

1) Tricco AC, Alateeq A, Tashkandi M, et al. Histamine H2 receptor antagonists for decreasing gastrointestinal harms in adults using acetylsalicylic acid: systematic review and meta-analysis. Open Med 2012; **6**: e109-e117（メタ）
2) Lanas A, Wu P, Medin J, et al. Low doses of acetylsalicylic acid increase risk of gastrointestinal bleeding in a meta-analysis. Clin Gastroenterol Hepatol 2011; **9**: 762-768（メタ）
3) Mo C, Sun G, Lu ML, et al. Proton pump inhibitors in prevention of low-dose aspirin-associated upper gastrointestinal injuries. World J Gastroenterol 2015; **21**: 5382-5392（メタ）
4) Mo C, Sun G, Wang YZ, et al. PPI versus Histamine H2 Receptor Antagonists for Prevention of Upper Gastrointestinal Injury Associated with Low-Dose Aspirin: Systematic Review and Meta-analysis. PLoS One 2015; **10**: e0131558（メタ）
5) Chan FK, Kyaw M, Tanigawa T, et al. Similar Efficacy of Proton-Pump Inhibitors vs H2-Receptor Antagonists in Reducing Risk of Upper Gastrointestinal Bleeding or Ulcers in High-Risk Users of Low-Dose Aspirin. Gastroenterology 2017; **152**: 105-110（ランダム）
6) Guo M, Wang J, Zou YC, et al. The clinical effect of esomeprazole in prevention of low dose aspirin

induced gastric mucosal injury. Chin J Dig 2009; **9**: 481-482 (in Chinese)（ランダム）
7) Ng FH, Wong SY, Lam KF, et al. Famotidine Is Inferior to Pantoprazole in Preventing Recurrence of Aspirin-Related Peptic Ulcers or Erosions. Gastroenterology 2010; **138**: 82-88（ランダム）
8) Tunggal P, Ng FH, Lam KF, et al. Effect of esomeprazole versus famotidine on platelet inhibition by clopidogrel: a double-blind, randomized trial. Am Heart J 2011; **162**: 870-874（ランダム）
9) Ng FH, Tunggal P, Chu WM, et al. Esomeprazole compared with famotidine in the prevention of upper gastrointestinal bleeding in patients with acute coronary syndrome or myocardial infarction. Am J Gastroenterol 2012; **107**: 389-396（ランダム）
10) Wang YP, Wang RJ. The clinical effect of lansoprazole in prevention of low dose aspirin induced gastric mucosal injury. Strait Pharm J 2016; **24**: 114-115 (in Chinese)（ランダム）
11) Sun RR, He YQ, Li R. The effect of rabeprazole in prevention of low-dose aspirin induced gastric mucosal injury in 40 elder patients. Chin J Mod Drug 2012; **6**: 79-80 (in Chinese)（ランダム）
12) Yano H, Tsukahara K, Morita S, et al. Influence of omeprazole and famotidine on the antiplatelet effects of clopidogrel in addition to aspirin in patients with acute coronary syndromes: a prospective, randomized, multicenter study. Circ J 2012; **76**: 2673-2680（ランダム）
13) Hu L, Zhou T, Xia YH. The effect of rabeprazole in prevention of low dose aspirin induced gastric mucosal injury. MMJC 2012; **14**: 100-101 (in Chinese)（ランダム）
14) Wang J, Zhou GK, Guo M, et al. The efficacy in prevention of upper gastrointestinal injury in patients of acute coronary syndrome with esomeprazole. Chin J Card Res 2012; **10**: 191-195 (in Chinese)（ランダム）
15) Lu BJ, Qiao YJ, Yin YD. Omeprazole affects antiplatelet efficacy of clopidogrel and aspirin after intervention therapy. Chin J Prac Med 2013; **40**: 87-88 (in Chinese)（ランダム）
16) Wang Z, Yang X, Cai J, et al. Influence of different proton pump inhibitors on platelet function in acute myocardial infarction patients receiving clopidogrel treatment after percutaneous coronary intervention. Biomedical Research 2013; **24**: 453-457（ランダム）
17) Maasoumi G, Farahbakhsh F, Shahzamani M, et al. Comparing the effects of pantoprazole and ranitidine in the prevention of post-operative gastrointestinal complications in patients undergoing coronary artery bypass graft surgery. Journal of Isfahan Medical School 2016; **34**: 270-276 (in Persian with English abstract)（ランダム）
18) Tunggal P, Ng FH, Lam KF, et al. Effect of esomeprazole versus famotidine on platelet inhibition by clopidogrel: a double-blind, randomized trial. Am Heart J 2011; **162**: 870-874（ランダム）
19) Kawai T, Oda K, Funao N, et al. Vonoprazan prevents low-dose aspirin-associated ulcer recurrence: randomized phase 3 study. Gut 2018; **67**: 1033-1041（ランダム）

CQ 5-11

(4) 低用量アスピリン(LDA)潰瘍【予防】

上部消化管出血既往歴がある患者が低用量アスピリン(LDA)を服用する場合，どのような併用薬を用いれば，再出血が少なくなるか？

> **推奨**
>
> - LDAによる上部消化管出血の再発抑制には，除菌に加えてPPIの投与を推奨する．　【推奨の強さ：**強**（合意率100％），エビデンスレベル：**B**】
>   （LDA服用例での出血の二次予防にPPIは保険適用外）
> - LDAによる上部消化管出血の再発抑制には，除菌に加えてH₂RAの投与を提案する．　【推奨の強さ：**弱**（合意率100％），エビデンスレベル：**C**】
>   （LDA服用例での出血の二次予防にH₂RAは保険適用外）

解説

　LDAによる上部消化管出血既往歴のある患者において，治癒後6ヵ月以内の消化性潰瘍からの再出血はH. pylori除菌群とオメプラゾール投与群で同等であり，RCTによりH. pylori除菌による出血の再発予防効果が示されている[1]．さらに，H. pylori除菌後に発生するLDAによる出血性潰瘍再発はPPIにより有意に抑制されることが示されている[2]．一方で，Ngらは，上部消化管出血の既往を有する患者が50〜70％を占める潰瘍またはびらん症例で，LDAの服用に加えてファモチジン80mgとパントプラゾール20mgで48週間の上部消化管再出血の頻度を比較した

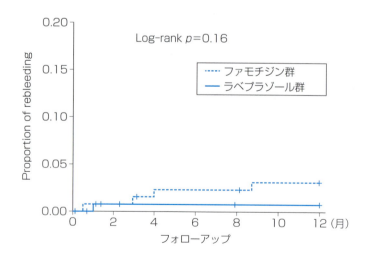

図1　上部消化管再出血の発生率

消化性潰瘍出血の既往歴がある患者において，LDAの服用に加えてラベプラゾール20mg群とファモチジン40mg群で12ヵ月後の上部消化管再出血の頻度を比較したところ，ラベプラゾール群とファモチジン群は同等であった．
(Chan FK, et al. Gastroenterology 2017; 152: 105-110 [4] より許諾を得て転載)

(4) 低用量アスピリン(LDA)潰瘍【予防】

ところ7.7% vs. 0%（$p=0.0289$）であり，PPIがH$_2$RAよりも上部消化管再出血を抑制した[3]．さらに，消化性潰瘍出血の既往歴がある患者において，LDAの服用に加えてラベプラゾール20 mg群とファモチジン40 mg群で12ヵ月後の上部消化管再出血の頻度を比較した検討では，ラベプラゾール群が0.7%，ファモチジン群は3.1%で，PPIがH$_2$RAよりも上部消化管再出血をわずかに抑えたが，有意差はみられなかった（図1）[4]．一方で，上部消化管出血既往歴を対象としたボノプラザンの有効性の報告はない．

　以上より，LDAによる上部消化管出血の再発予防は，除菌に加えてPPIの投与を推奨し，H$_2$RAの投与を提案する．

　なお，LDA服用例での出血の二次予防にPPI，H$_2$RAは，保険適用がない．

文献

1) Chan FK, Chung SC, Suen BY, et al. Preventing recurrent upper gastrointestinal bleeding in patients with *Helicobacter pylori* infection who are taking low-dose aspirin or naproxen. N Engl J Med 2001; **344**: 967-973（ランダム）
2) Lai KC, Lam SK, Chu KM, et al. Lansoprazole for the prevention of recurrence of ulcer complications from long-term low-dose aspirin use. N Engl J Med 2002; **346**: 2033-2038（ランダム）
3) Ng FH, Wong SY, Lam KF, et al. Famotidine is inferior to pantoprazole in preventing recurrence of aspirin-related peptic ulcers or erosions. Gastroenterology 2010; **138**: 82-88（ランダム）
4) Chan FK, Kyaw M, Tanigawa T, et al. Similar Efficacy of Proton-Pump Inhibitors vs H2-Receptor Antagonists in Reducing Risk of Upper Gastrointestinal Bleeding or Ulcers in High-Risk Users of Low-Dose Aspirin. Gastroenterology 2017; **152**: 105-110（ランダム）

CQ 5-12　（4）低用量アスピリン（LDA）潰瘍【予防】

潰瘍既往歴がある患者が低用量アスピリン（LDA）を服用する場合，どのように潰瘍再発を予防するか？

推奨

- LDA による上部消化性潰瘍の再発抑制には，PPI またはボノプラザンの投与を推奨する．
【推奨の強さ：**強**（合意率 100％），エビデンスレベル：**A**】
- LDA による上部消化性潰瘍の再発抑制には，H₂RA の投与を提案する．
【推奨の強さ：**弱**（合意率 100％），エビデンスレベル：**C**】
（LDA 服用例での潰瘍の二次予防に H₂RA は保険適用外）

解説

　LDA 起因性消化性潰瘍既往のある患者にパントプラゾール群とファモチジン群における潰瘍もしくは出血の再発を検討したところ，パントプラゾール群の再発予防効果が高いことを示している[1]．また，Chan らの検討では，LDA 起因性出血性潰瘍既往のある患者で LDA 服用中のラベプラゾール 20 mg とファモチジン 40 mg の比較で，12 ヵ月後の潰瘍再発頻度は 7.0％（8/114）vs. 8.6％（9/105）で有意差はみられなかった（$p=0.668$）[2]．また，消化性潰瘍既往のある LDA 内服継続する患者に対して，ランソプラゾール群がゲファルナート群と比較して消化性潰瘍再発率を低下させている[3]．さらに，ラベプラゾール[4,5] およびエソメプラゾール[6] は LDA 起因性消化性潰瘍既往患者における潰瘍再発抑制に有用である RCT が報告されている．LDA による消化性潰瘍の再発率の抑制に対する PPI の有効性を検討した RCT を集積し，メタアナリシスを独自に行った結果，PPI はプラセボ，ゲファルナートもしくはテプレノンと比較して消化性潰瘍再発率の低下を認めた[3-6]（図 1）．さらに，ラベプラゾールの効果は，76 週までの長期研究で確認されている[7]．一方で，Taha ら[8] は，LDA 投与前の内視鏡検査でおよそ 47％から

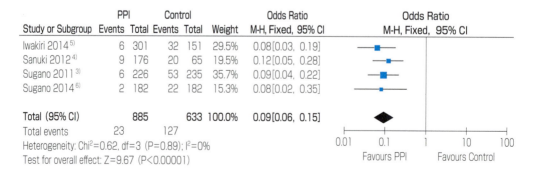

図 1　消化性潰瘍再発率の検討
　PPI はプラセボ，ゲファルナートもしくはテプレノンと比較して消化性潰瘍再発率の低下を認めた．
（文献 3〜6 よりメタアナリシスを施行）

(4) 低用量アスピリン(LDA)潰瘍【予防】

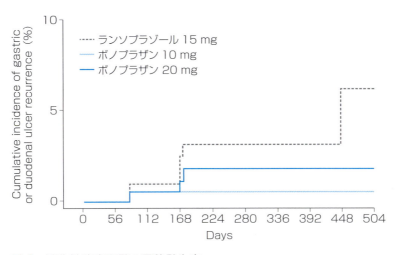

図2 消化性潰瘍再発の累積発生率
消化性潰瘍既往のあるLDA内服患者に対して，ランソプラゾール内服群とボノプラザン内服群で消化性潰瘍の累積発生率を比較検討したところ，ボノプラザン10mg群（log-rank test, $p=0.039$）はランソプラゾール群と比較して消化性潰瘍再発率を低下させた．
(Kawai T, et al. Gut 2018; 67: 1033-1041 [9]より許諾を得て転載)

53％に胃潰瘍または十二指腸潰瘍瘢痕を認める症例を対象として，LDA 75～325 mg/日内服にファモチジン40 mg併用もしくはプラセボを併用し，12週後に再度内視鏡検査を施行したところ，ファモチジン群ではプラセボ群と比較して胃，十二指腸潰瘍の発生を有意に抑制することを報告している．さらに，ボノプラザン10 mgおよび20 mg群とランソプラゾール15 mg群における24週後の潰瘍の再発を検討したところ，ボノプラザン10 mg群は0.5％，20 mg群では1.5％，ランソプラゾール15 mg群2.8％と同等であったが，さらに，長期投与試験（中央値52週）においては，ボノプラザン10 mg群（log-rank test, $p=0.039$）はランソプラゾール15 mg群と比較して有意な潰瘍の再発抑制を示している（図2）[9]．

以上より，LDAによる上部消化性潰瘍の再発抑制には，PPIまたはボノプラザンの投与を行うよう推奨し，H₂RAの投与を提案する．

保険適用である，「低用量アスピリン投与時における胃潰瘍または十二指腸潰瘍の再発抑制」で使用可能な薬剤は，ランソプラゾール15 mg，ネキシウム20 mg，ラベプラゾール5 mg（10 mg），ボノプラザン10 mgである．なお，LDA服用例での潰瘍の二次予防にH₂RAは，保険適用がない．

文献

1) Ng FH, Wong SY, Lam KF, et al. Famotidine is inferior to pantoprazole in preventing recurrence of aspirin-related peptic ulcers or erosions. Gastroenterology 2010; 138: 82-88（ランダム）
2) Chan FK, Kyaw M, Tanigawa T, et al. Similar Efficacy of Proton-Pump Inhibitors vs H2-Receptor Antagonists in Reducing Risk of Upper Gastrointestinal Bleeding or Ulcers in High-Risk Users of Low-Dose Aspirin. Gastroenterology 2017; 152: 105-110（ランダム）
3) Sugano K, Matsumoto Y, Itabashi T, et al. Lansoprazole for secondary prevention of gastric or duodenal ulcers associated with long-term low-dose aspirin therapy: results of a prospective, multicenter, double-blind, randomized, double-dummy, active-controlled trial. J Gastroenterol 2011; 46: 724-735（ランダム）
4) Sanuki T, Fujita T, Kutsumi H, et al; Care Study Group. Rabeprazole reduces the recurrence risk of peptic ulcers associated with low-dose aspirin in patients with cardiovascular or cerebrovascular disease: a

prospective randomized active-controlled trial. J Gastroenterol 2012; **47**: 1186-1197（ランダム）
5) Iwakiri R, Higuchi K, Fujishiro M, et al. Randomized clinical trial: prevention of recurrence of peptic ulcers by rabeprazole in patients taking low-dose aspirin. Aliment Pharmacol Ther 2014; **40**: 780-795（ランダム）
6) Sugano K, Choi MG, Lin JT, et al; LAVENDER Study Group. Multinational, double-blind, randomised, placebo-controlled, prospective study of esomeprazole in the prevention of recurrent peptic ulcer in low-dose acetylsalicylic acid users: the LAVENDER study. Gut 2014; **63**: 1061-1068（ランダム）
7) Fujishiro M, Higuchi K, Kato M, et al. Long-term efficacy and safety of rabeprazole in patients taking low-dose aspirin with a history of peptic ulcers: a phase 2/3, randomized, parallel-group, multicenter, extension clinical trial. J Clin Biochem Nutr 2015; **56**: 228-239（ランダム）
8) Taha AS, McCloskey C, Prasad R, et al. Famotidine for the prevention of peptic ulcers and oesophagitis in patients taking low-dose aspirin (FAMOUS): a phase Ⅲ, randomised, double-blind, placebo-controlled trial. Lancet 2009; **374**: 119-125（ランダム）
9) Kawai T, Oda K, Funao N, et al. Vonoprazan prevents low-dose aspirin-associated ulcer recurrence: randomized phase 3 study. Gut 2018; **67**: 1033-1041（ランダム）

CQ 5-13

(4) 低用量アスピリン(LDA)潰瘍【予防】

潰瘍既往歴がない患者が低用量アスピリン(LDA)を服用する場合，潰瘍発生予防策は必要か？

推奨

- LDA 起因性消化性潰瘍発生の一次予防に PPI の投与を行うよう推奨する（保険適用外）．　　【推奨の強さ：強（合意率 82%），エビデンスレベル：A】

解説

およそ 94% が消化性潰瘍既往のない症例を対象として，LDA 内服にファモチジン 20 mg/日もしくはテプレノン 150 mg/日を併用し，12 週後に内視鏡検査を施行したところ，ファモチジン群のみで 12 週後の内視鏡スコアの低下（Lanza score の平均値：投与前 0.89 から投与後 0.39 に低下（$p=0.006$））を認めた[1]．また，LDA を服用している患者および開始する患者（消化性潰瘍既往歴なしおよそ 73%）にエソメプラゾール 40 mg，20 mg もしくはプラセボを投与し，26 週後に内視鏡的潰瘍発生率を検討したところ，エソメプラゾール 40 mg で 1.5%（95%CI 0.6〜2.4%），20 mg で 1.1%（95%CI 0.3〜1.9%），プラセボでは 7.4%（95%CI 5.5〜9.3%）の発生率であり，エソメプラゾールはプラセボと比較して潰瘍発生率を有意に低下させる（$p<0.0001$）ことが報告されている[2]．さらに，消化性潰瘍既往のない症例が 95% 含まれる対象において，LDA およびクロピドグレル，抗凝固療法を併用する症例にエソメプラゾール 20 mg 投与群とファモチジン 40 mg 投与群で 17〜19 週後の潰瘍合併症の発生率を比較したところ，エソメプラゾール投与群で 0.6%，ファモチジン群で 6.1% の発生率を認め，エソメプラゾール投与群で潰瘍合併症を抑制した RCT が報告されている（log-rank test, $p=0.0052$, ハザード比 0.095, 95%CI 0.005〜0.504）[3]．

したがって，LDA 起因性消化性潰瘍発生の一次予防に PPI の投与を行うよう推奨する．消化性潰瘍既往歴がない症例が全例の報告ではないが，LDA 服用という心血管リスクのある症例での消化性潰瘍発生という事象の重要性を考慮して推奨とした．ただし，患者背景による LDA 投与リスクの大きさ，PPI 長期投与のリスクを症例ごとに判断して決定する．

なお，LDA 服用例での潰瘍の一次予防に PPI，ボノプラザン，H_2RA は，保険適用がない．

文献

1) Takeuchi T, Ota K, Harada S, et al. Comparison of teprenone and famotidine against gastroduodenal mucosal damage in patients taking low-dose aspirin. J Gastroenterol Hepatol 2014; **29** (Suppl 4): 11-15（ランダム）
2) Scheiman JM, Devereaux PJ, Herlitz J, et al. Prevention of peptic ulcers with esomeprazole in patients at risk of ulcer development treated with low-dose acetylsalicylic acid: a randomised,controlled trial (OBERON). Heart 2011; **97**: 797-802（ランダム）
3) Ng FH, Tunggal P, Chu WM, et al. Esomeprazole compared with famotidine in the prevention of upper gastrointestinal bleeding in patients with acute coronary syndrome or myocardial infarction. Am J Gastroenterol 2012; **107**: 389-396（ランダム）

CQ 5-14

(4) 低用量アスピリン(LDA)潰瘍【予防】

低用量アスピリン (LDA) 服用者における COX-2 選択的阻害薬は通常の NSAIDs より潰瘍リスクを下げるか？

推奨

- LDA 服用者に COX-2 選択的阻害薬を用いると，LDA 服用者に通常の NSAIDs を併用する場合に比べて消化管に対する潰瘍および出血のリスクは下がる．　　【推奨の強さ：**強**（合意率 100％），エビデンスレベル：**A**】
- LDA 服用者に NSAIDs 併用投与が必要な，消化性潰瘍リスクが中等度以下の患者では，消化管傷害リスクを低下させるために，セレコキシブと PPI の併用を推奨する．　　【推奨の強さ：**強**（合意率 100％），エビデンスレベル：**A**】
（LDA 服用例での潰瘍の一次予防に PPI は保険適用外）

解説

　LDA 服用者における COX-2 選択的阻害薬の併用により消化性潰瘍発症率は増加する[1〜3]が，この発症率は LDA に通常の NSAIDs を併用する場合よりは低い[4,5]．一方で，LDA と COX-2 選択的阻害薬の併用もしくは LDA と通常の NSAIDs に PPI を併用した場合の消化管傷害のリスクは同等であるとする RCT がある[6]．ナプロキセンは心血管イベントへの影響が少ないとの報告がある[7〜9]が LDA 服用に加えて，セレコキシブに PPI を併用した群とナプロキセンに PPI を併用した群で上部消化管出血の再発率を 18 ヵ月間検討したところ，セレコキシブ群において再発抑制を認め（図 1），心血管イベントの発生には差を認めなかった[10]．さらに，およそ 45％が

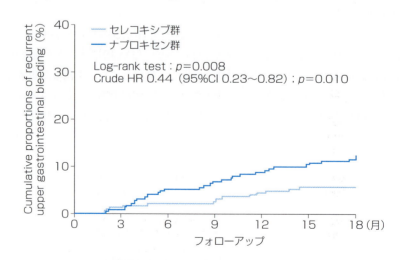

図 1　上部消化管出血の累積再発率

18 ヵ月間における上部消化管出血の累積再発率は，セレコキシブ群 5.6％，ナプロキセン群 12.3％であった（$p=0.008$）．
(Chan FKL, et al. Lancet 2017; 389: 2375-2382 [10] より許諾を得て転載)

（4）低用量アスピリン（LDA）潰瘍【予防】

　LDA を服用している関節炎症例にセレコキシブ，ナプロキセンもしくはイブプロフェンにエソメプラゾール 20～40 mg を併用し，重篤な上部消化管傷害の発生頻度を比較したところ，セレコキシブ群はナプロキセン群（ハザード比 0.71，95％CI 0.54～0.93，p = 0.01）およびイブプロフェン群（ハザード比 0.65，95％CI 0.50～0.85，p = 0.002）と比較して有意に発生頻度の抑制を認め，セレコキシブは心血管安全性に関してナプロキセンもしくはイブプロフェンとの間に差は認めなかった[11]．COX-2 選択的阻害薬および通常の NSAIDs の服用は，心血管イベントのリスクおよび頻度を増加させるが[12]，LDA 服用を要する心血管イベントのリスクの高い患者への COX-2 選択的阻害薬や通常の NSAIDs の併用は，American College of Gastroenterology（ACG）のガイドラインでは消化性潰瘍合併症の既往や 3 個以上のリスクを有する消化性潰瘍高リスクの患者には行わないよう提案している[7]．したがって，LDA 服用者に NSAIDs 併用投与が必要な，消化性潰瘍リスクが中等度以下の患者では，消化管傷害リスクを低下させるために，セレコキシブと PPI の併用を推奨する．

　なお，LDA 服用例での潰瘍の一次予防に PPI は，保険適用がない．保険適用である，「低用量アスピリン投与時における胃潰瘍または十二指腸潰瘍の再発抑制」で使用可能な PPI は，ランソプラゾール 15 mg，ネキシウム 20 mg，ラベプラゾール 5 mg（10 mg）である．

文献

1) Silverstein FE, Faich G, Goldstein JL, et al. Gastrointestinal toxicity with celecoxib vs non-steroidal anti-inflammatory drugs for osteoarthritis and rheumatoid arthritis. JAMA 2000; **284**: 1247-1255（ランダム）
2) Laine L, Maller ES, Yu C, et al. Ulcer formation with low-dose enteric-coated aspirin and the effect of COX-2 selective inhibition: a double-blind trial. Gastroenterology 2004; **127**: 395-402（ランダム）
3) Lanas A, García-Rodríguez LA, Arroyo MT, et al; Asociación Española de Gastroenterología. Risk of upper gastrointestinal ulcer bleeding associated with selective cyclo-oxygenase-2 inhibitors, traditional non-aspirin non-steroidal anti-inflammatory drugs, aspirin and combinations. Gut 2006; **55**: 1731-1738（ケースコントロール）
4) Strand V. Are COX-2 inhibitors preferable to non-selective non-steroidal anti-inflammatory drugs in patients with risk of cardiovascular events taking low-dose aspirin. Lancet 2007; **370**: 2138-2151（メタ）
5) Goldstein J, Lowry SC, Lanza FL, et al. The impact of low-dose aspirin on endoscopic gastric and duodenal ulcer rates in users of a non-selective non-steroidal anti-inflammatory drug or a cyclo-oxygenase-2-selective inhibitor. Alm Pharmacol Ter 2006; **23**: 1489-1498（ランダム）
6) Goldstein JL, Cryber B, Amer F, et al. Celecoxib plus aspirin versus naproxen and lansoprazole plus aspirin: a randomized, double-blind, endoscopic trial. Clin Gasrtroenterol Hepatol 2007; **5**: 1167-1174（ランダム）
7) Lanza FL, Chan FKL, Quigley EMM. Guidelines for prevention of NSAID-related ulcer complications. Am J Gastroenterol 2009; **104**: 728-738（ガイドライン）
8) Kearney PM, Baigent C, Godwin J, et al. Do selective cyclo-oxygenase-2 inhibitors and traditional non-steroidal anti-inflammatory drugs increase the risk of atherothrombosis? Meta-analysis of randomised trials. BMJ 2006; **332**: 1302-1308（メタ）
9) Bhala N, Emberson J, Merhi A, et al; Coxib and traditional NSAID Trialists' (CNT) Collaboration. Vascular and upper gastrointestinal effects of non-steroidal anti-inflammatory drugs: meta-analyses of individual participant data from randomised trials. Lancet 2013; **382**: 769-779（メタ）
10) Chan FKL, Ching JYL, Tse YK, et al. Gastrointestinal safety of celecoxib versus naproxen in patients with cardiothrombotic diseases and arthritis after upper gastrointestinal bleeding (CONCERN): an industry-independent, double-blind, double-dummy, randomised trial. Lancet 2017; **389**: 2375-2382（ランダム）
11) Nissen SE, Yeomans ND, Solomon DH, et al. Cardiovascular Safety of Celecoxib, Naproxen, or Ibuprofen for Arthritis. N Engl J Med 2016; **375**: 2519-2529（ランダム）
12) Mcgettigan P, Henry D. Cardiovascular risk and inhibition of cyclooxygenase: a systematic review of the observational studies of selective and nonselective inhibitors of cyclooxygenase 2. JAMA 2006; **296**: 1633-1644（メタ）

CQ 5-15

(4) 低用量アスピリン(LDA)潰瘍【予防】

低用量アスピリン(LDA)服用者におけるNSAIDs併用時のPPIを推奨するか？

> **推 奨**
>
> ●LDAとNSAIDs併用による潰瘍再発予防にはLDAとセレコキシブにPPIの併用を推奨する．【推奨の強さ：**強**（合意率100％），エビデンスレベル：**A**】
> （LDA服用例での潰瘍の一次予防にPPIは保険適用外）

解説

　LDAとNSAIDsの併用例における潰瘍再発予防に関して，ランソプラゾールの併用はPG製剤と同等の再発予防効果が確認され[1]，ナプロキセンとLDAの併用におけるエソメプラゾールの併用は潰瘍再発率を低下させている[2]．さらに，LDAとセレコキシブの併用もしくはLDAとナプロキセンにランソプラゾールを併用した場合の消化性潰瘍発生率も同等である[3]．心血管イベントのリスクの高い患者はLDA継続投与を要するため，消化性潰瘍のリスクなしもしくは中等度リスクのある患者には，ACGのガイドラインではナプロキセンにPPIを推奨している[4]．しかしながら，ナプロキセンもしくはイブプロフェンとセレコキシブに心血管イベントの発生に差を認めておらず[5,6]，LDAとセレコキシブの併用は，通常のNSAIDsを併用する場合に比べて消化管に対する潰瘍および出血のリスクを下げることから，LDAとNSAIDs併用による潰瘍再発予防にはセレコキシブにPPIの併用が有用であるので行うよう推奨する．一方で，LDAとNSAIDs併用による潰瘍再発予防におけるボノプラザンの有効性について明らかなエビデンスは得られておらず，LDA，NSAIDs併用による潰瘍一次予防についての明らかなエビデンスも得られていない．

　なお，LDA服用例での潰瘍の一次予防にPPIは，保険適用がない．保険適用である，「低用量アスピリン投与時における胃潰瘍または十二指腸潰瘍の再発抑制」で使用可能なPPIは，ランソプラゾール15 mg，ネキシウム20 mg，ラベプラゾール5 mg（10 mg）である．

文献

1) Goldstein JL, Huang B, Amer F, et al. Ulcer recurrence in high-risk patients receiving non-steroidalanti-inflammatory drugs plus low-dose aspirin: results of a post Hoc subanalysis. Clin Ther 2004; **26**: 1637-1643（ランダム）
2) Goldstein JL, Hochberg MC, Fort JG, et al. Clinical trial: the incidence of NSAID-associated endoscopic gastric ulcers in patients treated with PN 400 (naproxen plus esomeprazole magnesium) vs. enteric-coated naproxen alone. Aliment Pharmacol Ther 2010; **32**: 401-413（ランダム）
3) Goldstein JL, Cryer B, Amer F, et al. Celecoxib plus aspirin versus naproxen and lansoprazole plus aspirin: a randomized, double-blind, endoscopic trial. Clinical Gastroenterology and Hepatology 2007; **5**: 1167-1174（ランダム）
4) Lanza FL, Chan FKL, Quigley EMM. Guidelines for prevention of NSAID-related ulcer complications. Am J Gastroenterol 2009; **104**: 728-738（ガイドライン）
5) Chan FKL, Ching JYL, Tse YK, et al. Gastrointestinal safety of celecoxib versus naproxen in patients with cardiothrombotic diseases and arthritis after upper gastrointestinal bleeding (CONCERN): an industry-independent, double-blind, double-dummy, randomised trial. Lancet 2017; **389**: 2375-2382（ランダム）
6) Nissen SE, Yeomans ND, Solomon DH, et al. Cardiovascular Safety of Celecoxib, Naproxen, or Ibuprofen for Arthritis. N Engl J Med 2016; **375**: 2519-2529（ランダム）

BQ 5-17

(5) その他の薬物

NSAIDs 以外に潰瘍発生リスクを高める薬物は何か？

> **回答**
> ● アレンドロン酸，抗癌薬（①シクロホスファミド＋メトトレキサート＋フルオロウラシル，②フルオロウラシル単剤）および選択的セロトニン再取り込み阻害薬が潰瘍発生リスクを高める．

解説

　NSAIDs 以外に潰瘍発生リスクを高める薬物は何かについて，「消化性潰瘍診療ガイドライン 2015（改訂第 2 版）」以降に新たな文献報告はなかった．

1. アレンドロン酸

　H. pylori 感染者を除外した健康成人を対象とした研究で，ビスホスホネート系薬剤の代表であるアレンドロン酸を高用量投与する場合，保護されたアレンドロン酸製剤投与群は通常のアレンドロン酸投与群と比較して，胃潰瘍の発生率が有意に低かった（3.3% vs. 21.4%，$p=0.015$）[1]．骨粗鬆症の治療に対して用いられる投与量においては，リセドロン酸はアレンドロン酸より胃潰瘍発生率が有意に低かった[2,3]．冠動脈再灌流療法を受けた 65 歳以上の患者データベースを用いたケースコントロールスタディで，ビスホスホネート単独では上部消化管出血のリスクはオッズ比 1.01（0.72〜1.43）と上昇しなかった[4]．しかし，この報告は対象が上部消化管出血であり消化性潰瘍ではない．わが国からは，Miyake らが NSAIDs を 3 ヵ月以上継続して内服している関節リウマチ患者を対象とした後ろ向きコホート研究を行っており，消化性潰瘍のリスクを高めるのはビスホスホネート［オッズ比 2.29（1.09〜4.81）］，喫煙［オッズ比 2.71（1.13〜6.53）］，60 歳以上［オッズ比 2.58（1.03〜6.49）］との結果が示されている[5]．

2. 抗癌薬（①シクロホスファミド＋メトトレキサート＋フルオロウラシル，②フルオロウラシル単独）

　シクロホスファミド，メトトレキサート，およびフルオロウラシルを併用する化学療法，またはフルオロウラシル単独の化学療法において，オメプラゾールもしくはラニチジン塩酸塩を併用すると，潰瘍発生率がプラセボ群よりも有意に低下したことから，これらの抗癌薬が消化性潰瘍発生のリスクを高めることが示された[6]．

3. 選択的セロトニン再取り込み阻害薬

　デンマークで 3 つのデータベースを使用して行われた大規模なケースコントロールスタディ（ケース 4,862 名，コントロール 19,448 名）において，選択的セロトニン再取り込み阻害薬（selective serotonin reuptake inhibitors：SSRI）使用者では，消化性潰瘍発生リスクがオッズ比 1.50（95%CI 1.18〜1.90）と上昇し，PPI を併用するとオッズ比 0.76（0.46〜1.25）とリスクが上昇せず，SSRI が消化性潰瘍のリスクを上昇させることが示唆されている[7]．わが国からは，Itatsu らから

ケース41名，コントロール82名でのケースコントロールスタディが報告され，その結果ではSSRIはリスクを上昇させなかった[8]が，H. pylori感染などその他のリスクについての評価は十分ではない．

文献

1) Marshall JK, Thabane M, James C. Randomized active and placebo-controlled endoscopy study of a novel protected formulation of oral alendronate. Dig Dis Sci 2006; **51**: 864-868（ランダム）
2) Lanza FL, Hunt RH, Thomson AB, et al. Endoscopic comparison of esophageal and gastroduodenal effects of risedronate and alendronate in postmenopausal women. Gastroenterology 2000; **119**: 631-638（ランダム）
3) Thomson AB, Marshall JK, Hunt RH, et al; Risedronate Endoscopy Study Group. 14 day endoscopy study comparing risedronate and alendronate in postmenopausal women stratified by *Helicobacter pylori* status. J Rheumatol 2002; **29**: 1965-1974（ランダム）
4) Etminan M, Lévesque L, Fitzgerald JM, et al. Risk of upper gastrointestinal bisphosphonates and non steroidal anti-inflammatory drugs: a case-control study. Aliment Pharamacol Ther 2009; **29**: 1188-1192（コホート）
5) Miyake K, Kusunoki M, Shinji Y, et al. Bisphosphonate increases risk of gastroduodenal ulcer in rheumatoid arthritis patients on long-term nonsteroidal anti-inflammatory drug therapy. J Gastroenterol 2009; **44**: 113-120（コホート）
6) Sartori S, Trevisani L, Nielsen I, et al. Randomized trial of omeprazole or ranitidine versus placebo in the prevention of chemotherapy-induced gastroduodenal injury. J Clin Oncol 2000; **18**: 463-467（ランダム）
7) Dall M, de Muckadell OBS, Lassen AT, et al. There is an association between selective serotonin reuptake inhibitor use and uncomplicated peptic ulcers: a population-based case-control study. Aliment Pharamacol Ther 2010; **32**: 1383-1391（ケースコントロール）
8) Itatsu T, Nagahara A, Hojo M, et al. Use of selective serotonin reuptake inhibitors and upper gastrointestinal disease. Intern Med 2011; **50**: 713-737（ケースコントロール）

BQ 5-18

(5) その他の薬物

糖質ステロイド投与は消化性潰瘍発生（再発）のリスク因子か？

> **回答**
> ● 糖質ステロイドは，消化性潰瘍発生のリスク因子とはならない．

解説

　糖質ステロイド投与は，消化性潰瘍発生（再発）のリスク因子かについて，「消化性潰瘍診療ガイドライン 2015（改訂第 2 版）」以降に新たな文献報告はなかった．

　1983 年に掲載された Messer ら[1]のメタアナリシスでは，無作為割り付け 71 試験（糖質ステロイド治療群 3,135 例，対照群 2,976 例）の解析を行い，潰瘍を有していたのは糖質ステロイド治療例 3,064 例中 55 例（1.8％）に対し，対照群 2,897 例中 23 例（0.8％）であったと報告した（相対危険度 2.3，95％CI 1.4〜3.7，$p<0.001$）．この結果から，糖質ステロイドは消化性潰瘍と消化管出血のリスクを増加させると結論づけた．しかし Conn ら[2]は 1985 年，このメタアナリシスについて，複数の欠陥（非盲検試験，非コントロール試験，無作為割り付けを維持されていない試験が含まれている，検討すべき件数の不足，相対危険度の計算，最大規模の二重盲検試験を明確な理由なく除外）があることを指摘し，除外すべき試験を排除して再検討したところ有意差がなかったと報告した．

　さらに Conn ら[3]は，1994 年に新たなメタアナリシスで 93 の無作為割り付け二重盲検試験の解析を行い，消化性潰瘍の発症はプラセボ群 3,267 例中 9 例（0.3％）と糖質ステロイド投与群 3,335 例中 13 例（0.4％）であった（オッズ比 1.2，95％CI 0.8〜2.1，$p>0.25$）ことから，消化性潰瘍は糖質ステロイドのまれな合併症で，糖質ステロイド投与が適応となる病態では禁忌と考えるべきではないと結論づけた．これらのメタアナリシスから，のちに報告された Conn らの結果を今回採用した．

　Piper ら[4]のケースコントロールスタディでは，経口糖質ステロイド服用例の消化性潰瘍発生の相対危険度は 2.0（95％CI 1.3〜3.0）であったが，実はそのリスクは NSAIDs を併用している症例でのみ増加しており，糖質ステロイド使用に関連した相対危険度は 4.4（95％CI 2.0〜9.7）であった．NSAIDs 非併用例の相対危険度は 1.1（95％CI 0.5〜2.1）で，糖質ステロイドではなくあくまで NSAIDs が潰瘍発生に関連していたことが示されている．

文献

1) Messer J, Reitman D, Sacks HS, et al. Association of adrenocorticosteroid therapy and peptic ulcer disease. N Engl J Med 1983; **309**: 21-24（メタ）
2) Conn HO, Poynard T. Adrenocorticosteroid administration and peptic ulcer: a critical analysis. J Chronic Dis 1985; **38**: 457-468（メタ）
3) Conn HO, Poynard T. Corticosteroids and peptic ulcer: meta-analysis of adverse events during steroid therapy. J Intern Med 1994; **236**: 619-632（メタ）
4) Piper JM, Ray WA, Daugherty JR, et al. Corticosteroid use and peptic ulcer disease: role of nonsteroidal anti-inflammatory drugs. Ann Intern Med 1991; **114**: 735-740（ケースコントロール）

第6章
非 *H. pylori*・非 NSAIDs 潰瘍

BQ 6-1

非 H. pylori・非 NSAIDs 潰瘍の頻度はどうか？

回答

- H. pylori 感染率低下に関連し潰瘍総数は減少しているなかで，日本における非 H. pylori・非 NSAIDs 潰瘍の大部分を占める特発性潰瘍の頻度は胃潰瘍全体の 12％，十二指腸潰瘍全体の 11％であり，アジアの他地域同様に増加している．

解説

　非 H. pylori・非 NSAIDs 潰瘍は，2大成因が陰性である消化性潰瘍の総称であり，そのなかには複数のリスク因子が含まれている．既知の因子として，Crohn 病，Zollinger-Ellison 症候群（ガストリン産生腫瘍），感染［Helicobacter heilmannii など non-H. pylori Helicobacter species（NHPH），ウイルス（特にサイトメガロウイルス）や胃梅毒］，好酸球性胃腸症，頭部外傷（Cushing 潰瘍）や全身熱傷（Curling 潰瘍）および ICU 潰瘍など重篤な身体ストレス，心理的ストレスがある．Crohn 病は本邦では現在 10 万人に 27 人程度，Zollinger-Ellison 症候群は 100 万人に 2 人程度とされているが，他の因子の頻度は不明である．そしてこれらの因子が明らかではない，大部分の非 H. pylori・非 NSAIDs 潰瘍は特発性潰瘍（idiopathic peptic ulcer：IPU）と呼ばれる．背景となる集団人口全体の H. pylori 感染率の低下などに関連して IPU の頻度増加が認められている可能性があるため地域によるばらつきが大きい．北米地域においては 1990 年代からすでに IPU は潰瘍全体の 30〜40％と報告されていた[1〜3]．しかし同時期の日本を含むアジア地域からの報告では IPU の頻度は低かったがその後増加している（表1）[1〜25]．たとえば香港の Hung らは IPU が 4.1％（1997〜1998 年）から 18.8％（2000 年）へと変化したと報告しており[4]，2002〜2009 年の 5,000 例を超える消化性潰瘍を検討した Wong らの報告では IPU が 13.8％を占める[5]．同様に日本において以前の報告では IPU は 0.9〜2.6％にとどまるとされていたが[6〜9]，2012〜2013 年のデータで IPU が 12.0％（特発性胃潰瘍 12.2％，特発性十二指腸潰瘍 11.1％）に増加していると報告された[10]．H. pylori 除菌後（または自然除菌）に発生する IPU と H. pylori 未感染の IPU を区別する意義について Ootani らの報告では萎縮を伴わない IPU は 1.7％（2/116）とされ 11/116 は萎縮を伴っていたため感染診断陰性でも少量の H. pylori が存在したのではないかと論じている[11]が，他の地域における報告は IPU を萎縮の有無により区別しておらず，前述の Kanno らの報告では除菌後 IPU 群が高齢であった以外に両者の背景因子に差はなかった[10]．

文献

1) Laine L, Hopkins RJ, Girardi LS. Has the impact of *Helicobacter pylori* therapy on ulcer recurrence in the United States been overstated? A meta-analysis of rigorously designed trials. Am J Gastroenterol 1998; **93**: 1409-1415（メタ）
2) Jyotheeswaran S, Shah AN, Jin HO, et al. Prevalence of *Helicobacter pylori* in peptic ulcer patients in greater Rochester, NY: is empirical triple therapy justified? Am J Gastroenterol 1998; **93**: 574-578（コホート）
3) Ciociola AA, McSorley DJ, Turner K, et al. *Helicobacter pylori* infection rates in duodenal ulcer patients in the United States may be lower than previously estimated. Am J Gastroenterol 1999; **94**: 1834-1840（メタ）
4) Hung LC, Ching JY, Sung JJ, et al. Long-term outcome of *Helicobacter pylori*-negative idiopathic bleeding

表1 各地域における特発性潰瘍の頻度

文献	発行年	国	Study design	Sampling period	特発性潰瘍の頻度
Asia-Pacific					
Tsuji H [6]	1999	日本	Prospective cohort	1995～1997	1.8%（6/335）（GU 2.3%, DU 0.9%）
Higuchi K [7]	1999	日本	Cross-sectional	Not mentioned	2.4%（8/338）（すべてDU）
Nishikawa K [8]	2000	日本	Cross-sectional	1992～1997	1.3%（5/398）（GU 1.6%, DU 0.7%）
Kamada T [9]	2003	日本	Cross-sectional	Past 8 years	1.3%（6/464）（すべてDU）
Ootani H [11]	2006	日本	Prospective cohort	2000～2002	11.2%（13/116）（IPU内11/13が萎縮あり既感染疑い, 2/13が萎縮なし）
Kanno T [10]	2015	日本	Prospective cohort	2012～2013	12.0%（46/382）（GU 12.2%, DU 1.1%）（IPU内23/46が萎縮あり既感染疑い, 23/46が萎縮なし）
Chan HL [12]	2001	香港	Prospective cohort	1997～1998	4.1%（40/977）
Xia HH [13]	2001	香港	Prospective cohort	1997～1999	17.4%（104/599）（すべてDU）
Chu KM [14]	2005	香港	Prospective cohort	1996～2002	23%（309/1,343）
Hung LC [4]	2005	香港	Prospective cohort	2000	18.8%（120/638）
Wong GL [5]	2012	香港	Prospective cohort	2002～2009	13.8%（663/4,827）
Borody TJ [15]	1991	オーストラリア	Prospective cohort	Not mentioned	0.3%（1/302）
Xia HH [16]	2000	オーストラリア	Prospective cohort	Not mentioned	43%（21/48）
Jang HJ [17]	2008	韓国	Prospective cohort	2004～2005	22.2%（199/895）
Kang JM [18]	2012	韓国	Prospective cohort	2006～2008	16.2%（28/173）
Chen TS [19]	2010	台湾	Prospective cohort	2003～2004	8.1%（51/626）（すべてDU）
Chang CY [20]	2011	台湾	Prospective cohort	2007～2008	17.2%（35/204）
Yakoob J [21]	2006	パキスタン	Retrospective	1999～2000	28.5%（62/217）（すべてDU）
Ong TZ [22]	2006	シンガポール	Prospective cohort	2002～2004	11.0%（66/600）
Goneka MK [23]	2011	インド	Prospective cohort	2008～2009	39.1%（50/128）（GU 45.9%, DU 29.6%）
Uyanikoglu A [24]	2012	トルコ	Cross-sectional	2002～2009	12.1%（17/140）
Kiatpapan P [25]	2017	タイ	Retrospective	2003～2013	5.4%（71/1,310）
North America					
Laine L [1]	1998	米国	Meta-analysis of 7 studies	Not mentioned	19.6%（33/168）
Jyotheeswaran S [2]	1998	米国	Retrospective	1993～1996	39.1%（106/271）（GU 39.3%, DU 39.6%）
Ciociola AA [3]	1999	米国	Meta-analysis of 6 RCTs	1991～1995	27.4%（657/2,394）（すべてDU）

GU：胃潰瘍，DU：十二指腸潰瘍．IPU：特発性潰瘍

5) Wong GL, Au KW, Lo AO, et al. Gastroprotective therapy does not improve outcomes of patients with *Helicobacter pylori*-negative idiopathic bleeding ulcers. Clin Gastroenterol Hepatol 2012; **10**: 1124-1129 (コホート)
6) Tsuji H, Kohli Y, Fukumitsu S, et al. *Helicobacter pylori*-negative gastric and duodenal ulcers. J Gastroenterol 1999; **34**: 455-460 (コホート)
7) Higuchi K, Arakawa T, Fujiwara Y, et al. Is *Helicobacter pylori*-negative duodenal ulcer masked by the high prevalence of *H. pylori* infection in the general population? Am J Gastroenterol 1999; **94**: 3083-3084 (横断)
8) Nishikawa K, Sugiyama T, Kato M, et al. Non-*Helicobacter pylori* and non-NSAID peptic ulcer disease in the Japanese population. Eur J Gastroenterol Hepatol 2000; **12**: 635-640 (横断)
9) Kamada T, Haruma K, Kusunoki H, et al. Significance of an exaggerated meal-stimulated gastrin response in pathogenesis of *Helicobacter pylori*-negative duodenal ulcer. Dig Dis Sci 2003; **48**: 644-651 (横断)
10) Kanno T, Iijima K, Abe Y, et al. A multicenter prospective study on the prevalence of *Helicobacter pylori*-negative and nonsteroidal anti-inflammatory drugs-negative idiopathic peptic ulcers in Japan. J Gastroenterol Hepatol 2015; **30**: 842-848 (コホート)
11) Ootani H, Iwakiri R, Shimoda R, et al. Role of *Helicobacter pylori* infection and nonsteroidal anti-inflammatory drug use in bleeding peptic ulcers in Japan. J Gastroenterol 2006; **41**: 41-46 (コホート)
12) Chan HL, Wu JC, Chan FK, et al. Is non-*Helicobacter pylori*, non-NSAID peptic ulcer a common cause of upper GI bleeding? A prospective study of 977 patients. Gastrointest Endosc 2001; **53**: 438-442 (コホート)
13) Xia HH, Wong BC, Wong KW, et al. Clinical and endoscopic characteristics of non-*Helicobacter pylori*, non-NSAID duodenal ulcers: a long-term prospective study. Aliment Pharmacol Ther 2001; **15**: 1875-1882 (コホート)
14) Chu KM, Kwok KF, Law S, et al. Patients with *Helicobacter pylori* positive and negative duodenal ulcers have distinct clinical characteristics. World J Gastroenterol 2005; **11**: 3518-3522 (コホート)
15) Borody TJ, George LL, Brandl S, et al. *Helicobacter pylori*-negative duodenal ulcer. Am J Gastroenterol 1991; **86**: 1154-1157 (コホート)
16) Xia HH, Kalantar JS, Mitchell HM, et al. Can *helicobacter pylori* serology still be applied as a surrogate marker to identify peptic ulcer disease in dyspepsia? Aliment Pharmacol Ther 2000; **14**: 615-624 (コホート)
17) Jang HJ, Choi MH, Shin WG, et al. Has peptic ulcer disease changed during the past ten years in Korea? A prospective multi-center study. Dig Dis Sci 2008; **53**: 1527-1531 (コホート)
18) Kang JM, Seo PJ, Kim N, et al. Analysis of direct medical care costs of peptic ulcer disease in a Korean tertiary medical center. Scand J Gastroenterol 2012; **47**: 36-42 (コホート)
19) Chen TS, Luo JC, Chang FY. Prevalence of *Helicobacter pylori* infection in duodenal ulcer and gastro-duodenal ulcer diseases in Taiwan. J Gastroenterol Hepatol 2010; **25**: 919-922 (コホート)
20) Chang CY, Wu MS, Lee CT, et al. Prospective survey for the etiology and outcome of peptic ulcer bleeding: a community based study in southern Taiwan. J Formos Med Assoc 2011; **110**: 223-229 (コホート)
21) Yakoob J, Jafri W, Jafri N, et al. Prevalence of non-*Helicobacter pylori* duodenal ulcer in Karachi, Pakistan. World J Gastroenterol 2005; **11**: 3562-3565 (コホート)
22) Ong TZ, Hawkey CJ, Ho KY. Nonsteroidal anti-inflammatory drug use is a significant cause of peptic ulcer disease in a tertiary hospital in Singapore: a prospective study. J Clin Gastroenterol 2006; **40**: 795-800 (コホート)
23) Goenka MK, Majumder S, Sethy PK, et al. *Helicobacter pylori* negative, non-steroidal anti-inflammatory drugnegative peptic ulcers in India. Indian J Gastroenterol 2011; **30**: 33-37 (コホート)
24) Uyanikoglu A, Danalioglu A, Akyuz F, et al. Etiological factors of duodenal and gastric ulcers. Turk J Gastroenterol 2012; **23**: 99-103 (横断)
25) Kiatpapan P, Vilaichone RK, Chotivitayatarakorn P, et al. Gastric Cancer and Gastrointestinal Stromal Tumors Could be Causes of non-*Helicobacter Pylori* non-NSAIDs Peptic Ulcers in Thailand. Asian Pac J Cancer Prev. 2017; **18**: 155-157 (コホート)

BQ 6-2

非 *H. pylori*・非 NSAIDs 潰瘍の原因や病態は何か？

> **回答**
> ● 非 *H. pylori*・非 NSAIDs 潰瘍の原因には Crohn 病，Zollinger-Ellison 症候群，感染，好酸球性胃腸症，身体的および心理的ストレスと，それらが明らかでない特発性潰瘍がある．特発性潰瘍の病態には酸分泌亢進，高ガストリン血症，胃排泄能亢進の関与が示唆されている．

解説

　非 *H. pylori*・非 NSAIDs 潰瘍は，2 大成因が陰性である消化性潰瘍の総称であり，そのなかには複数のリスク因子が含まれている．既知の因子として，Crohn 病，Zollinger-Ellison 症候群（ガストリン産生腫瘍），感染［*Helicobacter heilmannii* など non-*H. pylori Helicobacter* species（NHPH），ウイルス（胃においては特にサイトメガロウイルス）や胃梅毒］，好酸球性胃腸症，頭部外傷（Cushing 潰瘍）や全身熱傷（Curling 潰瘍）および ICU 潰瘍など重篤な身体ストレス，心理的ストレスなどがある．そしてこれらの因子が明らかではない，非 *H. pylori*・非 NSAIDs 潰瘍は特発性潰瘍（idiopathic peptic ulcer：IPU）と呼ばれる．NSAIDs 内服の聴取漏れや *H. pylori* 感染診断の間違いがありうるため，非 *H. pylori*・非 NSAIDs 潰瘍の診断に際してはまず，OTC 医薬品などを含めたしっかりとした薬歴の聴取，また出血性潰瘍時には迅速ウレアーゼ試験偽陰性のリスクを考慮し血清抗体を含む複数の *H. pylori* 感染診断を確実に行うことが重要である．

　NHPH は現在 30 種以上同定されており，人獣共通感染症として胃に主に生息する gastric *Helicobacter* spp. と腸と肝臓に主に生息する enterohepatic *Helicobacter* spp. に大別される．動物の胃に感染する NHPH がときにヒトの胃にも感染し病原性を有することが知られている．

　IPU は未解明の部分も多いが，病態として酸分泌亢進，高ガストリン血症，胃排泄亢進，遺伝的素因，喫煙，粘膜防御機構の脆弱さなどを背景にしている可能性が指摘されている[1~4]．臨床像として高齢者特に動脈硬化性疾患を持つ患者に発症しやすく[5,6]，門脈圧亢進症を伴う肝硬変に合併しうること[7,8]，前庭部～十二指腸球部が好発部位といった特徴が報告されている[9]．しかし，IPU に関するいずれの報告も比較的小規模なものにとどまり，明確なリスクの解析にはより大規模な報告の増加とそれらのメタアナリシスが待たれる．

文献

1) Quan C, Talley NJ. Management of peptic ulcer disease not related to *Helicobacter pylori* or NSAIDs. Am J Gastroenterol 2002; **97**: 2950-2961（横断）
2) Harris AW, Gummett PA, Phull PS, et al. Recurrence of duodenal ulcer after *Helicobacter pylori* eradication is related to high acid output. Aliment Pharmacol Ther 1997; **11**: 331-334（ケースコントロール）
3) McColl KEL, El-Nujumi AM, Chittajallu RS, et al. A study of the pathogenesis of *Helicobacter pylori* negative chronic duodenal ulceration. Gut 1993; **34**: 762-768（ケースコントロール）
4) Freston JW. *Helicobacter pylori*-negative peptic ulcers: frequency and implications for management. J Gastroenterol 2000; **35** (Suppl 12): 29-32（横断）
5) Chan HL, Wu JC, Chan FK, et al. Is non-*Helicobacter pylori*, non-NSAID peptic ulcer a common cause of upper GI bleeding? A prospective study of 977 patients. Gastrointest Endosc 2001; **53**: 438-442（コホート）

6) Kanno T, Iijima K, Abe Y, et al. A multicenter prospective study on the prevalence of *Helicobacter pylori*-negative and nonsteroidal anti-inflammatory drugs-negative idiopathic peptic ulcers in Japan. J Gastroenterol Hepatol 2015; **30**: 842-848（コホート）
7) Luo JC, Leu HB, Hou MC, et al. Cirrhotic patients at increased risk of peptic ulcer bleeding: a nationwide population-based cohort study. Aliment Pharmacol Ther 2012; **36**: 542-550（コホート）
8) Chang SS, Hu HY. *Helicobacter pylori* is not the predominant etiology for liver cirrhosis patients with peptic ulcer disease. Eur J Gastroenterol Hepatol 2013; **25**: 159-165（コホート）
9) Iijima K, Kanno T, Abe Y, et al. Preferential location of idiopathic peptic ulcers. Scand J Gastroenterol 2016; **51**: 782-787（コホート）

CQ 6-1

非 H. pylori・非 NSAIDs 潰瘍の治療はどのように行うべきか？

推奨

- 非 H. pylori・非 NSAIDs 潰瘍の初期治療は PPI を選択するように提案する．
  【推奨の強さ：弱（合意率 100％），エビデンスレベル：C 】
- 非 H. pylori・非 NSAIDs 潰瘍の治癒後再発予防には PPI または H_2RA を選択するように提案する．
  【推奨の強さ：弱（合意率 100％），エビデンスレベル：C 】

解説

　非 H. pylori・非 NSAIDs 潰瘍のうち BQ 6-1 に記載された既知の因子の場合はそれぞれの原疾患に対する治療を行う．それらが除外された特発性潰瘍患者において酸分泌亢進や高ガストリン血症が認められており[1]，PPI が治療の第一選択薬として提案される．しかし，Kanno らによる本邦の報告では，PPI 使用下での 12 週までの潰瘍治癒率が H. pylori 潰瘍の 95.0％に比して特発性潰瘍では 77.4％と低く[2]，難治性の場合に問題が残る．機序からすると強力な酸分泌抑制薬であるボノプラザン（VPZ）も PPI 同様に有効と考えられるが報告がない．

　また，治癒後の無治療経過観察中に再発を多く認めることも特発性潰瘍の課題である．香港 Hung らによると特発性潰瘍の 12 ヵ月時点での累積再発率は 13.4％と，除菌治療を受けた H. pylori 潰瘍における 2.5％より高いと報告された[3]．同様に韓国 Yoon らの報告では 5 年で特発性潰瘍が累積再発率 16.0％に対して H. pylori 潰瘍は 1.9％[4]，本邦でも Kanno らが 18 ヵ月の再発率が特発性潰瘍で 13.9％と除菌治療を受けた H. pylori 潰瘍の 2.1％より高いと報告した[2]．さらに香港 Wong らの特発性出血性潰瘍と出血性 H. pylori 潰瘍における治癒後 7 年間無治療で経過をみた累積再発率は，特発性潰瘍群が 42.3％で H. pylori 潰瘍の 11.2％より高いだけでなく，再出血率と総死亡率が特発性潰瘍群で高く，酸分泌抑制薬投与による再発予防と厳重な経過観察を検討すべきと述べている[5]．しかし，Wong らの別時期の患者群によるコホート研究では，H_2RA や PPI を潰瘍治癒後に処方していても，しなかった群に比して特発性潰瘍症例における再出血率や死亡率低下には寄与しなかったという報告をしている[6]．ただ，この報告における H_2RA や PPI の処方は無作為割り付けではなく担当医師の判断によるもので，交絡因子による影響は排除できない．

　検索期間外だが，前述の Wong らにより特発性潰瘍患者に対して PPI と H_2RA の再発予防効果を比較した RCT が報告された．本検討では期間内の NSAIDs の内服も禁じている．24 ヵ月間における上部消化管出血の累積発生率は PPI（ランソプラゾール 30mg 1 日 1 回）で 0.88％（95％CI 0.08〜4.37％），H_2RA（ファモチジン 40mg 1 日 1 回）では 2.63％（95％CI 0.71〜6.91％）に抑えられており，効果は両群間に有意な差を認めなかった（$p=0.336$）[7]．そのため現時点では治癒後の再発予防には PPI または H_2RA が候補となる．

■ 文献 ■

1) MColl KEL, lE-Nujumi AM, Chittajallu RS, et al. A study of the pathogenesis of *Helicobacter pylori* negative chronic duodenal ulceration. Gut 1993; **34**: 762-768（ケースコントロール）
2) Kanno T, Iijima K, Abe Y, et al. *Helicobacter pylori*-negative and non-steroidal anti-inflammatory drugs-negative idiopathic peptic ulcers show refractoriness and high recurrence incidence: Multicenter follow-up study of peptic ulcers in Japan. Dig Endosc 2016; **28**: 556-563（コホート）
3) Hung LC, Ching JY, Sung JJ, et al. Long-term outcome of *Helicobacter pylori*-negative idiopathic bleeding ulcers: a prospective cohort study. Gastroenterology 2005; **128**: 1845-1850（コホート）
4) Yoon H, Kim SG, Jung HC, et al. High Recurrence Rate of Idiopathic Peptic Ulcers in Long-Term Follow-up. Gut Liver 2013; **7**: 175-181（コホート）
5) Wong GL, Wong VW, Chan Y, et al. High incidence of mortality and recurrent bleeding in patients with *Helicobacter pylori*-negative idiopathic bleeding ulcers. Gastroenterology 2009; **137**: 525-531（コホート）
6) Wong GL, Au KW, Lo AO, et al. Gastroprotective therapy does not improve outcomes of patients with *Helicobacter pylori*-negative idiopathic bleeding ulcers. Clin Gastroenterol Hepatol 2012; **10**: 1124-1129（コホート）
7) Wong GLH, Lau LHS, Ching JYL, et al. Prevention of recurrent idiopathic gastroduodenal ulcer bleeding: a double-blind, randomised trial. Gut 2019; **69**: 652-657（ランダム）［検索期間外文献］

FRQ 6-1

虚血性十二指腸潰瘍の治療法は何か？

> **回答**
> ● 保存的治療として PPI またはミソプロストールが候補としてあがるが，血栓症や供血路狭窄など血流障害をきたす背景疾患の検索を行い，保存的治療下の増悪時は血管内治療や手術を考慮する．

解説

　日常臨床において判断や治療に難渋する特殊な潰瘍のひとつに，虚血によると考えられる十二指腸潰瘍がある．一般的に十二指腸は腹腔動脈（CA）系と上腸間膜動脈（SMA）系の両者から血流を受け側副血行路に富むと考えられている．今回英文および和文で網羅的に検索したが，虚血性十二指腸潰瘍の治療に関する RCT，コホート研究，症例対照研究はいずれも認められず，症例報告として潰瘍形成を伴わない腸炎は除外し14例が確認できた（表1）[1〜14]．

　症状として大別すると急性発症の腹痛や出血と，慢性的な腹痛や体重減少などが認められた．内視鏡所見では球後部におよぶ縦走する潰瘍や，潰瘍部分以外の周辺粘膜の浮腫や発赤性変化が虚血を疑う根拠としているものが多かった．急性発症の報告には止血や肝癌治療目的の塞栓物質注入後の虚血[1〜3]，また血栓塞栓症により腸管のみならず他臓器の塞栓で急変死亡している例[4,5]，急性十二指腸粘膜病変（ADML）に類似したものや原因が判然としないものもある．慢性症状の虚血性十二指腸潰瘍では動脈硬化性疾患のリスクを持ち CA および SMA の高度狭窄を呈する症例が報告されている[6〜8]．

　保存的治療として既報では絶食と酸分泌抑制薬の投与が行われているが，胆汁と膵液に曝露される球後部において酸を抑制する臨床的な有効性は現時点では明らかではない．報告はないが粘膜保護の観点からミソプロストールも提案にあげた．保存的治療のみで軽快したものと改善なくその後血管内治療や外科的血行再建術を行われている例があった．穿孔例や腹膜炎合併例では手術療法が選択される．

　特に急性発症の虚血が疑われる十二指腸潰瘍病変に対しては，血栓症などの背景疾患がある可能性を念頭に置き，注意して治療にあたる必要がある．

文献

1) Vallieres E, Jamieson C, Haber GB, et al. Pancreatoduodenal necrosis after endoscopic injection of cyanoacrylate to treat a bleeding duodenal ulcer: a case report. Surgery 1989; **106**: 901-903（ケースシリーズ）
2) Cheah WK, So J, Chong SM, et al. Duodenal ulcer perforation following cyanoacrylate injection. Endoscopy 2000; **32**: S23（ケースシリーズ）
3) Jang ES, Jeong SH, Kim JW, et al. A case of acute ischemic duodenal ulcer associated with superior mesenteric artery dissection after transarterial chemoembolization for hepatocellular carcinoma. Cardiovasc Intervent Radiol 2009; **32**: 367-370（ケースシリーズ）
4) Force T, MacDonald D, Eade OE, et al. Ischemic gastritis and duodenitis. Dig Dis Sci 1980; **25**: 307-310（ケースシリーズ）
5) Julka RN, Aduli F, Lamps LW, et al. Ischemic duodenal ulcer, an unusual presentation of sickle cell disease. J Natl Med Assoc 2008; **100**: 339-341（ケースシリーズ）

表1 虚血性十二指腸潰瘍症例

文献	発行年	年齢	性別	内視鏡所見	症候	虚血の原因	背景疾患	H. pylori 感染	NSAIDs	治療および経過
Force T ら[4]	1980	69	女性	胃十二指腸に多発潰瘍	食後の胸腹部痛	剖検にて腹部大動脈から連続する血栓塞栓がCAおよびSMAに存在	高血圧，狭心症	記載なし	記載なし	H₂RAを使用したが，3日目に血栓塞栓症で急変死亡
Vallieres E ら[1]	1989	52	女性	十二指腸潰瘍止血後に穿孔	シアノアクリレートで止血後強い心窩部痛，10時間後腹膜炎	シアノアクリレートを含む血栓が胃十二指腸動脈から右肝動脈まで存在	Crohn 病	記載なし	記載なし	手術（膵頭部に壊死及び膵頭十二指腸切除術）
Yakubu A ら[9]	1994	62	男性	十二指腸に多発潰瘍	腸閉塞に対し腸部分切除術後1週間目に大量吐血	術後ストレス疑い	腸閉塞	記載なし	記載なし	手術（出血コントロールできず膵頭十二指腸切除術）
Gómez-Rubio M ら[6]	1995	57	男性	下行脚に4cm大の潰瘍	6ヵ月間続く腹痛，体重減少	CAおよびSMAの高度狭窄	喫煙，閉塞性動脈硬化症	記載なし	なし	PPIを使用したが改善なく手術（血管バイパス術）
Bakker RC ら[7]	1997	39	女性	胃＋球部～深部十二指腸に浮腫性変化と多発潰瘍	8ヵ月間続く下痢，上腹部痛および体重減少	CAおよびSMAの高度狭窄	特記なし（喫煙のみ，家族歴に30歳代心筋梗塞	あり	記載なし	PPIを使用したが改善なく手術（血管バイパス術）
Cheah WK ら[2]	2000	58	男性	十二指腸潰瘍止血後に穿孔	シアノアクリレートで止血退院後1週間目に腹痛で救急搬送	シアノアクリレートを含む血栓が右胃動脈まで存在	特記なし	あり	記載なし	手術（遠位側胃切除 B-II 再建）
佐藤ら[8]	2005	61	男性	十二指腸に多発潰瘍と発赤＋胃体部にも浮腫発赤	慢性の食後上腹部痛，下痢，痛のため食事困難	CAおよびSMAの高度狭窄	特記なし（喫煙のみ）	記載なし	なし	H₂RA＋TPNを2ヵ月も改善なくSMA狭窄部にバルーン拡張
平畑ら[10]	2007	67	男性	下行脚に縦走潰瘍＋周辺の発赤浮腫状粘膜	スクリーニングで発見	不明	パーキンソン病，右腎摘後	記載なし	記載なし	保存的治療（H₂RAからPPIに変更）
Korswagen L ら[11]	2007	80	女性	下行脚に縦走潰瘍	食後に悪化する慢性腹痛	不明	高血圧，糖尿病，慢性腎障害，慢性リンパ球性白血病	記載なし	記載なし	保存的治療（PPI）
Julka RN ら[5]	2008	35	女性	球部に潰瘍＋十二指腸全体浮腫性変化	下肢静脈血栓症で入院加療中の腹痛貧血	鎌状赤血球症に関連した血栓	喫煙，鎌状赤血球症，下肢静脈血栓症	なし	なし	PPIを使用したが，3日目に血栓塞栓症で急変死亡
Jang ES ら[3]	2009	69	男性	球部～下行脚にかけて潰瘍	TACE 3日目より心窩部痛	TACE	CH（B），HCC	記載なし	記載なし	保存的治療（PPI）
Okuyama Y ら[12]	2011	74	女性	深部十二指腸（3rd）潰瘍	腹痛，吐下血	腹部大動脈瘤によるCAおよびSMAの圧迫	糖尿病	記載なし	なし	保存的治療（PPI）
Haruna L ら[13]	2012	53	女性	球部 穿孔性潰瘍＋小腸壊死複数	腹痛	腸管膜静脈血栓症	高血圧，骨粗鬆症	記載なし	なし	手術（大網充填術＋小腸部分切除）
Peixoto A ら[14]	2017	69	男性	胃前庭部＋球部～深部十二指腸に多発潰瘍	2ヵ月前から心窩部痛	不明，CTで有意狭窄なし	LC，糖尿病，高血圧，喫煙	なし	あり	保存的治療（PPI）

TACE：肝動脈化学塞栓術，HCC：肝細胞癌，CH（B）：慢性B型肝炎，LC：肝硬変，CA：腹腔動脈，SMA：上腸間膜動脈

6) Gómez-Rubio M, Opio V, Acín F, et al. Chronic mesenteric ischemia: a cause of refractory duodenal ulcer. Am J Med 1995; **98**: 308-310（ケースシリーズ）
7) Bakker RC, Brandjes DP, Snel P, et al. Malabsorption syndrome associated with ulceration of the stomach and small bowel caused by chronic intestinal ischemia in a patient with hyperhomocysteinemia. Mayo Clin Proc 1997; **72**: 546-550（ケースシリーズ）
8) 佐藤伸悟, 松永久幸, 都築義和, ほか. 上腸間膜動脈狭窄部へのバルーン拡張が有効であった虚血性十二指腸炎の1例. 日本消化器病学会雑誌 2005; **102**: 578-582（ケースシリーズ）
9) Yakubu A, Baildam A, Taylor TV. Postoperative upper gastrointestinal bleeding associated with ischaemic ulceration of the duodenum. Br J Clin Pract 1994; **48**: 166-167（ケースシリーズ）
10) 平畑光一, 藤沼澄夫, 掛村忠義, ほか. 虚血性十二指腸炎と考えられた1例. Progress of Digestive Endoscopy 2007; **70**: 94-95（ケースシリーズ）
11) Korswagen L, Voerman HJ, Peterse JL. Ischemic duodenitis without involvement of the large abdominal arteries. Endoscopy 2007; **39** Suppl 1: E271（ケースシリーズ）
12) Okuyama Y, Kawakami T, Ito H, et al. A case of ischemic duodenitis associated with superior mesenteric artery syndrome caused by an abdominal aortic aneurysm. Case Rep Gastroenterol 2011; **5**: 278-282（ケースシリーズ）
13) Haruna L, Aber A, Rashid F, et al. Acute mesenteric ischemia and duodenal ulcer perforation: a unique double pathology. BMC Surg 2012; **12**: 21（ケースシリーズ）
14) Peixoto A, Gonçalves R, Silva M, et al. Extensive ulcerative duodenitis caused by ischemia. Clin Res Hepatol Gastroenterol 2017; **41**: 119-120（ケースシリーズ）

第7章
残胃潰瘍

CQ 7-1

残胃潰瘍の治療法は何か？

推奨

- 残胃潰瘍に対しては PPI 投与を推奨する．
  【推奨の強さ：**強**（合意率 100％），エビデンスレベル：**C**】

解説

　残胃潰瘍の治療法としてあげられるのはまず，薬物療法である．オメプラゾール，シメチジン，スクラルファート，コロイダルビスマス，ミソプロストールによる残胃潰瘍に対するオープンラベル比較試験では，オメプラゾールが潰瘍治癒速度，治癒率，ともに勝っていた[1]．治療開始 2 週間後の潰瘍治癒率は，オメプラゾール，シメチジン，スクラルファート，コロイダルビスマス，ミソプロストールの順に，66.7，43.3，22.2，22.2，16.7％であり，オメプラゾールとシメチジン，オメプラゾールとスクラルファート，オメプラゾールとコロイダルビスマス，オメプラゾールとミソプロストールとの間に有意差があった．4 週間後は 86.7，68.5，50.0，51.8，33.4％であり，2 週間後に有意差があった組み合わせに加え，シメチジンとミソプロストールに有意差があった．6 週間後は 86.7，75.9，72.2，70.4，66.4％であり，いずれも有意差は認められなかった．

　残胃潰瘍に対する *H. pylori* の除菌効果に関しては，RCT は存在しなかった．しかし，残胃潰瘍が生じた群と生じなかった群との *H. pylori* 感染の率を比較した横断研究はいくつか存在し，いずれも，*H. pylori* 感染と残胃潰瘍との間に相関は認められず，除菌の効果は期待できないと報告されている[2〜5]．また，残胃の定期的な胃粘膜生検による胃粘膜状態による残胃潰瘍発生の比較では，むしろ *H. pylori* 感染のない正常な胃粘膜の残胃のほうが潰瘍が多く発生した，という報告もあり，残胃潰瘍に対する除菌の治療効果，再発予防効果は不定である[6]．

　しかし，これら残胃に対する *H. pylori* 除菌効果の有無はすべて残胃潰瘍に対する報告であり，残胃に生じる癌に対する効果を論じたものではない．残胃癌の予防に対する *H. pylori* 除菌効果の有無は，RCT は存在しないが，組織学的変化の検討や横断研究に対するメタアナリシスで，*H. pylori* 除菌は残胃癌発生予防に効果があるとされている[7,8]．このため，実臨床においては，残胃の *H. pylori* 除菌は推奨されるということになるであろう．ただし，除菌により胃酸分泌が改善した際の残胃潰瘍に対する影響には注意する必要がある．

文献

1) Janke A, Stasiewicz J, Namiot Z, et al. Treatment of gastric stump ulcer: an open study with five drugs. Hepatogastroenterology 2000; **47**: 1195-1198（非ランダム）
2) Leivonene, MK, Haglund CH, Nordling, SFA. *Helicobacter pylori* infection after partial gastrectomy for peptic ulcer and its role in relapsing disease. Eur J Gastroenterol Hepatol 1997; **9**: 371-374（横断）
3) Lee YT, Sung JJ, Choi CL, et al. Ulcer recurrence after gastric surgery: is *Helicobacter pylori* the culprit? Am J Gastroenterol 1998; **93**: 928-931（横断）
4) Huang WH, Wang HH, Wu WW, et al. *Helicobacter pylori* infection in patients with ulcer recurrence after partial gastrectomy. Hepatogastroenterology 2004; **51**: 1551-1553（横断）

5) Schilling D, Adamek HE, Wilke J, et al. Prevalence and clinical importance of *Helicobacter pylori* infection in patients after partial gastric resection for peptic ulcer disease. Z Gastroenterol 1999; **37**: 127-132（横断）
6) Leivonen M, Nordling S, Haglund C. The course of *Helicobacter pylori* infection after partial gastrectomy for peptic ulcer disease. Hepatogastroenterology 1998; **45**: 587-591（横断）
7) Fuccioo L, Zagari RM, Eusebi LH, et al. Meta-analysis: can *Helicobacter pylori* eradication treatment reduce the risk for gastric cancer? Ann Intern Med 2009; **151**: 121-128（メタ）
8) Malfertheiner P, Megraud F, O'Morain CA, et al. Management of *Helicobacter pylori* infection: the Masstricht／Florence consensus report. Gut 2012; **61**: 646-664（メタ）

第8章
外科的治療

BQ 8-1 (1) 手術適応

消化性潰瘍穿孔の手術適応は何か？

回答

- 以下のいずれかに該当する場合は，早期の手術を行う．
①発生後時間経過が長い，②腹膜炎が上腹部に限局しない，③腹水が多量である，④胃内容物が大量にある，⑤年齢が70歳以上である，⑥重篤な併存疾患がある，⑦血行動態が安定しない．

解説

「消化性潰瘍診療ガイドライン2015（改訂第2版）」以降に新たな文献報告はなかった．RCTは古いもの1件のみで[1]，それ以外はケースシリーズ，もしくは手術に移行した症例の検討であった．手術移行に相関した因子は，①血行動態が安定しない，②発症後経過時間（6時間または12時間または24時間以上），③腹膜炎が上腹部に限局しない，④腹水が多量である，⑤経時的CTで腹腔内ガスや腹水の増量を認める，⑥重篤な併存疾患がある，⑦70歳以上の高齢者である，⑧胃内容物が大量である，⑨腹部筋性防御が24時間以内に軽快しない，のいずれかが満たされたときであった．エビデンスレベルが低く，表現も相対的であるため，この適応に基づき保存的治療を選択した場合には経時的にCTを撮影する必要がある[2〜10]．

近年，H_2RA，PPI，ボノプラザン，さらには除菌療法の登場により，消化性潰瘍に対する手術は激減した[11]．消化性潰瘍穿孔の発生の正確な患者数の報告はなく，その数の推移を述べるのは困難であるが，厚生労働省の人口動態統計によれば，胃潰瘍および十二指腸潰瘍の死亡数は，1970年の7,997人から1990年には3,615人にまで減少し，以後横ばい，2008年以降漸減で，2017年には2,513人である．潰瘍による死亡の原因としては，出血や穿孔の合併症が想定される[12]（BQ 1-1参照）．

昨今，消化性潰瘍穿孔に対して，できるだけ保存的治療を行う風潮があり，成功をおさめている．しかし，保存的治療を推進するあまり，手術の時期を逸し失う症例がないことが肝要である．胃，十二指腸いずれの潰瘍穿孔であっても，高齢で全身状態が悪い場合に，より早く手術に移行する必要性がある．また，保存的治療を選択した場合には経時的観察が必要であり，改善が認められなければ，手術に移行する．

文献

1) Crofts TJ, Park KG, Steele RJ, et al. A randomized trial of nonoperative treatment for perforated peptic ulcer. N Engl J Med 1989; **320**: 970-973（ランダム）
2) Kujath P, Schwandner O, Bruch HP. Morbidity and mortality of perforated peptic gastroduodenal ulcer following emergency surgery. Langenbecks Arch Surg 2002; **387**: 298-302（ケースシリーズ）
3) Testini M, Portincasa P, Piccinni G, et al. Significant factors associated with fatal outcome in emergency open surgery for perforated peptic ulcer. World J Gastroenterol 2003; **9**: 2338-2340（ケースシリーズ）
4) 井上 暁, 梅北信孝, 宮本幸雄, ほか. 胃, 十二指腸潰瘍穿孔に対する保存的治療法の適応について. 日本臨床外科学会雑誌 2003; **64**: 2665-2670（ケースシリーズ）
5) 津村裕昭. 穿孔性十二指腸潰瘍の治療法別成績. 日本腹部救急医学会雑誌 2003; **23**: 575-580（ケースシリーズ）

6) 轟木秀一, 宮下 薫, 藍澤喜久雄, ほか. 胃・十二指腸潰瘍穿孔に対する保存的治療. 日本外科系連合学会誌 2004; **29**: 18-24 (ケースシリーズ)
7) 安藤正幸, 青柳治彦, 本山一夫, ほか. 上部消化管潰瘍に対する治療—保存的治療とその限界. 埼玉県医学会雑誌 2005; **40**: 165-168 (ケースシリーズ)
8) 永野元章, 島山俊夫, 高橋伸育, ほか. 十二指腸潰瘍穿孔に対する保存的治療法の適応基準と有用性. 日本消化器外科学会雑誌 2006; **39**: 643-648 (ケースシリーズ)
9) 岩崎晃太, 福島亮治, 稲葉 毅, ほか. 胃・十二指腸潰瘍穿孔に対する治療法の選択—十二指腸潰瘍穿孔に対する保存的治療の検討. 日本腹部救急医学会雑誌 2006; **26**: 841-844 (ケースシリーズ)
10) 岡村行泰, 原田明生, 猪川祥邦, ほか. 上部消化管潰瘍穿孔の手術適応判断におけるCTの有用性について. 日本消化器外科学会雑誌 2007; **40**: 529-535 (ケースシリーズ)
11) 谷口勝俊, 大嶋研三, 遠藤 悟, ほか. Cimetidine出現後の胃・十二指腸潰瘍に対する外科的治療の変化. 日本消化器外科学会雑誌 1985; **18**: 1980-1986
12) 厚生労働省. 平成29年, 26年, 23年, 20年, 17年, 14年, 11年, 8年患者調査 https://www.mhlw.go.jp/toukei/list/10-20-kekka_gaiyou.html (2020年3月2日閲覧)

BQ 8-2　　　(1) 手術適応

消化性潰瘍出血の手術適応は何か？

回答
- 内視鏡的止血術が容易に成功しないときには手術に移行する．特に高齢者ではより迅速に行う．

解説

「消化性潰瘍診療ガイドライン2015（改訂第2版）」以降に消化性潰瘍出血の手術適応に関する新たな文献はなかった．また，本ガイドラインにおいては，CQ 2-2 において，「interventional radiology（IVR）は有用か？」という項目があり，IVRの有用性に関する事項はそちらに譲る．

1. 内視鏡的止血術

消化性潰瘍出血に対する内視鏡的止血術は今日では当然のごとく施行されているが，海外からの報告において，内視鏡的止血治療の試みは手術移行時のリスク，再手術率，死亡率をむしろ上昇させるという報告があった[1]．この報告は手術に移行した患者のみを比較したもので，内視鏡的止血治療にて手術を回避できた効果はいっさい無視した結果である．したがって，消化性潰瘍出血に対する内視鏡的止血治療が否定されるわけではない．しかし，手術に移行すべき症例は迅速に手術に移行すべきであるという警鐘となりうる．

2. 高齢者の消化性潰瘍出血に対する手術適応

全身状態が悪化しやすい高齢者に対しては，より迅速に手術移行を決定する．報告されていた内容は，高度の貧血を伴う場合，または，2回の出血性ショックを呈したら，または，輸血量が少ないうちに手術に移行すべき，とあった．実際問題としては，ショック状態で内視鏡，手術を施行することは困難であるから，ショックを呈した場合には，いったんショックを離脱させ，内視鏡を行い，出血部位を確認し，上記の手術適応に従うべきである．高齢者を定義する年齢，少ない輸血量の定義は文献により異なったため，ステートメントには具体的な数値は記載しなかった[2〜9]．

3. 一般的消化性潰瘍出血に対する手術適応

高齢者でない場合にも，内視鏡的止血術が2回で成功しないとき，または内視鏡的止血術が容易に成功しないときには手術に移行する．

文献

1) Olejnik J, Labas P, Zahradnik V. Possible risks in combining endoscopic and surgical therapy of bleeding peptic ulcers. Hepatogastroenterology 2003; **50**: 1169-1172（横断）
2) Morris DL, Hawker PC, Brearley S, et al. Optimal timing of operation for bleeding peptic ulcer: prospective randomized trial. Br Med J (Clin Res Ed) 1984; **288**: 1277-1280（ランダム）
3) 吉野肇一，熊井浩一郎，窪地　淳．出血性潰瘍の手術適応と術式の選択．消化器外科 1985; **8**: 325-329（ケースシリーズ）

4) Greiser WB, Bruner BW, Shamoun JM, et al. Factors affecting mortality in patients operated upon for complications of peptic ulcer disease. Am Surg 1989; **55**: 7-11（ケースシリーズ）
5) 秋庭宏紀，増田勝紀，大政良二．消化性潰瘍からの出血 出血性消化性潰瘍に対する内視鏡的止血法の適応と限界―手術移行へのタイミング．消化器内視鏡 1991; **3**: 1185-1191（ケースシリーズ）
6) 石川正志，菊辻　徹，宮内隆行．出血性消化性潰瘍に対する内視鏡的止血法―その限界と手術適応について．日本臨床外科医学会雑誌 1991; **52**: 2816-2820（ケースシリーズ）
7) Zed PJ, Loewen PS, Slavik RS, et al. Meta-analysis of proton pump inhibitors in treatment of bleeding peptic ulcers. Ann Pharmacother 2001; **35**: 1528-1534（メタ）
8) 轟木秀一，伊藤重彦．救急止血の最前線―胃十二指腸潰瘍出血に対する止血術―手術移行例を中心に．消化器内視鏡 2005; **17**: 1977-1980（ケースシリーズ）
9) Ralph-Edwards A, Himal HS. Bleeding gastric and duodenal ulcers: endoscopic therapy versus surgery. Can J Surg 1992; **35**: 177-181（ケースシリーズ）

BQ 8-3 　　　　　　　　　　　　　　　　　　　　　　　　（2）手術術式

消化性潰瘍穿孔に対する最適な手術術式は何か？

> **回答**
> ●胃・十二指腸潰瘍穿孔に対し推奨される術式は腹腔洗浄ドレナージ＋穿孔部閉鎖＋大網被覆である．

解説

　「消化性潰瘍診療ガイドライン 2015（改訂第 2 版）」以降に新たな文献報告はなかった．消化性潰瘍穿孔に対する術式は歴史的には，広汎胃切除術が長期にわたり標準術式として採用されていたが，H_2RA，PPI，除菌治療法の出現とあいまって，大規模 RCT が行われないままに，腹腔洗浄ドレナージ＋穿孔部単純閉鎖（＋大網被覆）が通常行われる術式と変化した（図 1）[1]．その変化を科学的に証明する文献はないが，海外からは腹腔洗浄ドレナージ＋穿孔部単純閉鎖術が推奨される術式であることが報告されている．

　ここ数年の腹腔鏡下手術の普及に伴い，開腹術と腹腔鏡下手術とを比較した試験が多くなされている．結果は同等というものもあるが，腹腔鏡が術後の鎮痛薬使用，創部感染の減少で勝っているが，手術時間は長かった，とメタアナリシスで報告されている．いずれの試験も登録は全身状態のよい患者に限っている．腹腔鏡下手術の開腹術に比したメリットは生命にかかわることは少なく，緊急手術の場において腹腔鏡手術が行える設備や技術も施設間に差があることから，腹腔鏡下手術は今回は推奨とはしなかった[2~20]．

　ケースシリーズでの報告ではあるが，腹腔鏡下手術の場合，より簡便な操作が望まれるため，単純閉鎖はせずに大網被覆のみで同じ結果であった，という報告がある[21]．また，十二指腸潰

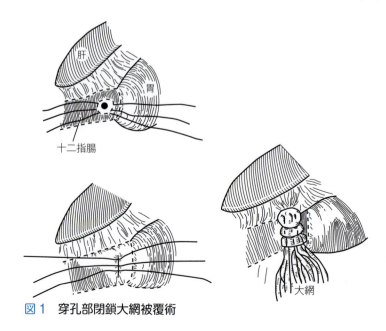

図 1　穿孔部閉鎖大網被覆術

瘍の穿孔であると確認されたら，腹腔鏡下腹腔洗浄ドレナージのみで穿孔部には何も操作を施さなくても，13 例中 11 例で自然被覆が認められたという報告もある[22]．

インドからの非ランダム試験の報告であるが，十二指腸潰瘍穿孔患者に対して，開腹洗浄，大網被覆を施行したのち，ドレーンをモリソンとダグラスに挿入する群とドレーンを挿入しない群とでは術後感染に差がなく，ドレーン群でイレウスの増加があった，と報告されている．参考としてここに記載した[23]．

文献

1) 国崎主税，小林俊介，城戸泰洋．十二指腸潰瘍穿孔例に対する大網被覆を加えた単純縫合閉鎖術の有用性．日本腹部救急医学会雑誌 1996; **16**: 331-336（ケースシリーズ）
2) 福田直人，宮島伸宜，加納宣康．穿孔性十二指腸潰瘍に対する腹腔鏡下大網被覆術―開腹術との比較検討 日本臨床外科学会雑誌 1996; **57**: 798-803（ケースシリーズ）
3) 伊藤重彦，岡田代吉，田川 努．十二指腸潰瘍穿孔に対する腹腔鏡下穿孔部単純閉鎖術―小切開(5cm)開腹単純閉鎖術との比較．日本腹部救急医学会雑誌 1996; **16**: 1099-1104（ケースシリーズ）
4) Druart ML, Van Hee R, Etienne J, et al. Laparoscopic repair of perforated duodenal ulcer: a prospective multicenter clinical trial. Surg Endosc 1997; **11**: 1017-1020（ケースシリーズ）
5) 北川雄一，山口晃弘，磯谷正敏．十二指腸潰瘍穿孔に対する endo stapler を用いた腹腔鏡下大網被覆術―他の手術術式との比較を含めて．日本腹部救急医学会雑誌 1997; **17**: 815-820（ケースシリーズ）
6) 長島 敦，吉井 宏，北野光秀，ほか．穿孔性十二指腸潰瘍に対する腹腔鏡下穿孔部閉鎖術の有用性に関する検討．日本消化器外科学会雑誌 2000; **33**: 1875-1879（ケースシリーズ）
7) 北野光秀．内視鏡外科 UPDATE 十二指腸潰瘍穿孔の標準術式としての腹腔鏡下手術．医学のあゆみ 2001; **197**: 383-386（ケースシリーズ）
8) 土田明彦，小木曽 実，深澤雄一，ほか．胃・十二指腸潰瘍穿孔の治療法の検討．東京医科大学雑誌 2001; **59**: 68-72（ケースシリーズ）
9) 天池 寿，玉井秀政，島田順一，ほか．十二指腸潰瘍穿孔に対する外科的治療法の検討―大網被覆術の有用性と問題点について．京都府立与謝の海病院誌 2002; **2**: 9-14（ケースシリーズ）
10) 岡崎 誠，梅本健司，多根井智紀，ほか．十二指腸潰瘍穿孔に対する小切開法による手術法の検討．手術 2004; **58**: 1915-1918（ケースシリーズ）
11) Siu WT, Chau CH, Law BK, et al. Routine use of laparoscopic repair for perforated peptic ulcer. Br J Surg 2004; **91**: 481-484（ケースシリーズ）
12) Rodríguez-Sanjuán JC, Fernández-Santiago R, García RA, et al. Perforated peptic ulcer treated by simple closure and *Helicobacter pylori* eradication. World J Surg 2005; **29**: 849-852（ケースシリーズ）
13) Sanabria AE, Morales CH, Villegas MI. Laparoscopic repair for perforated peptic ulcer disease. Cochrane Database Syst Rev 2005; (4): CD004778（メタ）
14) Lau WY, Leung KL, Kwong KH, et al. A randomized study comparing laparoscopic versus open repair of perforated peptic ulcer using suture or sutureless technique. Ann Surg 1996; **224**: 131-138（ランダム）
15) Lunevicius R, Morkevicius M. Systematic review comparing laparoscopic and open repair for perforated peptic ulcer. Br J Surg 2005; **92**: 1195-1207（メタ）
16) Ishida H, Ishiguro T, Kumamoto K, et al. Minilaparotomy for perforated duodenal ulcer. Int Surg 2011; **96**: 194-200（ケースシリーズ）
17) Lau H. Laparoscopic repair of perforated peptic ulcer: a meta-analysis. Surg Endosc 2004; **18**: 1013-1021（メタ）
18) Bertleff MJ, Halm JA, Bemelman WA, et al. Randomized clinical trial of laparoscopic versus open repair of the perforated peptic ulcer: the LAMA Trial. World J Surg 2009; **33**: 1368-1373（ランダム）
19) Lo HC, Wu SC, Huang HC, et al. Laparoscopic simple closure alone is adequate for low risk patients with perforated peptic ulcer. World J Surg 2011; **35**: 1873-1878（ケースシリーズ）
20) 木村雅美，長谷川 格，沖田憲司，ほか．手術手技の工夫―腹腔鏡下手術における腹腔内洗浄・ドレナージの工夫．消化器外科 2006; **29**: 967-972（ケースシリーズ）
21) 福田直人，石山純司，春日井 尚，ほか．穿孔性十二指腸潰瘍に対する腹腔鏡下手術―単純閉鎖＋大網被覆法と大網充填被覆法の比較．臨床外科 1997; **52**: 383-386（ケースシリーズ）
22) 都津川敏範，三村卓司，宇田征史，ほか．手術手技―十二指腸潰瘍穿孔に対する穿孔部非接触・腹腔鏡下腹腔ドレナージ術．手術 2000; **54**: 381-384（ケースシリーズ）
23) Pai D, Sharma A, Kanungo R, et al. Role of abdominal drains in perforated duodenal ulcer patients: a prospective controlled study. Aust N Z J Surg 1999; **69**: 210-213（非ランダム）

BQ 8-4

(2) 手術術式

消化性潰瘍出血に対する最適な手術術式は何か？

> **回 答**
> ● 内視鏡的止血不能胃潰瘍に対しては，胃切開＋露出血管縫合止血＋潰瘍縫縮術を行う．
> ● 慢性出血性十二指腸潰瘍に対しては，Dubois 手術を行う．

解説

　「消化性潰瘍診療ガイドライン 2015（改訂第 2 版）」以降に新たな文献報告はなかった．胃切開＋露出血管縫合止血＋潰瘍縫縮術は有用な術式であるとケースシリーズより報告されている．比較対照は行っていない[1～3]．

　海外からの報告において十二指腸潰瘍出血に対して広汎胃切除術は再発が少なく，推奨されるという文献を見い出したが，1993 年の報告と古く，対照群の潰瘍縫縮＋迷走神経切離術ではPPI 治療，除菌は行っておらず，この結果を即，今日の推奨術式にあてはめるのは困難と思われる[4]．しかし，胃切開＋露出血管縫合止血＋潰瘍縫縮術では容易に止血が得られず，潰瘍の状態からも広汎胃切除がより安全であると術者が判断すれば，今回のガイドラインの推奨はそれを妨げるものではない[5]．

　前回の改訂ガイドラインにおける文献検索では，慢性出血性十二指腸潰瘍に対しては Dubois

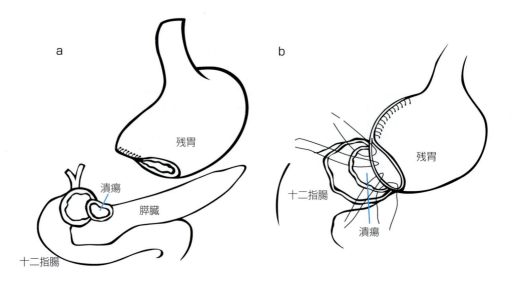

図 1　Dubois 手術
a：十二指腸球部前壁のみ切除し，後壁の潰瘍はそのままとする．残胃は部分的に閉鎖し，B-Ⅰ吻合ができるように準備をする．
b：残胃後壁と潰瘍の前壁，右壁側とを縫合する．つまり，潰瘍底は吻合外となる．
(Guinier D, et al. World J Surg 2009; 33: 1010-1014[6] より作成)

手術が有用である，というケースシリーズを見い出した（図1）[6]．症例数は28例と多くはないが，困難な状況において，有用な術式と思われた．また，大量出血の十二指腸潰瘍出血患者では十二指腸前壁切開後にWinslow孔に手を入れて，胃・十二指腸動脈を圧迫すると出血部位同定困難な14例すべてにおいて一時的止血が得られ，出血部位が同定できた，という海外からの報告が見い出された．あまりに基本的な手術操作であるため，あえてステートメントにはしなかったが，参考にされたい[7]．

文献

1) 矢野正雄，猪口正孝，白木康夫．出血性胃潰瘍第一選択手術術式の再考．日本外科系連合学会誌 1999; **24**: 222-225（ケースシリーズ）
2) 岩代 望，川崎亮輔，齋藤克憲，ほか．出血性胃十二指腸潰瘍の外科治療―直視下縫合止血術．道南医学会誌 1998; **33**: 242-244（ケースシリーズ）
3) 佐藤尚文，高井良樹，小林 功，ほか．出血性胃潰瘍に対する緊急止血手術―小切開開腹による直視下縫合止血術．北関東医学 1995; **45**: 551-555（ケースシリーズ）
4) Millat B, Hay JM, Valleur P, et al. Emergency surgical treatment for bleeding duodenal ulcer: oversewing plus vagotomy versus gastric resection, a controlled randomized trial. French Associations for Surgical Research. World J Surg 1993; **17**: 568-573; discussion: 574（ケースシリーズ）
5) Ripoll C, Banares R, Beceiro I, et al. Comparison of transcatheter arterial embolization and surgery for treatment of bleeding peptic ulcer after endoscopic treatment failure. J Vasc Interv Radiol 2004; **15**: 447-450（ケースシリーズ）
6) Guinier D, Destrumelle N, Denue PO, et al. Technique of antroduodenectomy without ulcer excision as a safe alternative treatment for bleeding chronic duodenal ulcers. World J Surg 2009; **33**: 1010-1014（ケースシリーズ）
7) Bernardes A, Dionisio J, Diogo D, et al. A simple intra-operative maneuver to decrease a duodenal ulcer hemorrhage temporarily: description and anatomical bases. Surg Radiol Anat 2005; **27**: 79-85（ケースシリーズ）

BQ 8-5

(2) 手術術式

消化性潰瘍による狭窄に対する手術術式は何か？

> **回答**
> - 消化性潰瘍による狭窄に対しては，胃・十二指腸側側吻合，および胃・空腸バイパス術を行う．また，広汎胃切除も場合により行う．
> - 十二指腸断端閉鎖が困難な場合には，Findterer-Bancroft 手術を行う．

解説

　ここで記載する消化性潰瘍による狭窄とは急性期の浮腫による狭窄ではなく，慢性に再燃を繰り返した潰瘍による瘢痕狭窄を意味する．

　「消化性潰瘍診療ガイドライン 2015（改訂第 2 版）」以降に新たな文献報告はなかった．十二指腸慢性潰瘍による狭窄に対し，超選択的迷走神経切離＋胃・十二指腸側側吻合は有用な術式であると海外より報告されているが[1]，この報告は 1995 年の報告であり，除菌治療が行われる前の報告である．よって，現代への応用としては胃・十二指腸側側吻合術（図 1）は狭窄に対し同様に推奨されるべきであるが，超選択的迷走神経切離術による潰瘍再発防止の必要性の有無は再考の余地がある[2]．

　「消化性潰瘍診療ガイドライン」初版では胃・十二指腸側側吻合（Jaboulay 法）を推奨術式としたが，国内からの症例数 7 のケースシリーズの報告ではあるが，術後短期的には広汎胃切除のほうが摂食でき，胃・十二指腸側側吻合よりも勝っていた，という報告が見い出された[3]．長期的な成績や臓器温存という側面からはどちらがよいか不明ではあるが，すぐに摂食できることも術式としては重要であるので，広汎胃切除もほぼ同等の推奨として加えた．

　また，超選択的迷走神経切離を行った場合，胃空腸バイパス術，Jaboulay 法，幽門洞切除を

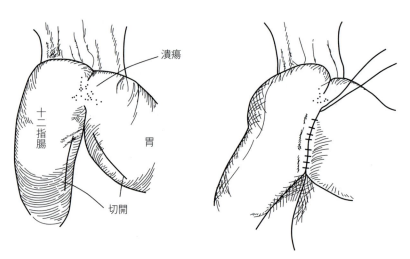

図 1　胃・十二指腸側側吻合術（Jaboulay 法）

(2) 手術術式

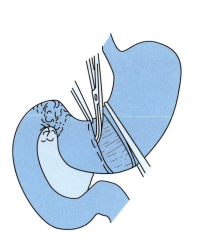
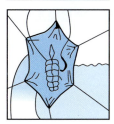
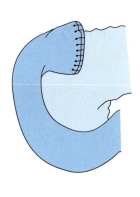

図2　Findterer-Bancroft 手術
胃体部前庭部境界に漿膜筋層切開を置き，前庭部の粘膜のみ切除する．粘膜断端と前庭部の漿膜筋層をそれぞれ縫合切開する．

行った場合，その短期的術後成績に差はなかったが，長期的には Jaboulay は他の2術式にやや劣っていたという報告も見出した[4]．現代では超選択的迷走神経切離はほとんど行っていないため，この報告は参考値となるが，胃空腸バイパス術も Jaboulay 法と同等の効果と考えられる．

海外の1施設からの報告であるが，十二指腸断端閉鎖が困難な症例には Findterer-Bancroft 手術は安全で有用である，という報告があり，有用な情報なので，ステートメントに加えた[5]．体部前庭部境界にて漿膜筋層切開を置き，前庭部の粘膜のみ切除し，粘膜断端と前庭部の漿膜筋層を縫合して閉鎖する方法である（図2）．

文献

1) Dittrich K, Blauensteiner W, Schrutka-Kolbl C, et al. Highly selective vagotomy plus Jaboulay: a possible alternative in patients with benign stenosis secondary to duodenal ulceration. J Am Coll Surg 1995; **180**: 654-658（横断）
2) Lacitignola S, Minardi M, Palmieri R, et al. Laparoscopic subtotal gastric resection for chronic gastric ulcers. JSLS 2006; **10**: 37-38（ケースシリーズ）
3) 川崎篤史，大井田尚継，三松謙司，ほか．手術手技—十二指腸瘢痕狭窄に対する手術の留意点と対処法—Jaboulay 法との比較から．手術 2008; **62**: 67-71（ケースシリーズ）
4) Csendes A, Maluenda F, Braghetto I, et al. Prospective randomized study comparing three surgical techniques for the treatment of gastric outlet obstruction secondary to duodenal ulcer. Am J Surg 1993; **166**: 45-49（ランダム）
5) Malheiros CA, Moreno CH, Rodrigues FC, et al. Finsterer-Bancroft operation: an option for the treatment of difficult duodenal ulcers. Int Surg 1998; **83**: 111-114（ケースシリーズ）

CQ 8-1　(3) 術後維持療法

消化性潰瘍の術後に除菌療法を推奨するか？

> **推奨**
>
> ● 消化性潰瘍に対する大網被覆または充塡術後は，*H. pylori* 陽性であれば除菌を行うことを推奨する．
>
> 【推奨の強さ：**強**（合意率 100%），エビデンスレベル：**A**】

解説

術後療法を検討した文献としては除菌に関するもののみで，PPI や H_2RA を用いた術後療法に関する文献はみつからなかった．メタアナリシスを含む複数ある報告の結果は，ほぼ一致しており，胃を温存する術式では消化性潰瘍再発防止に除菌が推奨されている[1〜8]．また，短期的にも RCT にて，十二指腸潰瘍穿孔に対する大網パッチ術後 8 週における潰瘍の治癒率が除菌群で勝っている報告があり，術後早期の除菌が推奨されている[9]．

胃切除術後の除菌による潰瘍再発予防効果は報告により不定であった．除菌後の酸分泌能の回復がどのように影響するか，除菌による残胃癌の発生予防効果などは今後の検討が必要である．

文献

1) Archimandritis A, Apostolopoulos P, Sougioultzis S, et al. The CLO test is unreliable in diagnosing *H. pylori* infection in post-surgical stomach; is there any role of *H. pylori* in peptic ulcer recurrence? Eur J Gastroenterol Hepatol 2000; **12**: 93-96（横断）
2) Kumar D, Sinha AN. *Helicobacter pylori* infection delays ulcer healing in patients operated on for perforated duodenal ulcer. Indian J Gastroenterol 2002; **21**: 19-22（ケースシリーズ）
3) 岩瀬和裕, 檜垣 淳, 尹 亨彦, ほか. 臨床と研究—胃十二指腸潰瘍穿孔に対する腹腔鏡下大網充塡術の遠隔成績. 外科 2003; **65**: 695-701（ケースシリーズ）
4) Huang WH, Wang HH, Wu WW, et al. *Helicobacter pylori* infection in patients with ulcer recurrence after partial gastrectomy. Hepatogastroenterology 2004; **51**: 1551-1553（横断）
5) Rodríguez-Sanjuán JC, Fernández-Santiago R, García RA, et al. Perforated peptic ulcer treated by simple closure and *Helicobacter pylori* eradication. World J Surg 2005; **29**: 849-852（ケースシリーズ）
6) Ng EK, Lam YH, Sung JJ, et al. Eradication of *Helicobacter pylori* prevents recurrence of ulcer after simple closure of duodenal ulcer perforation: randomized controlled trial. Ann Surg 2000; **231**: 153-158（ランダム）
7) Kate V, Ananthakrishnan N, Badrinath S. Effect of *Helicobacter pylori* eradication on the ulcer recurrence rate after simple closure of perforated duodenal ulcer: retrospective and prospective randomized controlled studies. Br J Surg 2001; **88**: 1054-1058（ランダム）
8) Tomtitchong P, Siribumrungwong B, Vilaichone RK, et al. Systematic review and meta-analysis: *Helicobacter pylori* eradication therapy after simple closure of perforated duodenal ulcer. Helicobacter 2012; **17**: 148-152（メタ）
9) El-Nakeeb A, Fikry A, Abd El-Hamed TM, et al. Effect of *Helicobacter pylori* eradication on ulcer recurrence after simple closure of perforated duodenal ulcer. Int J Surg 2009; **7**: 126-129（ランダム）

第9章
穿孔・狭窄に対する内科的(保存的)治療

BQ 9-1 (1) 穿孔

穿孔に対する内科的治療の適応は何か？

> **回答**
> - 以下の程度の軽い限局性腹膜炎は内科的治療の適応となる．
>   ①24時間以内の発症，②空腹時の発症，③重篤な合併症がなく全身状態が安定，④腹膜刺激症状が上腹部に限局，⑤腹水貯留が少量の場合など．
> - 70歳以上の高齢者では外科手術を優先する．

解説

穿孔に対する内科的治療の適応について，「消化性潰瘍診療ガイドライン2015（改訂第2版）」以降に新たな文献報告はなかった．消化性潰瘍による穿孔は程度の軽い限局性腹膜炎が内科的治療の適応となりうる．具体的な判断基準としては，24時間以内の発症，空腹時の発症，重篤な合併症がなく全身状態が安定，腹膜刺激症状が上腹部に限局，腹水貯留が少量の場合などである．

内科的治療の適応については，Oidaら[1]が消化性潰瘍穿孔症例に保存的（内科的）治療を実施した群と保存的治療に加えて経皮的ドレナージを実施した群とを比較した後ろ向き研究において，保存的治療の適応として①患者の全身状態が安定しており，重篤な合併症がない，②60歳未満，③腹痛が上腹部に限局，④腹水貯留が少量，⑤発症から入院までの時間が12時間以内といった因子をあげている．

日本で消化性潰瘍穿孔に対する治療法選択についての検討は多数実施されており[2〜7]，その適応基準についてはOidaらの検討と同様である．しかし，後ろ向き研究が多く，エビデンスの質は高くない．保存的治療の適応基準を準拠した検討における保存的治療の完遂率は83.4（76〜100）％と良好であった[2〜7]．秋山ら[4]の検討では胃潰瘍に対する保存的治療は手術治療に比して合併症の発症率が高いという結果であった．この理由として，胃潰瘍穿孔は十二指腸潰瘍穿孔と比較して穿孔部が深い潰瘍底であることが多く，自然閉鎖が困難であることから，保存的治療の適応とはなりにくいとしている．

保存的治療が適応となる年齢は70歳未満としている検討が多くみられた．「消化性潰瘍診療ガイドライン」初版で採用したRCTの1論文では，内科的治療は死亡率，合併症とも外科的治療と同等であったが，内科的治療を受けた70歳を超える患者9例中6例が外科的治療に移行したのに対し，70歳以下の31例では外科的治療への移行が5例と有意に少なかったとしている[8]．高橋ら[6]は70歳未満の消化性潰瘍穿孔29例のうち89.7％に保存的治療を行い，全例で完遂した．70歳以上で保存的治療が不成功になる確率が高くなる理由は高齢になると併存疾患が増加するためである．こうした結果を踏まえて，70歳以上の穿孔例は外科手術が提案される．

文献

1) Oida T, Kano H, Mimatsu K, et al. Percutaneous drainage in conservative therapy for perforated gastroduodenal ulcers. Hepatogastroenterology 2012; **59**: 168-170（ケースシリーズ）
2) 川口　直，桑原道郎，関岡明憲，ほか．当センターにおける上部消化管穿孔に対する治療の検討．日本赤

十字社和歌山医療センター医学雑誌 2011; **29**: 71-76（ケースシリーズ）
3) 大谷　聡, 伊東藤男, 押部郁朗, ほか. 胃, 十二指腸潰瘍穿孔に対する治療法の検討. 福島医学雑誌 2009; **59**: 172-177（ケースシリーズ）
4) 秋山貴洋, 松本　潤, 高見　実, ほか. 消化性潰瘍穿孔例における治療法の検討. 多摩消化器シンポジウム誌 2010; **24**: 44-48（ケースシリーズ）
5) 直井大志, 佐野　渉, 中田泰幸, ほか. 上部消化管穿孔に対する保存的治療症例の検討. 日本臨床外科学会雑誌 2009; **70**: 667-672（ケースシリーズ）
6) 高橋雅哉, 蜂須賀仁志, 中本寿宏, ほか. 70歳未満の上部消化管穿孔症例に対する保存的治療の検討. 臨床外科 2008; **63**: 1259-1266（ケースシリーズ）
7) 伊藤重彦, 木戸川秀生. 胃・十二指腸潰瘍穿孔が疑われる場合の対応と治療―保存療法と腹腔鏡手術, どちらを選択するか？消化器内視鏡 2008; **20**: 826-830（ケースシリーズ）
8) Crofts TJ, Park KG, Steele RJ, et al. A randomized trial of nonoperative treatment for perforated peptic ulcer. N Engl J Med 1989; **320**: 970-973（非ランダム）

BQ 9-2 (1) 穿孔

穿孔に対する内科的治療はどのように行うべきか？

回答

- 絶飲食，補液，経鼻胃管留置，抗菌薬および H_2RA または PPI の経静脈投与を行う．

解説

　消化性潰瘍穿孔に対する内科的治療は一般的に絶飲食，補液，経鼻胃管留置，抗菌薬および H_2RA または PPI の経静脈投与が行われる[1〜6]．

　Bertleff らによるレビュー[7]では内科的治療の方法として経鼻胃管留置による胃内容の吸引，抗菌薬の投与および補液のほかに H. pylori 除菌療法をあげている．また，Oida ら[8]の後ろ向き研究では内科的治療の方法として経鼻胃管留置と抗菌薬および H_2RA または PPI の経静脈投与を行った群と内科的治療に加えて経皮的ドレナージを実施した群とを比較し，経皮的ドレナージを実施した群は手術への移行率が有意に減少したとしている．大谷ら[3]，高橋ら[5]の検討でも十分な除痛の必要性を述べている．

　一方，2010 年に米国内視鏡学会より発表されたガイドラインには，消化性潰瘍による穿孔時にクリップで穿孔部位を縫縮する治療は現在のところ推奨されないとしている[9]．すなわち，医原性に生じた穿孔に対してクリップにより閉鎖が行われているが，消化性潰瘍による穿孔では組織のコンプライアンスが異なるためとしている．

　近年，15 mm 以下の消化性潰瘍穿孔例に対して，over-the-scope-clip の有効例が報告されている[10]．さらに，ポリグリコール酸シートの有用性を示した報告もあるが，従来の方法と比較した成績はない[11]．

文献

1) Croft TJ, Park KG, Steele RJ, et al. A randomized trial of nonoperative treatment for perforated peptic ulcer. N Engl J Med 1989; **320**: 970-973（非ランダム）
2) 川口　直，桑原道郎，関岡明憲，ほか．当センターにおける上部消化管穿孔に対する治療の検討．日本赤十字社和歌山医療センター医学雑誌 2011; **29**: 71-76（ケースシリーズ）
3) 大谷　聡，伊東藤男，押部郁朗，ほか．胃，十二指腸潰瘍穿孔に対する治療法の検討．福島医学雑誌 2009; **59**: 172-177（ケースシリーズ）
4) 直井大志，佐野　渉，中田泰幸，ほか．上部消化管穿孔に対する保存的治療症例の検討．日本臨床外科学会雑誌 2009; **70**: 667-672（ケースシリーズ）
5) 高橋雅哉，蜂須賀仁志，中本寿宏，ほか．70 歳未満の上部消化管穿孔症例に対する保存的治療の検討．臨床外科 2008; **63**: 1259-1266（ケースシリーズ）
6) 伊藤重彦，木戸川秀生．胃・十二指腸潰瘍穿孔が疑われる場合の対応と治療—保存療法と腹腔鏡手術，どちらを選択するか？消化器内視鏡 2008; **20**: 826-830（ケースシリーズ）
7) Bertleff MJ, Lange JF. Perforated peptic ulcer disease: a review of history and treatment. Dig Surg 2010; **27**: 161-169（ケースシリーズ）
8) Oida T, Kano H, Mimatsu K, et al. Percutaneous drainage in conservative therapy for perforated gastroduodenalulcers. Hepatogastroenterology 2012; **59**: 168-170（ケースシリーズ）
9) Banerjee S, Cash BD, Dominitz JA, et al; ASGE Standards of Practice Committee. The role of endoscopy in

the management of patients with peptic ulcer disease. Gastrointest Endosc 2010; **71**: 663-668（ガイドライン）
10) Wei JJ, Xie XP, Lian TT, Over-the-scope-clip applications for perforated peptic ulcer. Surg Endosc 2019; **33**: 4122-4127（ケースコントロール）
11) Han S, Chung H, Park JC, et al. Endoscopic Management of Gastrointestinal Leaks and Perforation with Polyglycolic Acid Sheets. Clin Endosc 2017; **50**: 293-296（ケースシリーズ）

BQ 9-3 (1) 穿孔

穿孔に対する内科的治療から外科的治療に移行するタイミングはいつか？

> **回答**
> ● 24 時間を経過しても臨床所見，画像所見が改善しない場合に外科的治療に移行する．

解説

穿孔に対する内科的治療から外科的治療に移行するタイミングについて，「消化性潰瘍診療ガイドライン 2015（改訂第 2 版）」以降に新たな文献報告はなかった．Bertleff らのレビュー[1]によれば消化性潰瘍穿孔患者においては発症後 12 時間以降の手術成績が悪化するので，内科的治療から穿孔閉鎖などの外科的治療を考慮するタイミングとして発症後 12 時間を目安としている．また，Napolitano ら[2]，伊藤ら[3]は，発症 24 時間を経過した症例は腹腔鏡手術または開腹手術を選択すると報告している．近藤ら[4]は保存的治療を選択した場合に経時的に CT を撮影し，腹腔内ガスや腹水の増量を認めるとき，または腹部筋性防御が 24 時間以内に軽快しない症例は手術適応としている．秋山ら[5]は年齢が 76 歳以上の高齢者，穿孔後 24 時間以上の症例は保存的治療から手術治療への移行率が 50％と高率であったとしている．これらの検討から総合的に判断して，内科的治療を実施しても 24 時間以内に臨床所見および画像所見が改善しない場合に外科的治療へ切り替えを考慮することが望ましい．

文献

1) Bertleff MJ, Lange JF. Perforated peptic ulcer disease: a review of history and treatment. Dig Surg 2010; **27**: 161-169（ケースシリーズ）
2) Napolitano L. Refractory peptic ulcer disease. Gastroenterol Clin North Am 2009; **38**: 267-288（ケースシリーズ）
3) 伊藤重彦, 木戸川秀生. 胃・十二指腸潰瘍穿孔が疑われる場合の対応と治療―保存療法と腹腔鏡手術，どちらを選択するか？消化器内視鏡 2008; **20**: 826-830（ケースシリーズ）
4) 近藤泰理. 穿孔性潰瘍. 日本臨牀 2010; **68**: 2102-2105（ケースシリーズ）
5) 秋山貴洋, 松本 潤, 高見 実, ほか. 消化性潰瘍穿孔例における治療法の検討. 多摩消化器シンポジウム誌 2010; **24**: 44-48（ケースシリーズ）

BQ 9-4

(2) 狭窄

狭窄に対する内科的治療の適応は何か？

> **回答**
> ● 通過障害による症状（嘔吐，体重減少，内視鏡の通過不能など）が認められる場合に内科的治療を行う．

解説

狭窄に対する内科的治療に関するステートメントは，「消化性潰瘍診療ガイドライン2015（改訂第2版）」と不変である．内科的治療の適応は通過障害による症状，たとえば嘔吐，体重減少，内視鏡の通過不能などが認められる場合であった[1〜5]．

文献

1) 岡村治明，渡辺寿和，都築秀至，ほか．消化性潰瘍による幽門狭窄に対する内視鏡的拡張術．日大医学雑誌 1996; **55**: 399-403（ケースシリーズ）
2) Misra SP, Dwivedi M. Long-term follow-up of patients undergoing ballon dilation for benign pyloric stenoses. Endoscopy 1996; **28**: 552-554（ケースシリーズ）
3) 立花美樹，桑山　肇．十二指腸・小腸の内視鏡治療は，いま―十二指腸潰瘍狭窄例に対する内視鏡的バルーン拡張術．消化器内視鏡 1998; **10**: 1191-1193（ケースシリーズ）
4) Lam YH, Lau JY, Fung TM, et al. Endoscopic balloon dilation for benign gastric outlet obstruction with or without *Helicobacter pylori* infection. Gastrointest Endosc 2004; **60**: 229-233（ケースシリーズ）
5) Shabbir J, Durrani S, Ridgway PF, et al. Proton pump inhibition is a feasible primary alternative to surgery and balloon dilatation in adult peptic pyloric stenosis (APS): report of six consecutive cases. Ann R Coll Surg Engl 2006; **88**: 174-175（ケースシリーズ）

BQ 9-5　　　　　　　　　　　　　　　　　　　　　　　　　　　　　(2) 狭窄

狭窄に対してどのような治療を選択すべきか？

回答
● 消化性潰瘍による狭窄に対しては，内視鏡下のバルーン拡張術を行う．

解説

採用された論文では，消化性潰瘍（胃潰瘍，十二指腸潰瘍）による狭窄はほとんど幽門輪の狭窄であった[1〜5]．治療法は1文献がPPIを用いた薬物療法による内科的治療[5]，他は内視鏡バルーン拡張術であった[1〜4]．短期間での奏効率は平均82%（75〜100%）と良好であったが[1〜5]，長期的（約2年後）な開存率は平均で53%（49〜83%）と低下した[2,4,5]．

米国内視鏡学会が発表したガイドライン[6]によれば，活動性の潰瘍により胃排出路閉塞（幽門狭窄）が生じる場合はPPI投与やNSAIDsの除去，H. pylori除菌療法を行うとしている．潰瘍の慢性狭窄による通過障害には内視鏡的バルーン拡張術が有用であるとして推奨しており，バルーン拡張術によって67〜83%に症状の改善がみられるとしている．バルーン拡張による穿孔は4〜7%と比較的高率である．長期予後は不良である．近年，lumen apposing metal stent（LAMS）の有効例が報告されているが，本邦では保険適用外であり，良性狭窄に対する使用例は限られている[7]．

文献

1) 岡村治明, 渡辺寿和, 都築秀至. 消化性潰瘍による幽門狭窄に対する内視鏡的拡張術. 日大医学雑誌 1996; **55**: 399-403（ケースシリーズ）

2) Misra SP, Dwivedi M. Long-term follow-up of patients undergoing ballon dilation for benign pyloric stenoses. Endoscopy 1996; **28**: 552-554（ケースシリーズ）

3) 立花美樹, 桑山 肇. 十二指腸・小腸の内視鏡治療は, いま―十二指腸潰瘍狭窄例に対する内視鏡的バルーン拡張術. 消化器内視鏡 1998; **10**: 1191-1193（ケースシリーズ）

4) Lam YH, Lau JY, Fung TM, et al. Endoscopic balloon dilation for benign gastric outlet obstruction with or without Helicobacter pylori infection. Gastrointest Endosc 2004; **60**: 229-233（ケースシリーズ）

5) Shabbir J, Durrani S, Ridgway PF, et al. Proton pump inhibition is a feasible primary alternative to surgery and balloon dilatation in adult peptic pyloric stenosis (APS): report of six consecutive cases. Ann R Coll Surg Engl 2006; **88**: 174-175（ケースシリーズ）

6) Banerjee S, Cash BD, Dominitz JA, et al; ASGE Standards of Practice Committee. The Role of endoscopy in the management of patients with peptic ulcer disease. Gastrointest Endosc 2010; **71**: 663-668（ガイドライン）

7) Irani S, Jalaj S, Ross A, et al. Use of a lumen-apposing metal stent to treat GI strictures (with videos). Gastrointest Endosc 2017; **85**: 1285-1289（ケースシリーズ）

巻末付図

Study or Subgroup	PPI Events	PPI Total	H_2RA Events	H_2RA Total	Weight	Risk Ratio M-H, Random, 95% CI	Year
Guo 2009[5]	1	42	2	22	12.0%	0.26[0.03, 2.73]	2009
Ng 2010[6]	0	65	6	65	8.4%	0.08[0.00, 1.34]	2010
Sun RR 2012[7]	0	40	4	40	8.2%	0.11[0.01, 2.00]	2012
Wang YP 2012[8]	0	23	2	22	7.7%	0.19[0.01, 3.78]	2012
Hu L 2012[9]	0	50	2	48	7.6%	0.19[0.01, 3.90]	2012
Wang J 2012[10]	0	43	0	46		Not estimable	2012
Ng 2012[11]	0	163	5	148	8.2%	0.08[0.00, 1.48]	2012
Chan 2017[4]	8	138	9	132	48.0%	0.85[0.34, 2.14]	2017
Total (95% CI)		**564**		**523**	**100.0%**	**0.34[0.14, 0.80]**	
Total events	9		30				

Heterogeneity: $Tau^2=0.18$; $Chi^2=6.82$, df=6 (P=0.34); $I^2=12\%$
Test for overall effect: Z=2.48 (P=0.01)

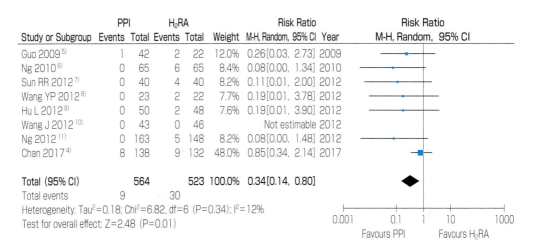

付図 1　LDA 潰瘍発生予防における PPI および H_2RA の有効性の検討

PPI は H_2RA と比較して消化性潰瘍発生率の低下を認めた.
(文献 4～11 よりメタアナリシスを施行：文献番号は CQ 5-9 (p.139～140) 参照)

Study or Subgroup	PPI Events	PPI Total	H_2RA Events	H_2RA Total	Weight	Risk Ratio M-H, Random, 95% CI	Year
Guo 2009[6]	0	42	1	22	2.7%	0.18[0.01, 4.20]	2009
Ng 2010[7]	0	65	5	65	3.2%	0.09[0.01, 1.61]	2010
Tunggal 2011[8]	0	44	2	44	2.9%	0.20[0.01, 4.05]	2011
Ng 2012[9]	3	163	12	148	17.2%	0.23[0.07, 0.79]	2012
Wang YP 2012[10]	0	23	1	22	2.7%	0.32[0.01, 7.45]	2012
Sun RR 2012[11]	0	40	1	40	2.7%	0.33[0.01, 7.95]	2012
Yano 2012[12]	0	65	1	65	2.6%	0.33[0.01, 8.03]	2012
Hu L 2012[13]	0	50	1	48	2.6%	0.32[0.01, 7.67]	2012
Wang J 2012[14]	0	43	0	46		Not estimable	2012
Lu BJ 2013[15]	2	50	9	50	12.2%	0.22[0.05, 0.98]	2013
Wang Z 2013[16]	10	163	14	77	45.6%	0.34[0.16, 0.73]	2013
Maasoumi 2016[17]	0	45	0	45		Not estimable	2016
Chan 2017[5]	1	138	4	132	5.6%	0.24[0.03, 2.11]	2017
Total (95% CI)		**931**		**804**	**100.0%**	**0.27[0.16, 0.46]**	
Total events	16		51				

Heterogeneity: $Tau^2=0.00$; $Chi^2=1.24$, df=10 (P=1.00); $I^2=0\%$
Test for overall effect: Z=4.95 (P<0.00001)

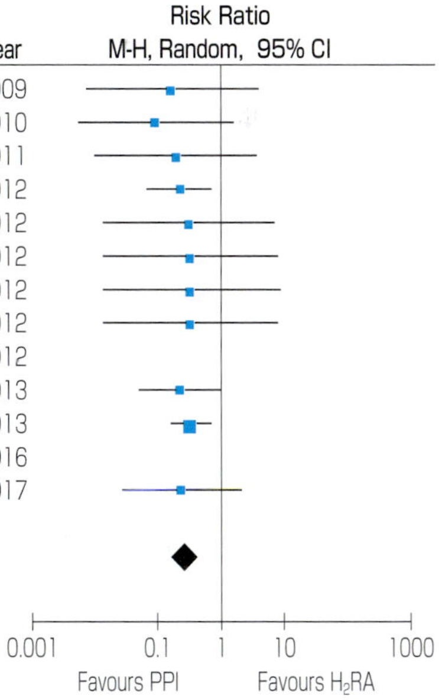

付図 2　LDA 上部消化管出血予防における PPI および H_2RA の有効性の検討

PPI は H_2RA と比較して上部消化管出血発生率の低下を認めた.
(文献 5～17 よりメタアナリシスを施行：文献番号は CQ 5-10 (p.142～143) 参照)

索　引

欧文

A
AIMS65　6
area under receiver operating characteristic（AUROC）　6

C
COX-2 選択的阻害薬　123, 126, 130, 150
Crohn 病　158, 161
Curling 潰瘍　158, 161
Cushing 潰瘍　158, 161

D
direct oral anticoagulants（DOAC）　17, 25
dual antiplatelet therapy（DAPT）　23
Dubois 手術　180

F
Findterer-Bancroft 手術　183

G
GERD　57
Glasgow-Blatchford Score（GBS）　6

H
H. pylori 除菌治療　28, 111, ほか
Helicobacter heilmannii　158, 161
histamine H_2-receptor antagonist（H_2RA）（H_2 受容体拮抗薬）　6, ほか

I
idiopathic peptic ulcer（IPU）　158, 161
interventional radiology（IVR）　19

J
Jaboulay 法　182

L
low-dose aspirin（LDA）　3, 132, 134, 135, 137, 138, 141, 144, 146, 149, 150, 152
lumen apposing metal stent（LAMS）　192

N
non-H. pylori Helicobacter species（NHPH）　158, 161
non-steroidal anti-inflammatory drugs（NSAIDs）　2, 96, ほか
NSAIDs 潰瘍　97, 99, 102, 104, 105, 106, 108, 110, 111, 112, 118, 126

O
over-the-scope-clip　188

P
potassium-competitive acid blocker（P-CAB）　66, 74
Progetto Nazionale Emorragia Digestive（PNED）　6
proton pump inhibitor（PPI）　6, 21, 30, ほか

R
Rockall Score（RS）　6
ROC 曲線下面積　6

S
selective serotonin reuptake inhibitors（SSRI）　153

U
upper gastrointestinal bleeding（UGIB）　23

Z
Zollinger-Ellison 症候群　158, 161

和文

あ
アスピリン　16
アモキシシリン　38, 46, 49
アルゴンプラズマ凝固（APC）　10
アルジオキサ　73
アレンドロン酸　153

い
胃潰瘍　28, ほか
胃・十二指腸側々吻合術　182
胃食道逆流症　57
維持療法　79, 81, 83, 84, 87, 89, 91, 92

索　引

胃切開　180
一次除菌治療　38
胃梅毒　158, 161
イブプロフェン　123

え
エカベトナトリウム水和物　64
エグアレンナトリウム水和物　64
エソメプラゾールマグネシウム水和物　66, 74, 118, 126

お
オメプラゾール　66, 74, 112

か
改変 Forrest 分類　8
開放性（活動期）胃潰瘍　32
開放性（活動期）十二指腸潰瘍　36
潰瘍再発　51
潰瘍縫縮術　180
ガストリン産生腫瘍　158, 161
カリウムイオン競合型酸分泌抑制薬　66, 74

き
急性十二指腸粘膜病変　165
凝固法　10
狭窄　182, 191, 192
虚血性十二指腸潰瘍　165

く
クラリスロマイシン　38
クリップ法　10
クロピドグレル　24

こ
抗凝固薬　16
抗血小板薬　16
抗血小板薬二剤併用療法　23
抗血栓薬　121
好酸球性胃腸症　158, 161

さ
再出血予防　15
サイトメガロウイルス　158, 161
再陽性化率　56
残胃潰瘍　170
三次除菌治療　49
酸分泌抑制薬　21, 64, 73

し
シクロホスファミド　153
シタフロキサシン　49
シメチジン　64, 67, 73, 75, 79, 81, 89
十二指腸潰瘍　33, ほか
出血　176, 180
出血性胃潰瘍　10
出血性（消化性）潰瘍　6, 8
上部消化管検査　59
上部消化管出血　23
除菌成功例　55
心血管イベント　123

す
スクラルファート　67, 75

せ
セカンド・ルック　12
セレコキシブ　123, 126
穿孔　174, 178, 186, 188, 190
穿孔部閉鎖　178
全身熱傷　158, 161
選択的セロトニン再取り込み阻害薬　153
選択的ムスカリン受容体拮抗薬　67, 75

そ
ソフト凝固　10

た
大網被覆　178

ち
チニダゾール　38
直接経口抗凝固薬　17, 25

て
低用量アスピリン　3, 132, 134, 135, 137, 138, 141, 144, 146, 149, 150, 152
テプレノン　64

と
糖質ステロイド　121, 155
頭部外傷　158, 161
特発性潰瘍　158, 161

な
内視鏡的止血治療　8, 176

ナプロキセン　123, 126

に
ニザチジン　67, 75
二次除菌治療　46

は
パントプラゾール　25

ひ
非 H. pylori・非 NSAIDs 潰瘍　158, 161, 163
ヒータープローブ法　10
非ステロイド抗炎症薬　2, 96
ビスホスホネート　121
ビスマス製剤　44
びらん　104
ピレンゼピン塩酸塩水和物　67, 75

ふ
ファモチジン　67, 75
腹腔洗浄ドレナージ　178
フルオロウラシル　153
プロスタグランジン(PG)製剤　112, 118
プロトンポンプ阻害薬　6, 21, 30

ほ
防御因子増強薬　64, 67, 73, 75
ボノプラザン　38, 46, 66, 74, 81, 89, 112
ポリグリコール酸シート　188

み
ミソプロストール　67, 75, 112, 118

未治癒潰瘍　60

め
メトトレキサート　153
メトロニダゾール　38, 46, 49

ゆ
有病率　2
輸血　14

ら
ラニチジン塩酸塩　64, 67, 75, 112
ラフチジン　67, 75
ラベプラゾールナトリウム　66, 74
ランソプラゾール　66, 74, 112

り
リバーロキサバン　25

ろ
ロキサチジン酢酸エステル塩酸塩　67, 75
ロキソプロフェン　126
露出血管縫合止血　180

わ
ワルファリン　17, 25

利益相反（COI）に関する開示

　日本消化器病学会では，ガイドライン委員会・ガイドライン統括委員と特定企業との経済的な関係につき，下記の項目について，各委員から利益相反状況の申告を得た．

　消化性潰瘍診療ガイドライン作成・評価委員，SR協力者には診療ガイドライン対象疾患に関連する企業との経済的な関係につき，下記の項目について，各委員，協力者から利益相反状況の申告を得た．

　申告された企業名を下記に示す（対象期間は2017年1月1日から2019年12月31日）．企業名は2020年3月現在の名称とした．

A．自己申告者自身の申告事項
1. 企業や営利を目的とした団体の役員，顧問職の有無と報酬額
2. 株の保有と，その株式から得られる利益
3. 企業や営利を目的とした団体から特許権使用料として支払われた報酬
4. 企業や営利を目的とした団体より，会議の出席（発表，助言など）に対し，研究者を拘束した時間・労力に対して支払われた日当，講演料などの報酬
5. 企業や営利を目的とした団体が作成するパンフレットなどの執筆に対して支払った原稿料
6. 企業や営利を目的とした団体が提供する研究費
7. 企業や営利を目的とした団体が提供する奨学（奨励）寄附金
8. 企業等が提供する寄附講座
9. その他の報酬（研究，教育，診療とは直接に関係しない旅行，贈答品など）

B．申告者の配偶者，一親等内の親族，または収入・財産的利益を共有する者の申告事項
1. 企業や営利を目的とした団体の役員，顧問職の有無と報酬額
2. 株の保有と，その株式から得られる利益
3. 企業や営利を目的とした団体から特許権使用料として支払われた報酬

　利益相反の扱いに関しては，日本消化器病学会の「医学系研究の利益相反に関する指針および運用細則」（2019年1月1日改訂版）に従った．

　統括委員および作成・評価委員，SR協力者はすべて，診療ガイドラインの内容と作成法について，医療・医学の専門家として科学的・医学的な公正さと透明性を担保しつつ，適正な診断と治療の補助ならびに患者のquality of lifeの向上を第一義として作業を行った．

　すべての申告事項に該当がない委員については，表末尾に記載した．

1. 統括委員と企業との経済的な関係

役割	氏名	開示項目A			開示項目B
		1	2	3	1
		4	5	6	2
		7	8	9	3
統括委員	渡辺 純夫	−	−	−	−
		−	−	−	−
		EAファーマ,持田製薬,ヤクルト本社	−	−	−
統括委員	島田 光生	−	−	大鵬薬品工業,ツムラ	−
		アステラス製薬,アッヴィ,EAファーマ,エーザイ,MSD,小野薬品工業,コヴィディエンジャパン,CLSベーリング,ジョンソン・エンド・ジョンソン,大鵬薬品工業,武田薬品工業,中外製薬,日本イーライリリー,日本血液製剤機構,ノバルティスファーマ,バイエル薬品,メルクバイオファーマ	−	−	−
		−	−	−	−
統括委員	福田 眞作	−	−	−	−
		−	−	ブリストル・マイヤーズスクイブ	−
		旭化成ファーマ,アッヴィ,EAファーマ,エーザイ,MSD,武田薬品工業,ファイザー,持田製薬	−	−	−

2. 作成・評価委員・SR協力者と企業との経済的な関係

役割	氏名	開示項目A			開示項目B
		1	2	3	1
		4	5	6	2
		7	8	9	3
作成委員	伊藤 公訓	−	−	−	−
		−	−	−	−
		ツムラ	−	−	−
評価委員	平石 秀幸	−	−	−	−
		−	−	−	−
		武田薬品工業	−	−	−
評価委員	髙木 敦司	−	−	−	−
		−	−	−	−
		明治	−	−	−

法人表記は省略

下記の委員については申告事項なし.
統括委員:田妻 進,宮島哲也
作成委員:佐藤貴一,鎌田智有,伊藤俊之,岩本淳一,沖本忠義,菅野 武,杉本光繁,千葉俊美,野村幸世,三枝充代
評価委員:芳野純治
SR協力者:小川 竜,小坂聡太郎,川原義成,金 笑奕,角 直樹,中川健一郎,福田健介,保田智之,水野仁美,村田雅樹,Yaghoobi Mohammad,Yuhong Yuan

利益相反(COI)に関する開示

組織としての利益相反

日本消化器病学会の事業活動における資金提供を受けた企業を記載する(対象期間は 2017 年 1 月 1 日から 2019 年 12 月 31 日).

1) 日本消化器病学会の事業活動に関連して,資金(寄附金等)を提供した企業名

①共催セミナー

旭化成ファーマ,旭化成メディカル,あすか製薬,アステラス製薬,アストラゼネカ,アッヴィ,アルフレッサファーマ,EA ファーマ,エーザイ,MSD,大塚製薬,オリンパス,キッセイ薬品工業,杏林製薬,協和キリン,ギリアド・サイエンシズ,クラシエ製薬,コヴィディエンジャパン,サーモフィッシャーダイアグノスティックス,三和化学研究所,塩野義製薬,シスメックス,JIMRO,積水メディカル,ゼリア新薬工業,セルトリオン・ヘルスケア・ジャパン,第一三共,大日本住友製薬,大鵬薬品工業,武田薬品工業,田辺三菱製薬,中外製薬,ツムラ,東ソー,東レ,日本イーライリリー,日本化薬,日本ジェネリック製薬協会,日本ベーリンガーインゲルハイム,ノーベルファーマ,バイエル薬品,ファイザー,フェリング・ファーマ,ブリストル・マイヤーズ スクイブ,マイラン EPD,ミヤリサン製薬,メディコスヒラタ,持田製薬,ヤンセンファーマ,ロート製薬

②特別賛助会員

旭化成メディカル,アステラス製薬,EA ファーマ,エスアールエル,オリンパス,杏林製薬,協和企画,協和キリン,興和,寿製薬,三和化学研究所,塩野義製薬,ゼリア新薬工業,第一三共,田辺三菱製薬,中外製薬,ツムラ,ニプロ,堀井薬品工業,ミノファーゲン製薬

③一般寄付金

旭化成ファーマ,あすか製薬,アステラス製薬,アストラゼネカ,アルフレッサファーマ,栄研化学,エーザイ,エスエス製薬,MSD,エルメットエーザイ,大塚製薬,大塚製薬工場,小野薬品工業,科研製薬,キッセイ薬品工業,杏林製薬,協和キリン,グラクソ・スミスクライン,クラシエ製薬,興和,寿製薬,佐藤製薬,サノフィ,沢井製薬,参天製薬,三和化学研究所,塩野義製薬,ゼリア新薬工業,セントラルメディカル,第一三共,大正製薬,大日本住友製薬,大鵬薬品工業,武田薬品工業,田辺三菱製薬,中外製薬,ツムラ,帝人ファーマ,テルモ,東和薬品,トーアエイヨー,冨木医療器,富山化学工業,鳥居薬品,ニプロファーマ,日本化薬,日本ケミファ,日本新薬,日本製薬,日本臓器製薬,日本ベーリンガーインゲルハイム,ノバルティスファーマ,バイエル薬品,バイオラックスメディカルデバイス,半田,ファイザー,扶桑薬品工業,ブリストル・マイヤーズ スクイブ,丸石製薬,マルホ,ミノファーゲン製薬,Meiji Seika ファルマ,持田製薬,ヤクルト本社,ロート製薬,わかもと製薬

2) ガイドライン策定に関連して,資金を提供した企業名

なし

＊法人表記は省略.企業名は 2020 年 3 月現在の名称とした.
＊上記リストは当学会本部にて資金提供を受けたものであり,支部にて提供を受けたものについては,今後可及的速やかにデータを整備し開示を行うものとする.

消化性潰瘍診療ガイドライン 2020（改訂第 3 版）

2009 年 10 月 25 日　第 1 版第 1 刷発行	編集　一般財団法人日本消化器病学会
2011 年　5 月　1 日　第 1 版第 4 刷発行	理事長　小池和彦
2015 年　5 月　5 日　第 2 版第 1 刷発行	〒105-0004 東京都港区新橋 2-6-2 新橋アイマークビル 6F
2016 年　7 月 10 日　第 2 版第 2 刷発行	電話　03-6811-2351
2020 年　6 月　1 日　第 3 版第 1 刷発行	発行　株式会社 南　江　堂
2021 年　3 月 25 日　第 3 版第 2 刷発行	発行者　小立健太
	〒113-8410 東京都文京区本郷三丁目 42 番 6 号
	電話　（出版）03-3811-7236　（営業）03-3811-7239
	ホームページ　https://www.nankodo.co.jp/
	印刷・製本　日経印刷株式会社

Evidence-based Clinical Practice Guidelines for Peptic Ulcer 2020（3rd Edition）
© The Japanese Society of Gastroenterology, 2020

定価は表紙に表示してあります．
落丁・乱丁の場合はお取り替えいたします．
ご意見・お問い合わせはホームページまでお寄せください．

Printed and Bound in Japan
ISBN978-4-524-22544-6

本書の無断複写を禁じます．
JCOPY 〈出版者著作権管理機構　委託出版物〉
本書の無断複写は，著作権法上での例外を除き禁じられています．複写される場合は，そのつど事前に，出版者著作権管理機構（TEL 03-5244-5088，FAX 03-5244-5089，e-mail: info@jcopy.or.jp）の許諾を得てください．

本書をスキャン，デジタルデータ化するなどの複製を無許諾で行う行為は，著作権法上の限られた例外（「私的使用のための複製」など）を除き禁じられています．大学，病院，企業などにおいて，内部的に業務上使用する目的で上記の行為を行うことは私的使用には該当せず違法です．また私的使用のためであっても，代行業者等の第三者に依頼して上記の行為を行うことは違法です．